KB197010

대백록 待百錄

이 책은 2015년도 정부(교육부)의 재원으로 한국고전번역원의 지원을 받아 수행된
특수고전협동번역사업의 결과물임

대백록 待百錄

홍중인 편 | 김용흠·원재린·김정신 역주

혜안

머리말

조선후기 정치사는 흔히 당쟁사로 인식되었다. 조선왕조 국가의 멸망 원인으로서 지금까지도 당쟁망국론이 거론될 정도로 당쟁은 조선후기 정치사를 부정적으로 묘사하는 개념이 되었다. 16세기에 붕당이 형성된 이후 이를 기반으로 삼아서 전개된 정치적 대립과 갈등을 17세기 붕당정치, 18세기 탕평정치, 19세기 세도정치로 유형화하여 이해하는 시각이 제시되기도 하였지만 당쟁에 대한 부정적 인식이 크게 불식되지는 못하였다.

조선후기 정치사에서 개인의 권력욕이나 사리사욕, 당리당략에 의한 모략과 음모 등이 난무한 것은 사실이지만 이것만으로 모든 정치적 갈등을 설명할 수는 없다. 여기에는 개인의 권력욕이나 당리당략을 합리화하는 논리와 이에 의거하여 기득권을 유지 고수하려는 세력만이 있었던 것이 아니라 민생을 안정시켜 국가를 유지 보존하려는 세력과 논리도 역시 존재하였다. 이들은 현실 정치 속에서 서로 대립 갈등할 수밖에 없었는데, 당론서에는 바로 이러한 배경 속에서 발생한 다양한 사건들과 갈등 당사자들의 현실인식, 사유형태 등이 풍부하게 담겨 있다. 당론서를 통해서 표출된 주장과 논리는 이처럼 정책과도 긴밀하게 연관되어 있었다.

조선후기에는 당쟁이 격렬하였던 것만큼이나 각 당파의 정당성을 주장하는 수많은 당론서가 생산되고 필사를 통해 전파되었다. '당론서(黨論書)'란 17세기 이후 서인과 남인의 대립 갈등이 격화되는 가운데 생성되어, 이후 노론과 소론, 시파와 벽파의 갈등을 거치면서 각 정파의 행적과 논리의 정당성을 천명하기 위해 의도적으로 편찬된 자료를 지칭한다. 당론서는 국가의 공식 기록인 『조선왕조실록』이나 『승정원일기』와 같은 연대기, 또는 개인이나 문중에서 편찬하는 문집이나 전기류 등과는 구별되

　는 독특한 체제와 내용을 담고 있다.

　여기에는 해당 시기 정계와 학계를 주도했던 인물들의 정치 행적뿐만 아니라 그들의 현실인식과 세계관, 이에 입각하여 정치적 과제를 설정하고 대처해 나가는 모습 등이 구체적으로 담겨있다. 이에 대해서 당대의 사회경제적 제반 조건과 관련지어 체계적이고 과학적으로 분석해야만 조선후기 정치적 갈등이 정책과 어떻게 관련되어 있는지를 드러낼 수 있을 것이다. 따라서 당론서는 조선후기 정치사를 과학적으로 인식하는 관건이 되는 자료라고 말할 수 있다.

　조선후기 당론서는 현재 확인되는 것만도 그 규모가 방대하고 대부분이 한문 원자료 상태로 남아 있어 일반인의 접근이 어려운 것이 현실이다. 그리고 일부 번역된 것도 있지만 원문 번역에 그쳐서 일반인이 이해하기는 쉽지 않다는 문제가 있었다. 그리하여 관련 연구자가 전공 지식에 바탕을 두고 정밀한 역주를 통해서 친절하게 안내할 필요가 있다는 지적이 있어왔다.

　본서의 번역에 참여한 세 사람의 전임연구원들은 모두 조선시대 정치사, 정치사상사 전공자들로서 다년간에 걸쳐서 당론서 번역 사업을 수행해왔다. 2006년에는 한국연구재단의 지원을 받아서 '당론서 3종 번역과 주석 및 표점 작업'을 진행하여 『갑을록(甲乙錄)』(소론), 『아아록(我我錄)』(노론), 『동소만록(桐巢漫錄)』(남인)을 번역하는 사업을 완료하고, 『동소만록』은 2017년부터 시판에 들어갔다. 이어서 2013년과 2014년에는 서울대 규장각 한국학연구원의 지원을 받고 신규장각 자료구축사업의 일환으로 한국학 자료총서로서 『사도세자의 죽음과 그 후의 기억-『현고기(玄皐記)』 번역(飜譯)과 주해(註解)』(2015), 『충역의 시비를 정하다-『정변록(定辨錄)』 역주』

(2016)를 간행하였다. 이러한 성과를 바탕으로 2011년에는 한국역사연구회, 2016년에는 한국사상사학회 주관으로 학술대회를 통해서 연구 성과를 발표하기도 하였다.

또한 한국고전번역원의 '특수고전 정치사분야협동번역사업'의 일환으로 2015년 『형감(衡鑑)』, 2016년 『족징록(足徵錄)』과 『진감(震鑑)』, 2017년 『유문변록(酉門辨錄)』과 『대백록(待百錄)』 등의 번역이 완료되었고, 2019년 『형감』(혜안)을 출간한 바 있다. 현재 본 번역팀에서는 2018년부터 2단계 사업에 착수하여 『동남소사(東南小史)』와 『수문록(隨聞錄)』, 『황극편(皇極編)』 등의 번역 작업을 진행하고 있다.

이번에 출간하는 『대백록』은 한국고전번역원에서 지원한 '정치사분야협동번역사업'의 1단계 성과물로서, 남인측을 대표하는 당론서이다. 편자인 홍중인(洪重寅)은 서인·노론에 의해 왜곡된 당쟁사를 바로잡아서 공론(公論)을 회복하고, 이를 통해 자파(自派)의 정치적 위상을 제고하기 위한 목적을 갖고 본서를 저술하였다. 『대백록』은 『동소만록』과 문제의식을 공유한 것으로서 조선시대 당쟁사를 바라보는 남인의 관점을 시계열적으로 파악하는 데 유효한 당론서이다. 이들의 주장을 여러 측면에서 입체적으로 분석하면, 서로 다른 사상과 논리에 의거하여 국가 운영의 이상과 현실을 두고 치열하게 갈등하였던 조선시대 정치사의 현장을 구체적으로 조망할 수 있을 것이다.

본 사업을 진행하면서 많은 분들의 도움을 받았다. 한국고전번역원의 신승운 원장님 이하 박재영 기획처장, 권경열 평가실장 등 관련 임직원 여러분들이 당론서의 사료 가치를 공유하고 적극적으로 지원하여 이

8

사업이 완수될 수 있었다. 이제 그 1차 년도 두 번째 사업 성과물의 출간을 앞두고 진심으로 감사를 표하는 바이다. 또한 한국고전번역원 출범의 산파 역할을 했던 유기홍 전 국회의원의 적극적인 후원에도 감사드린다. 연세대학교 국학연구원의 신형기 전 원장님과 김성보 현 원장님 이하 임직원 여러분들의 도움에도 감사드린다. 그리고 세 사람의 전임연구원과 함께 20년이 넘는 기간 같이 전공 세미나를 전개하며 물심양면으로 도움을 준 정호훈, 구만옥, 정두영 선생 등과도 출간의 기쁨을 함께 나누고 싶다. 당론서를 비롯한 국학 자료 출판에 애정을 갖고 더딘 번역 작업을 인내심을 갖고 기다려 주신 혜안 출판사 오일주 사장님과 난삽한 원고를 깔끔하게 정리해주신 김현숙, 김태규 선생께도 감사드린다.

2019년 9월

김 용 흠

차 례

대백록 해제

　본서는 남인(南人)의 입장에서 왜곡된 당쟁사를 바로잡아서 공론(公論)을 회복하고, 이를 통해 자파(自派)의 정치적 위상을 제고하기 위해 편찬된 당론서(黨論書)이다.

　편자는 홍중인(洪重寅, 1677~1752)으로 알려졌다. 본관은 풍산(豊山)이고, 자는 양경(亮卿), 호는 화은(花隱)이다. 할아버지는 현감 홍주천(洪柱天)이고, 아버지는 홍만조(洪萬朝)이며, 어머니는 증 참의 권진(權瑱)의 딸이다. 홍만조는 1684년(숙종10) 수찬으로 재직하면서 경신환국(庚申換局, 1680) 이후 정국을 장악한 노론(老論)의 공세로부터 허목(許穆)을 구원하였으며, 이후 도승지·형조판서 등을 거쳐 경종대 좌참찬 등을 역임하였다. 홍중인은 1713년(숙종39) 성균관 진사가 되었고, 선릉참봉(宣陵參奉)으로 출사하여 진안(鎭安)·원성(原城)현감 등을 거쳐 원주목사(原州牧使)에 이르렀다. 1741년 한산군수(韓山郡守)를 지낸 뒤 사직하였다가 정언 등을 역임한 아들 홍정보(洪正輔)의 공으로 첨지중추부사와 돈녕부도정을 지냈다.

　『대백록』은 서인·노론에 의해 왜곡된 당쟁사를 바로잡기 위한 목적에서 찬술되었다. 홍중인은 "대백(待百)" 뜻을 풀이하면서 "옳고 그름은 백년을 못가서 정해진다."는 것은 적절치 못하다고 보았다. 워낙 관련기록이 다 왜곡된 상황에서 세월만 보낸다고 해서 잘못된 사안이 바로잡히지 않는다는 것이다. 적극적인 시비변정의 노력이 기울어져야 한다는 의미였다. 이에 서두(書頭)에서 기왕의 당론 관련기록들이 옳고 그름을 억측하고 심지어 거짓을 지어냈다고 단정하면서 오류를 바로잡기 위해서 본서를 편찬하였다고 분명히 밝히고 있다. 대표적인 왜곡사례로 『백사집(白沙集)』「기축록(己丑錄)」을 들었다. 이를 통해 서인·노론이 남긴 기록의 문제점을 전면에 내세워 강조하였다. 그 중에서도 기자헌(奇自獻)과 류성룡(柳成龍)의 사례를 대표적으로 들어 구체적으로 논증하였다. 홍중인은 「기축록」에 대한 조작을 서인·노론의 당쟁사 왜곡의 서막으로 인식하였던 것이다.

조선후기 당쟁사는 기축옥사(己丑獄事, 1589)에서 비롯되었으며, 기축옥사를 통해 왜곡된 시비의 곡절은 이후 당쟁 확산의 주요원인이 되었다. 홍중인은 기축옥사에 대한 종래의 기록이 서인들에 의해 심하게 왜곡되었다는 주장을 하였고, 그의 이러한 관점은 대표적인 남인계 당론서인 『동소만록(桐巢漫錄)』(남하정(南夏正))과 문제의식을 같이하는 것이었다.

본서에서는 기축옥사의 시비를 규명하기 위해 원정(元情) 등 서인 당론서에서 잘 인용하지 않은 1차 사료를 적극 활용하였다. 피해당사자의 진술은 사건을 재구성하는 데 필요한 기본 자료일 뿐만 아니라 당대 기록이라는 점에서 신뢰감을 주기에 적합한 자료였다. 그 결과 홍중인은 기축옥사를 정언신과 정개청, 최영경이 억울하게 죽은 사건으로 규정하였다. 아울러 논란이 있는 사안에 대해서는 국왕의 언설을 서인의 논설을 부정하는 근거로 적극 활용하였다. 이는 서인들에 의해 확정된 공의(公議)를 불신하는 가운데 나온 고민의 흔적으로서, 당대 군주의 견해를 당론의 시비를 정하는 데 적극적으로 활용한 사례로 볼 수 있다.

기축옥사에서 홍중인이 가장 억울하게 생각했던 점은 사상 시비 문제로, 그 대표적인 사례가 정개청이었다. 정개청은 '동한절의진송청담동이론(東漢節義晋宋淸談同異論)'을 지어, 우활한 학술을 표방하다가 나라를 망친 사례를 지적하였다. 홍중인이 보기에 이러한 논조는 정자(程子)와 주자(朱子)를 종주로 삼은 것으로 학술적 차원에서 전혀 문제가 되지 않았으나, 그 저의를 의심했던 정철은 이를 배절의론(背節義論)으로, 심지어 배사설(背師說)로 규정하여 정개청을 죽음에 이르게 했다. 이에 대해 홍중인은 나름 분석하기를, 최영경의 경우 무고함이 밝혀진 상태로 정철과 그 후손들이 어찌할 수 없는 상황에서 자신들의 결백을 주장하기 위해서 정개청에 대한 모함에 적극 뛰어들었다는 것이다. 이는 배절의론·배사설로까지 이르게 되었고 마침내 서인들은 자신들이 확정한 사사로운 기록을 실록에 싣기까지에 이르렀다. 안방준이 사사롭게 개록한 야사를 이식이 실록을 편수하는 과정에 참조하였고, 뒷날 이를 근거로 "정개청의 일은 국사[國乘]에 갖추어 실려 있습니다." 하였다는 것이다. 따라서 국사 조차도 믿을 수 없다고 주장하였다. 이에 홍중인은 서인의 행태를 비판하면서 본서 말미에 독자로 하여금 정개청의 본의를 객관적으로 판단할 수 있도록 그 전문(全文)을 실어두었다.

한편 홍중인은 퇴계(退溪)의 호발론(互發論)에 입각하여 율곡의 기발이승론(氣發理乘論)을 비판하였다. 그에 따르면, 퇴계야말로 주자의 학설을 온전히 계승한 학자인 반면 율곡은 이(理)와 기(氣)를 하나로 보는 잘못을 저질렀고, 종국에는 불교와 같은 이단사설에 빠지고 말았다. 율곡의 이기론은 조익에게서 다시 한번 반복되었다. 조익은 율곡의 이통기국(理通氣局)을 받아들이면서 마치 새로운 견해를 제시한 것으로 억지 주장하였다. 홍중인은 기국을 핑계로 스스로 닦음이 없다면 사람들은 자포자기하는 오류를 저지르게 될 것이라 보았다. 그에게는 이기심성론이야말로 정파 간 우위를 평가할 수 있는 주제였고, 주자의 학설을 따른 퇴계학맥이야말로 학문적으로나 정치적으로 우위에 있었다. 상대를 제압하기 위해서 학문경향을 문제시할 때는 객관적으로 평가할 수 있는 이기설을 상정해야 한다는 생각이 반영된 기술이었다.

홍중인은 여기서 한발 더 나아가 이러한 학설상 오류가 당쟁을 초래하였다고 보았다. 그가 볼 때 율곡의 문제는 자신의 재주와 덕행을 헤아리지 못한 채 퇴계와 주자 등 선현을 무시하고 스스로를 높이려는 태도였다. 율곡에게서 비롯된 잘못된 학문 전통이 학맥을 통해 후학들에게 계승되어 김장생이 등장하였고, 그 뒤에 송시열에게 전수되어서 마침내 화가 하늘을 뒤덮고 학술의 피해가 막심해졌다고 촌평하였다. 송시열의 정치적 행위만을 비난했던 기왕의 당론서와 달리 이기론을 당쟁의 기원으로 상정함으로써 이이로부터 송시열에 이르는 서인의 근본적인 문제점을 지적하였다. 한편 홍중인은 서인 가운데 당쟁을 격화시킨 인물로 윤선거·윤증 부자를 지목하였다. 즉 "만약 윤선거가 출사하여 권력을 잡았다면 세도에 끼친 화가 송시열보다 못하지 않았을 것이다."라는 언설에서 편자의 의중을 헤아려 볼 수 있다.

홍중인은 기축옥사의 주모자로 성혼을 지목하였고, 이를 수습하는 과정에서 그 후손들이 보인 처신에 주목하였다. 윤증은 기축옥사 당시 성문준(成文濬)과 함께 옥사를 주도한 인물이 정철임을 알면서도 이를 숨겼다는 것이다. 이는 기축옥사에 대한 여론이 악화된 당대현실과 무관하지 않다. 해당 옥사에 관련된 외증조부 성혼의 잘못을 가리기 위해 윤증은 기축옥사를 간당(奸黨) 가운데 일어난 역옥(逆獄)으로 규정하였던 것이다. 이는 『동소만록』과 동일한 관점으로, 홍중인은 남하정과 마찬가지로 윤선거 부자의 문제점을 집요하게 파고들었다.

이때 부각되는 사건이 왜란 당시 피난 가는 선조(宣祖)를 배웅하지 않은 성혼의 처신이었다. 홍중인은 성혼의 잘못된 처신이 김자점(金自點)과 심지원(沈之源) 등 서인들에게 전수되었다고 보았다. 실제 이 문제는 성혼을 문묘 출향하는 빌미가 되었으며, 이는 서인 내 분기의 주요 원인이 되었다. 윤증이 성혼을 변론하면서 율곡의 입산(入山) 사례를 거론하였는데, 이것이 마침내 내부 갈등을 촉발하였고, 병자호란 당시 윤선거의 강화도 실절(失節) 사건과 얽히면서 더욱 증폭되었다. 그 와중에 벌어진 예송(禮訟)에서 홍중인은 윤선거 부자의 이중성이 가감 없이 드러났다고 보았다. 윤휴와의 연계를 빌미한 송시열의 압박에 두 부자는 평소 소신을 버리고 기년설(朞年說)을 받아들여 현상을 유지해 나아갔다는 것이다.

홍중인에게 예송은 윤선거 부자의 부적합한 처신을 비판함은 물론 송시열 예설의 논리적 문제점을 드러내는 데에 알맞은 사안이었다. 남인 입장에서 서인의 집권명분을 약화시키면서 동시에 자파의 선명성을 부각시켜 재기의 발판을 마련하는 데 적합한 사안이었던 것이다. 기해(己亥) 예송 당시 서인은 사종설(四種說) 체이부정(體而不正)에 입각하여 자의대비(慈懿大妃) 복제를 기년복으로 확정하였다. 이에 대한 홍중인의 논지는 간명하였다. 첫째 아들이 죽으면 적처 소생인 둘째 아들을 세우되 그 역시 장자로 보아야 하므로 효종을 위해 삼년복을 입어야 한다는 것이다. 그런데도 송준길과 송시열은 '참최복을 두 번 입지 않는다.[不貳斬]'는 논리에 얽매여 '소현세자(昭顯世子)의 상례 때 이미 삼년상을 거행하였으니, 또 참최 삼년복[極服]을 입는 것은 불가하다.'고 여겨 기년복을 경솔히 시행하였다는 것이다. 나아가 이들은 이에 대해 공격하여 배척하는 논의가 나오자 사종(四種) 가운데 '아들이지만 적자가 아닌 경우[體而不正]'의 설을 가지고 삼년설의 부당함을 입증하다가 더 큰 문제를 초래하였다. 홍중인은 당대 서인 내에서도 기년복제가 갖는 논리적 결함을 알고 있었지만 송시열의 위세에 밀려 그의 주장을 그대로 수용하였다고 보았다. 예송이야말로 서인의 본색을 여과 없이 드러내는 사안이라고 주장하였다.

여기서 홍중인이 주목했던 점은 시비를 전도시키는 송시열의 위세였다. 홍중인은 송시열에 대해 세도(世道)에 화를 끼치고 윤리와 기강을 무너뜨려 반드시 장차 사람과 나라를 망친 뒤에야 그칠 것이라고 촌평하였다. 이러한 혹평은 당대 그의 위상과 후대 영향력을 부정적으로 평가한 결과였다. 위로는 공경(公卿)으로부터 아래로는 일반 선비에 이르기까지 송시열에게 달려가 붙지 않은 자가 없었는데, 이는 곧 송시열이 자신을 따르지 않는 자에 대해서는 그 선대의 결점을 집어내어 조종하고 협박하는 바탕으로 삼았다. 그 결과 부모형제는 배신할지언정 송시열은 감히 배신할 수 없었던 것이다.

홍중인은 이 같은 서인 내 분열과 거듭되는 패착에도 불구하고 남인이 재집권의 계기를 마련하지 못한 것은 남인의 역량 부족 때문이라고 보았다. 자파의 분열을 야기하는 듯한 평가를 가감 없이 내놓음으로써 남인의 부족한 정치력을 신랄하게 비판하는 점은 본서의 특징 가운데 하나이다. 홍중인이 볼 때 남인은 학문적 역량에 비해 판세를 분석하고 이를 교정할 정치력이 부족하였다. 홍중인은 남인이 진짜 사대부[眞士大夫]로 자처하면서 이학(理學)으로 가장하는 것을 배척하였지만, 차츰 헛된 데로 흘러 들어가 의지할 데가 없게 되었다고 하였다. 심지어 진(晋)·송(宋) 등 육조(六朝)시대처럼 청담(淸談)을 일삼았다고 통렬히 비판하였다. 선비로서 학문의 엄정함은 견지했지만 대부로서 정국을 읽는 능력은 결여되었다는 것이다.

남인에 대한 언급에서 주목되는 것은 기사남인(己巳南人)을 비판적으로 평가한 점이다. 남하정의 경우 기사남인의 혐의에서 벗어나기 위해 기사환국(己巳換局, 1689) 당시 폐위 전교(傳敎)에 적극 대처했던 남인의 노력을 상세히 소개하고, 이로써 집권명분을 축적해 나갔다. 반면 홍중인은 기사남인이 권력을 얻음이 올바르지 않아서 반나절 정청(庭請)만으로는 책임을 면하지 못하였다고 촌평하였다. 그는 권모술수를 사용해서 6년간 권력을 장악한 것은 오래 버틴 것이라고 냉소적인 태도를 보였다.

본서는 자유로운 구성 체제를 따르고 있다. 기축옥사를 중심축으로 삼고 이로부터 파생된 당쟁의 양상을 인물별로 기술하였다. 특히 '안'설을 덧붙여 편자의 견해를 분명히 드러낸 점이 『동소만록』과 『조야신필(朝野信筆)』 등 주요 남인계 당론서와는 차별되는 본서만의 장점이다. 홍중인은 논란이 심하거나 사실을 왜곡한 언설에 대해서는 직설적으로 자신의 의견을 제시하였다. 이를 통해 당대 남인들의 당쟁인식이 어떠했는지를 파악할 수 있다. 홍중인은 성혼과 율곡을 주요한 인물로 거론하였다. 특히 성혼을 기축옥사의 주동자로 간주한 사실이나 윤선거와 윤증의 처신을 집요하게 비판하는 것 등은 여타 남인계 당론서에 비해 도드라진 점이다. 한편 율곡의 경우 사상 논전을 편술의 중심에 놓음으로써 당쟁이 단순히 개인별 정파별 권력을 둘러싼 헤게모니 쟁탈전이 아니라 이기심성론에 대한 인식의 차이에서 비롯되었다는 점을 환기시켜주었다. 이는 사상적 측면에서 당쟁사를 어떻게 인식하였는지를 보여주는 대표적인 사례라고 할 수 있다. 마지막으로 『대백록』은 홍중인이 실학자 이익과 상호 교유하면서 저술활동을 펼쳤다는 점에서 당대 청남(淸南)을 대표했던 이익의 당쟁사 인식을 파악하는 데 반드시 참조해야 할 당론서라고 평가할 수 있다. 이는 남인계 당론서의 특징으로 당대의 정치적 현실을 교정하려는 의지의 반영으로 볼 수 있다.

본 번역의 저본은 『朝鮮薰爭關係資料集』 권2 (驪江出版社 영인본)를
활용하였다.

서(序)[1]

한번 색목(色目)이 분열된 이후 세상에는 공론(公論)이 없어진 지 오래되었다. 근래 이른바 시배(時輩, 서인·노론)의 문집과 패사(稗史), 야사[野乘]들을 보면 사람들의 사특함과 올바름, 사안의 옳고 그름이 모두 논의 마다 서로 달라 억측하여 결정하며 단정하였고, 또한 간혹 거짓말로 지어낸 것도 있었다. 그 마음은 백년을 속이고 귀신을 속일 수 있다고 생각하는데, 이는 결코 있을 수 없는 이치이다. 이에 감히 사실(事實)에 근거하여 그 거짓된 설들을 변별해 보니 시배의 문집에서 많이 나와서 공안(公案)이 되지 않은 것이 없었다.

"대백(待百)"이라고 명칭하면 옛사람이 "옳고 그름은 백년을 못 가서 정해진다." 한 말이 떠오르지만, 지금 보면 이는 적실한 논평은 아닌 것 같다. 지금으로부터 백년이 지나면 혹 공론이 크게 정해질 수도 있고, 그렇게 되면 이 기록이 능히 곤월(袞鉞)[2]을 잡은 자의 취사에 도움이 되지 않을 수 없기 때문에 "대백"이라고 이름 지었다. 그러나 이 기록을 보는 자 가운데 반드시 분노하는 자는 많고, 기뻐하는 자는 적을 것이기에 매우 두렵다. 내 자손은 이것을 경솔하게 다른 사람에게 보여서는 안 되고, 반드시 백년을 기다린 뒤에 내 놓아야 한다. 모름지기 깊이 감춰두고 오랫동안 비밀로 삼아야만 할 것이니, 이 경계를 따르지 않는 자는 내 자손이 아니다.

---

1) 원문에는 편목으로 잡혀 있지 않다. 내용을 고려하여 설정하였다.
2) 곤월(袞鉞) : 임금의 부월(斧鉞)이란 뜻으로, 신하에 대한 포폄(褒貶)이나 처벌 권한을 가리킨다. 또는 공자(孔子)가 『춘추(春秋)』를 지어서 한 글자로 표창한 것이 곤룡포[袞]보다 영광스럽고 한 글자로 깎은 것이 도끼[鉞]보다 무섭다는 뜻이 들어 있다. 본문에서는 후자의 뜻을 지니고 있다.

『백사집(白沙集)[3]·기축록(己丑錄)[4]』의 경우 진본(眞本)을 고쳐서 거짓 기록을 보충하였는데, 정승 기자헌(奇自獻)[5]·서애(西厓) 류성룡(柳成龍)[6]의 일에 대하여 가장 심하게 실상을 왜곡하였기 때문에 권수(卷首)에서 먼저 기록한다.

---

3) 백사집(白沙集) : 이항복(李恒福, 1556~1618)의 문집이다. 본관은 경주(慶州), 자 자상(子常), 호 백사·필운(弼雲)·동강(東岡)이다. 우의정·영의정 등을 역임하였다. 1590년(선조23) 정여립 옥서를 처리한 공로로 평난공신(平難功臣) 3등에 봉해졌다. 광해군대 폐모론(廢母論)에 반대하다가 유배되었다가 유배지에서 죽었다.

4) 기축록(己丑錄) : 이항복이 기록한 기축옥사 관련 기록이다. 『기축록』은 강릉본(江陵本) 『백사집』에 실렸으나, 조선후기에 이르러 그 글이 남아 있지 않고, 고쳐 쓴 『기축록』이 세상에 돌아다녔다. 개작된 이유와 관련하여 장유(張維)가 「백사 이상국 행장」에서, "정여립(鄭汝立)이 모반(謀反)한 일이 발각되어 대신들이 죄인을 심문할 때마다 공이 추국(推鞫)의 문사낭청(問事郎廳)이 되어 그 사이에서 잘 주선한 덕에 온전히 살아날 수 있었던 자가 매우 많았다." 하였고, 또 "마침 사화(士禍)가 일어났는데 상국 정철(鄭澈)이 사화의 수괴였다." 하였다. 서인의 입장에서 기축옥사에 정철이 간여되었다고 하는 사실을 지우고 이항복의 역할을 축소하기 위한 의도에서 개작된 것으로 보인다.

5) 기자헌(奇自獻) : 1567~1624. 본관은 행주, 자 사정(士靖), 호 만전(晩全)이다. 좌의정·영의정 등을 역임하였다. 1601년(선조34) 최영경을 신원하고, 당시 옥사를 다스린 서인을 탄핵하였다.

6) 류성룡(柳成龍) : 1542~1607. 본관은 풍산(豊山), 자 이현(而見), 호 서애(西厓)이다. 이황의 문인으로, 좌의정·영의정 등을 역임하였다. 임진왜란 때 군무(軍務)를 총괄하여 국난을 극복하는 데 기여하였다. 저서로는 『서애집』·『징비록(懲毖錄)』 등이 있다.

백사집(白沙集) 기축록(己丑錄)¹⁾

『백사집』은 강릉(江陵)에서 처음으로 간행되었는데, 그 가운데 『기축록』
에서는 정철(鄭澈)²⁾이 최영경(崔永慶)³⁾을 죽인 일을 있는 그대로 서술하였
다. 이에 그 아들 정홍명(鄭弘溟)⁴⁾과 시배들이 싫어하여 널리 반포되지
못하고 모두 거두어 갔다. 『기축록』에 실렸던 그 부분은 진주(晋州)에서
본집을 개간하며 가짜 『기축록』을 만들어서 실었는데, 이러한 설은 미수(眉
叟) 문집⁵⁾에 실려 있었다. 사람들이 백사의 자손들에게 묻자 대답하기를,
  "우리들은 진심으로 송강(松江, 정철의 호)을 아끼고 옹호하지만, 그를
존모하는 마음은 율곡(栗谷)⁶⁾만 못합니다. 모든 서인(西人)이 선조(先祖,

---

1) 원문에는 편목으로 잡혀 있지 않다. 내용을 고려하여 설정하였다.
2) 정철(鄭澈) : 1536~1593. 본관은 연일(延日), 자 계함(季涵), 호 송강(松江)이다. 유침(惟
   沈)의 아들로서, 이이·성혼·송익필(宋翼弼) 등과 교유하였다. 우의정·좌의정 등을
   역임하였다. 1589년(선조22) 정여립 옥사를 기화로 동인을 제압하였다. 1591년 신성
   군(信城君)을 세자로 책봉하려다가 파직 당하였다.
3) 최영경(崔永慶) : 1529~1590. 본관은 화순(和順), 자 효원(孝元), 호 수우(守愚) 이다.
   조식(曺植)의 문인으로, 1589년(선조22) 정여립 옥사 때 길삼봉(吉三峯)으로 지목되어
   국문을 받다가 죽었다.
4) 정홍명(鄭弘溟) : 1592~1650. 본관은 연일, 자 자용(子容), 호 기암(畸庵)·삼치(三癡)이
   다. 정철의 넷째 아들로서, 송익필·김장생(金長生)의 문인이다. 대사성·이조참의
   등을 역임하였다.
5) 미수(眉叟) 문집 : 미수는 허목(許穆, 1595~1682)의 호이다. 본관은 양천(陽川), 자
   문보(文甫)·화보(和甫)이다. 정구(鄭逑)의 문인으로, 이조참판·우의정 등을 역임하였
   다. 현종대 두 차례 예송에서 송시열과 대립하면서 남인계 영수로서 활약하다가
   1680년(숙종6) 경신환국(庚申換局)으로 실각한 뒤 정계에서 물러났다. 허목의 문집은
   『미수기언(眉叟記言)』으로, 저자 자신이 편찬하여 놓았던 것을 1689년 숙종의 명에
   의해 간행하였다.
6) 율곡(栗谷) : 이이(李珥, 1536~1584)의 호이다. 본관은 덕수(德水), 자 숙헌(叔獻), 호
   석담(石潭)·우재(愚齋)이다. 이조·병조판서 등을 역임하였다. 1576년(선조9) 동인(東
   人)과 서인(西人)의 대립 갈등이 심화되자 중재하려 노력했고, 이후 서인 편에 섰다.

이항복)가 찬한 율곡 비문의 미진한 곳을 고쳐달라고 청하였어도 우리가
굳게 거절하여 허락하지 않았는데, 어찌 송강을 위해 문장을 바꾸어
어지럽힐 수 있겠습니까?……"

하였다. 그 말이 이치에 맞는 듯 보였기 때문에 본집을 고쳤다는 설을
미심쩍게 여기는 사이에 두었다. 그런데 작년에 강릉판 구본(舊本)을 얻어
보고, 별집(別集) 제4편 제6장 제6행에서부터 제8장 제20행까지를 파내버
린 것을 확인하였다. 파내버린 곳 위에는 "여색(女色)은 능히 사람을 혼미하
게 만든다."[7]는 말이 있고, 아래에는 "나는 약관(弱冠) 시절에 산가(山家)의
설(說)을 매우 좋아하였다."[8]는 말이 있었다. 터무니없이 억지 이유를
끌어댄 곳은 장수(丈數)로 말하면 3장이고, 행수로 말하면 59행이다. 1장은
22행이었고, 1행은 18자인데, 진주본은 1장 20행, 1행 20자이다. 이것을
계산해보면 강릉본의 문자는 겨우 9백여 자였는데, 진주본은 강릉본에
비해 거의 1천여 자가 추가된 것이었다.

책에 찍혀진 도장[圖署]을 보면 연안(延安) 세가(世家) 이경의(李景義)[9]의
도장이었다. 이경의는 오봉(五峯)[10]의 조카로서, 관직이 재상의 반열에
이른 자였다. 지금 아울러 함께 터무니없이 억지 이유를 끌어댄 곳을
고쳐 새겨 놓으니, 이 본은 곧 고쳐서 새기기 이전에 인쇄하여 간행한
것이다. 내가 이것을 본 뒤 비로소 미옹(眉翁, 허목)의 설이 틀리지 않았음을
믿게 되었다. 또한 자손의 말은 아마도 부형의 과실을 드러내는 것이

주기론(主氣論)을 제시하여 이황과 함께 조선성리학(朝鮮性理學)을 확립하는 데 기여
하였다.

7) 『白沙別集·色能迷人』 참조.

8) 『白沙別集·山家之說』 참조. '산가(山家)의 설'이란 풍수지리설을 가리킨다.

9) 이경의(李景義) : 1590~1640. 본관은 연안(延安), 자 자방(子方), 호 만사(晩沙)이다.
수찬(修撰) 세범(世範)의 증손으로, 할아버지는 국주(國柱), 아버지는 상민(尙閔)이다.
어려서 작은아버지 호민(好閔)에게 글을 배웠다. 인조반정 후 이조참판 등을 역임하
였다.

10) 오봉(五峯) : 이호민(李好閔, 1553~1634)의 호이다. 본관은 연안, 자 효언(孝彦), 호
남곽(南郭)·수와(睡窩)이다. 증조부는 연안군(延安君) 숙기(淑琦), 할아버지는 세범,
아버지는 국주이다. 임진왜란 당시 명나라 지원을 요청하는 데 공을 세워 호성공신(扈
聖功臣) 2등으로 연릉군(延陵君)에 봉해졌다.

두려워 숨기고 감추려 했던 것이니 괴이할 것이 없다. 그 행수와 자수를 살펴보니, "송옹(松翁, 정철)이 기뻐하며 말하기를" 이하는 첨입하여 보충한 말인 듯싶은데, 결사(結辭)¹¹⁾에 반드시 정철에게 크게 해로운 말이 있었기 때문에 이와 같이 파내버린 것이다.

고산(孤山)은 상소에서¹²⁾ 다만 말하기를, "정률(鄭慄)에 대한 만장(挽章)은 강릉본에는 실려 있는데, 진주본에는 실려 있지 않았다." 하였고, 『기축록』에 대해서는 단지 위아래 문체가 현저히 다르다는 것만을 말하였을 뿐 이미 실려 있던 것을 다시 제거한 일에 대해서는 말하지 않았다. 이것은 살던 곳이 너무 멀어서 듣지 못했기 때문이 아니겠는가? 절반 이하는 문체가 현저하게 다를 뿐만 아니라 절반 이상에서는 단지 "송강(松江)"이라 칭하였다가 그 전반 이하에서는 반드시 "송옹(松翁)"이라고 하였으니 이 또한 조금 다른 점이었다.

일찍이 상국(相國) 기자헌이 정철이 최영경을 모함해 죽였다고 논하고, 아울러 성혼(成渾)¹³⁾의 관작을 추삭(追削)할 것을 논하자 시배들이 기필코 앙갚음을 하고자 하였다. 그래서 갑자년(1624, 인조2) 이괄(李适)¹⁴⁾의 반란

---

11) 결사(結辭) : 추관(推官)이 사건의 원인과 경과를 조사하여 조서(調書)에 적어 넣는 의견서이다.

12) 고산(孤山)이 상소에서 : 고산은 윤선도(尹善道, 1587~1671)의 호이다. 본관은 해남(海南), 자 약이(約而), 호 해옹(海翁)이다. 공조·형조정랑 등을 역임하였다. 현종대 예송 때 서인과 대립하다가 유배되었다. 본문의 상소는 윤선도가 1658년(효종9) 6월에 올린 상소이다. 여기서 윤선도는 기축년(1589, 선조22) 역옥(逆獄) 당시 정언신(鄭彦信)의 아들 정률(鄭慄)이 그 아버지의 억울함으로 인해 죽었다. 이때 이항복이 정률과 교분이 있어 그를 위해 한 편의 글을 지어서 광중(壙中)에 넣었다. 그 뒤 정률의 아들 정세규(鄭世規) 등이 이장할 때 그 만장(挽章)이 세상에 나왔다고 하였다.(『孤山遺稿·國是疏』)

13) 성혼(成渾) : 1535~1598. 본관은 창녕, 자 호원(浩源), 호 우계(牛溪)·묵암(默庵)이다. 현감 수침(守琛)의 아들로서, 이이와 평생 교유하면서 학문적·정치적 입장을 같이 하였다. 그의 학문과 사상은 외손 윤선거와 외증손 윤증에게 계승되면서 소론(少論)의 원류가 되었다.

14) 이괄(李适) : 1587~1624. 본관은 고성(固城), 자 백규(白圭)이다. 평안병사 겸 부원수 등을 역임하였다. 인조반정 직후 논공행상에 불만을 품고 반란을 일으켰다.

이 일어나자 먼저 고변한 자가 있어 사대부 37명이 모두 연루되어 신문을
받고 형구에 채워져 하옥되었다. 당시 완평부원군(完平府院君)15)이 영의정
[首相]으로서 나아가 말하였다. "기자헌의 죄상은 드러나지 않았습니다.
더구나 이 사람은 폐모(廢母)16) 논의가 일어났을 때 헌의(獻議)하여 힘껏
다투다가 마침내 멀리 귀양까지 갔었으니 이는 10대[世]를 사면할 만한
자라고 이를 수 있습니다." 그렇지만 고변서가 이르고 밤이 되어 공신(功臣)
들이 입대(入對)하자 모두 죽일 것을 청하니 주상이 허락하였다.

이튿날 아침 완평부원군이 그 소식을 듣고 크게 놀라 말하기를, "간밤에
이처럼 많은 사람을 죽였는데, 이 몸이 영의정을 맡고 있으면서 소식을
듣지 못했으니, 내가 너무 늙었구나." 하면서 탄식을 금치 못하였다.
뒷날 공이 주상에게 아뢰기를, "기자헌은 자손까지 죄를 용서받아야
마땅한 자인데 자신도 형벌을 면치 못하고 친척도 모두 죽었으니 매우
애처롭습니다." 하니, 주상이 비로소 깨달아 그의 관작을 회복시키라고
명하였다.

그 뒤 김류(金瑬)17)의 시장(諡狀) 가운데에서 이르기를, "당시 주살할
때 삼공(三公)이 그 일에 간여하였다." 하니, 완평부원군의 손자 전첨(典籤)18)
아무개19)가 상중[居憂]에 있으면서 상소를 올려 변론하였다.20) 이에 주상

---

15) 완평부원군(完平府院君) : 이원익(李元翼, 1547~1634)의 봉호이다. 1600년 다시 좌의
정을 거쳐 도체찰사에 임명되어 영남 지방과 서북 지방을 순무하고 돌아왔다.
1604년 호성공신(扈聖功臣)에 녹훈되고 완평부원군에 봉해졌다. 광해군 즉위 후
다시 영의정이 되었을 때 경기도에 대동법(大同法)을 시행하였다.

16) 폐모(廢母) : 인목대비(仁穆大妃, 1584~1632)를 폐위시킨 일을 말한다. 선조의 계비
인목왕후는 연흥부원군(延興府院君) 김제남(金悌男)의 딸이다. 1602년 왕비에 책봉되
어 1606년에 영창대군(永昌大君)을 낳았으나, 광해군이 즉위한 뒤 폐위당하고 서궁(西
宮)에 유폐되었다.

17) 김류(金瑬) : 1571~1648. 본관은 순천(順天), 자 관옥(冠玉), 호 북저(北渚)이다. 영의정
등을 역임하였다. 인조반정으로 정사공신 1등에 녹훈, 승평부원군(昇平府院君)에
봉해졌다.

18) 전첨(典籤) : 종친부(宗親府)에 딸려 정무를 맡아보던 정4품 벼슬이다.

19) 아무개 : 이수약(李守約, 1590~1668)을 가리킨다. 본관은 전주(全州), 자 이성(而省)이
다. 이원익의 손자이며, 이의전(李義傳)의 아들이다. 형조좌랑·돈녕부첨정 등을 역임
하였다.

이 즉시 태상시(太常寺)21)에 내려 시장을 바로잡게 하였으니, 전후의 사정이
드러나서 숨길 수 없음이 이와 같았다. 그런데 송시열(宋時烈)22)이 김류의
비명을 찬술하며 다음과 같이 말하였다.

"이괄의 반란에 내응하여 붙잡혀 옥에 갇힌 자들이 30여 인이었는데,
여러 논의들이 모두 마땅히 속히 처단해야 한다고 하였다. 영의정 이원익
공이 우의정 신흠(申欽)23)에게 말하기를, '나는 늙고 병들어 청대(請對)를
할 수 없으니, 공이 병조판서24)와 함께 아뢰어 결정하시오.' 하였는데,
즉시 허락하였다."

이 문장의 흐름을 보면, 주살(誅殺)의 논의는 시배에게서 나온 것이
아니라 완평부원군에게서 나온 것이 된다. 시배들이 흑과 백을 변환하여
어지럽히는 부류가 모두 이와 같으니 다른 일도 미루어 알 수 있을
뿐이다. - 주살의 논의는 본래 김류에게서 나왔는데, 김류는 우계(牛溪, 성혼의 호)의
문인이었다. -

---

20) 김류(金瑬)의 시장(諡狀)……변론하였다 : 이 시장은 이경석(李景奭)이 지었다. 김류는
　　이괄의 난 당시 기자헌을 이괄의 반군과 결탁한 역모로 몰아 처형하였다. 얼마
　　뒤 김류는 잘못을 시인하였는데, 1648년 김류가 죽은 뒤 이경석이 시장을 쓰면서
　　김류 집안에서 작성한 가장(家狀)에 의거하여 당시 삼공들도 이 일에 관여하였다고
　　썼다. 이에 반발하여 김자점이 인조에게 보고하였고, 인조는 이를 바로잡게 하였다.
　　『白軒集·領議政昇平府院君金公諡狀』 및 『仁祖實錄』 2年 1月 25日·10月 3日) 당시 영의정
　　이 이원익이었기에 손자 이수약이 상중임에도 불구하고 이를 바로잡기 위해 상소를
　　올렸다.
21) 태상시(太常寺) : 봉상시(奉常寺). 국가의 제사 및 시호를 의론하여 정하는 일을 관장하
　　는 관서이다. 1392년(태조1) 설치되었다가 1409년(태종9)에 전사서(典祀署)로 고쳤다.
　　1421년(세종3)에 봉상시(奉常寺)로, 1895년(고종32) 봉상사(奉常司)로 고쳤다가 1907년
　　에 폐지되었다.
22) 송시열(宋時烈) : 1607~1689. 본관은 은진(恩津), 자 영보(英甫), 호 우암(尤菴)이다.
　　김장생·김집의 문인으로, 우의정·좌의정 등을 역임하였다. 효종대 산림(山林)으로서
　　북벌(北伐) 의리(義理)를 내세웠으며, 현종대 예송에서 허목·윤휴 등 남인과 대립하였
　　다. 숙종대 들어서도 노론(老論)의 영수로서 남인과 소론(少論)을 배척하였다. 평생
　　주자학(朱子學)을 신봉한 주자 도통주의자로서, 그와 다른 학문과 사상에 대해서는
　　사문난적(斯文亂賊)으로 규정하여 배격하는 데 앞장섰다. 저서로는『송자대전(宋子大
　　全)』 등이 있다.
23) 신흠(申欽) : 1566~1628. 본관은 평산, 자 경숙(敬叔), 호 현헌(玄軒)·상촌(象村)이다.
　　영의정 등을 역임하였다.
24) 병조판서 : 당시 병조판서는 김류가 재직하였다.

『석실어록(石室語錄)』에서 말하였다.25) "처음에 왜의 사신이 길을 빌려
달라고 청하였을 때 해원부원군(海源府院君) 오음(梧陰)26)이 조강(朝講)에서,
'이 일을 즉시 아뢰지27) 않으면 뒤에 반드시 좋지 않은 일이 생길 것입니다.'
극언(極言)하였는데, 풍원(豊原)28) - 서애(西厓) - 은 '그 결말을 헤아려 보지
않고 대뜸 아뢰면 뒤에 반드시 난처한 일이 있을 것이다.' 하였다. 이에
한 무리는 윤두수의 말을 주장하였고, 한 무리는 류성룡의 말을 주장하여
논쟁하였지만 결론을 내리지 못하여 조강이 저녁때가 되어서야 파(罷)
하였다.……"

『서애연보(西厓年譜)』에서 말하였다. "이때 통신사 황윤길(黃允吉)29) 등이
일본에서 돌아왔는데, 왜국(倭國)의 답서에, '군대를 거느리고 명나라에
쳐들어가겠다.'는 말이 있었다. 선생이 말하기를, '마땅히 연유를 갖추어
명나라에 아뢰어야 합니다.' 하였는데, 영의정 이산해(李山海)30)가 말하기
를, '명나라[皇朝]에서 만일 왜국과 교통한 것으로써 우리를 죄준다면
할 말이 없을 것이니, 숨기느니만 못합니다.' 하였다. 이에 선생이 말하였

<hr/>

25) 석실어록(石室語錄)에서 말하였다 : 송시열이 기록한 김상헌(金尚憲)의 어록(語錄)이
다.(『宋子大全·石室先生語錄』)
26) 해원부원군(海原府院君) 오음(梧陰) : 해원은 윤두수(尹斗壽, 1533~1601)의 봉호이고,
오음은 호이다. 본관은 해평(海平), 자 자앙(子仰)이다. 윤근수(尹根壽)의 형이다. 1589
년(선조22) 명나라에 사신으로 가서 종계(宗系)를 변무(辨誣)한 공으로 광국공신(光國
功臣) 2등이 되어 해원군(海原君)에 봉해졌다. 그 뒤 대사헌·호조판서를 역임하였다.
1595년 판중추부사가 되었고 해원부원군(海原府院君)에 봉해졌다.
27) 아뢰지 : 원문은 "奏聞"이다. 임금에게 아뢴다는 뜻으로 여기서는 중국 황제에게
아뢰는 뜻이다.
28) 풍원(豊原) : 류성룡의 봉호. 1590년(선조23) 광국공신(光國功臣) 3등에 녹훈되고 풍원
부원군(豊原府院君)에 봉해졌다.
29) 황윤길(黃允吉) : 1536~?. 본관은 장수(長水), 자 길재(吉哉), 호 우송당(友松堂)이다.
황희(黃喜)의 5대손이다. 1590년 통신정사(通信正使)로 선임되어 부사 김성일(金誠一)
등과 함께 일본에 갔다가 귀국하여 내침(來侵)에 대비할 것을 주장하였다.
30) 이산해(李山海) : 1539~1609. 본관은 한산, 자 여수(汝受), 호 아계(鵝溪)·종남수옹(終南
睡翁)이다. 좌의정·영의정 등을 역임하였다. 선조 때 정철이 세자책봉 문제를 제기하
자 정철 등 서인을 귀양 보냄으로써 동인의 집권기반을 다졌다. 임진왜란 때 왜적의
침략을 용인했다는 이유로 탄핵 당했다.

다. '사신의 왕래는 나라에 늘 있는 일입니다. 성화(成化)³¹⁾ 연간에 일본이 우리에게 중국에 공물을 바치도록 해 달라고 하였을 때도 즉시 사실대로 아뢰었고, 명나라에서는 칙서를 내려 주어 회유(回諭)하였습니다. 이전의 일도 이미 이러하였는데 지금 감추고 알리지 않는다면 대의(大義)에 불가합니다. 하물며 왜적이 만약 실제 반역[犯順] 할 음모가 있어서 다른 곳을 통하여 알려지게 된다면, 명나라에서는 도리어 우리나라가 일본과 합심하여 은밀히 숨겼다고 의심할 것이고, 그렇게 되면 그 죄는 일본과 통신(通信)한 것에 그치지 않을 것입니다.'

조정에서 선생의 의론이 옳다는 의견이 많아지자 마침내 김응남(金應南)³²⁾ 등을 명나라에 보내어 그 사실을 알렸다. 이때 복건(福建) 사람 허의후(許儀後)와 진신(陳申)이 왜국에 포로로 잡혀 있으면서 이미 왜국의 정세를 비밀리에 보고하였으며, 유구국(琉球國)의 세자 상령(尙寧)도 잇달아 사신을 보내어 소식을 보고하였다. 그런데 유독 우리나라 사신만이 이르지 않자, 명나라에서는 우리나라가 왜국과 함께 두 마음을 품고 있다고 의심하였다. 그런데 일찍이 우리나라에 사신으로 왔던 각로(閣老) 허국(許國)³³⁾이 말하기를, '조선은 지극 정성으로 사대(事大)하니 틀림없이 왜국과 함께 배반하지는 않을 것이다.' 하였다. 얼마 지나지 않아 김응남 등이 주문(奏文)을 가지고 도착하니, 명나라 조정의 의론이 비로소 풀려서 황제가 칙서를 내려 칭찬하였다. 주상이 선생에게 전교하기를, '요동에서 자문(咨文)이 온 후로 크게 근심하였는데, 뜻하지 않게 지금 칭찬하는 칙서를 받기에 이르렀으니 다 펼쳐 보기도 전에 나도 모르게 뛸 듯 기쁨이 넘쳐난다. 이는 경들이 잘 계획하여 처리한 충심에서 기인한 것이다.' 하였다."

또한 서애가 의주(義州)에 있으면서 차자(箚子)를 올려 말하기를, "중국[中

---

31) 성화(成化) : 명나라 헌종(憲宗)의 연호(1465~1487)이다.
32) 김응남(金應南) : 1546~1598. 본관은 원주, 자 중숙(重叔), 호 두암(斗巖)이다. 우의정·좌의정 등을 역임하였다. 1583년 이이를 탄핵한 송응개·허봉·박근원 등과 연루되어 좌천되었다. 임진왜란 때 류성룡과 함께 정국을 안정시켰다.
33) 허국(許國) : 1527~1596. 명나라 대신으로, 예부상서 등을 역임하였다.

原]에서 우리를 의심한 것이 한 가지가 아닌데, 변란의 보고가 늦었던 것이 그 첫째입니다."³⁴⁾ 하였다.

사계(沙溪) 김장생(金長生)³⁵⁾이 어떤 사람³⁶⁾에게 보낸 편지에서 말하였다. "류 정승이 위관(委官)이 되었을 때 이발(李潑)³⁷⁾의 늙은 어미와 어린 아들이 어찌 살기를 바라지 않았겠는가? 그러나 죄 없는 80세 늙은 부인을 구원하는 말을 한 마디도 하지 않아서 마침내 형장을 맞고 죽었다. 10세도 못된 아이가 즉시 죽지 않았고, 이에 엄히 꾸짖는 하교가 있자 그 목을 꺾어 죽였다. 숙부(肅夫) 김우옹(金宇顒)³⁸⁾과 도가(道可) 정구(鄭逑)³⁹⁾는 이것을 허물하지 않고 도리어 우계와 송강에게로 그 허물을 돌리니 어찌 공론이라고 할 수 있겠는가? 이발과 백유양(白惟讓)⁴⁰⁾의 죽음도 이산해와 송강이 함께 위관이었으나 구하지 못하였다. 그런데 지금 그 허물을

---

34) 『西厓集·箚論遼東咨兼陳事宜箚壬辰六月在義州』.

35) 김장생(金長生) : 1548~1631. 본관은 광산(光山), 자 희원(希元), 호 사계(沙溪)이다. 이이·송익필의 문인으로, 공조참의 등을 역임하였다. 인목대비 폐모논의가 일어나고 북인이 득세하자 낙향하여 예학연구와 후진양성에 몰두하였다. 주요 문인으로 아들 김집과 송시열·송준길·이유태·강석기(姜碩期)·장유(張維) 등이 있다. 저서로는 『가례집람(家禮輯覽)』·『상례비요(喪禮備要)』등이 있다.

36) 어떤 사람 : 황종해(黃宗海, 1579~1642)를 가리킨다.(『沙溪遺稿·答黃宗海』) 본관은 회덕(懷德), 자 대진(大進)이다. 정구(鄭逑)의 문인으로, 1611년(광해군3)에 정인홍이 이황 등을 모함하자 정인홍을 논척하기도 하였다. 도학(道學)에 깊은 관심을 가져 김장생을 만나 예(禮)를 논하고 묻기도 하였다.

37) 이발(李潑) : 1544~1589. 본관은 광산(光山), 자 경함(景涵), 호 동암(東巖)·북산(北山)이다. 정철의 처벌문제를 둘러싸고 대립할 때 북인을 이끌었다. 1589년 정여립 옥사에 연루되어 동생 이길(李洁)과 함께 죽임을 당하였다.

38) 김우옹(金宇顒) : 1540~1603. 본관은 의성(義城), 자 숙부(肅夫), 호 동강(東崗)이다. 대사성·예조참판 등을 역임하였다. 류성룡·김성일(金誠一) 등과 동인으로 활동하면서 정철(鄭澈) 등 서인과 대립하였다.

39) 정구(鄭逑) : 1543~1620. 본관은 청주, 자 도가(道可), 호 한강(寒岡)이다. 김굉필(金宏弼)의 외증손, 판서 사중(思中)의 아들이며, 이황·조식의 문인이다. 충주부사·공조참판 등을 역임하였다. 경학(經學) 등 다양한 분야에서 두각을 나타냈으며, 특히 예학(禮學)에 밝았다.

40) 백유양(白惟讓) : 1530~1589. 본관은 수원, 자 중겸(仲謙)이다. 인걸(仁傑)의 조카로서, 병조참판·부제학 등을 역임하였다. 1589년 정여립의 모반사건이 일어나자 아들 백수민(白壽民)이 정여립의 형 정여흥(鄭汝興)의 딸을 아내로 삼았던 탓으로 연좌되어 사형당하자 사직하였다. 정철로부터 탄핵을 받아 유배되었으며, 선홍복(宣弘福)의 초사(招辭)에 연루되어 장형(杖刑)을 받은 뒤 감옥 안에서 사망하였다.

오로지 송강에게 돌리고 있으니 어찌 편벽된 것이 아니겠는가?"

　『기축록』을 살펴보건대 이르기를, "경인년(1590, 선조23) 2월에 심수경 (沈守慶)[41]이 우의정에 임명되자 바로 위관이 되었다. 그런데 조대중(曺大 中)[42]의 옥사로 인해 엄한 교지를 내려 위관을 교체하고 정철을 다시 위관에 임명하였다." 하였으니, 이때가 경인년 3월 13일이었다. 이발의 늙은 어미와 어린 아들이 형벌을 받은 것은 그해 5월 13일이었다.

　또한 『서애연보』에서 말하기를, "4월에 휴가[乞暇]를 청하여 안동(安東) 으로 돌아갔고, 5월 29일 고향에 있을 때 우의정에 임명되었으며, 6월 그믐에야 비로소 조정에 돌아왔다." 하였다. 정철은 3월에 다시 위관에 임명되었고, 9월 10일에 이르러 수우(守愚) 최영경이 다시 하옥되었는데, 그 사이에 정철은 다시 체차되어 바뀐 일이 없었다. 이발의 어미와 아들의 죽음 또한 서애가 우의정에 임명되기 이전이었고, 아직 조정에 돌아오기 전이었다. 기축년 이후뿐만 아니라 기축년 이전에도 서애는 원래 의금부 당상[禁府堂上]을 지낸 적이 없었는데, 사계가 무엇을 근거로 이와 같이 운운하였는지 모르겠다. 지금 정홍명이 억울함을 호소하면서 올린 상소를 보니 또한 말하였다. "이발의 늙은 어미와 어린 아들의 죽음에 대해서 사람들이 모두 억울하다고 합니다만, 당시 신의 아비는 위관에서 체차된 지 이미 오래되었습니다. 서애 류성룡과 이양원(李陽元)[43]이 서로 이어서 대신하였는데 감히 죽음을 구원하는 말을 꺼내지 못하였습니다.……" 그렇다면 사계 김장생의 문집에 실린 편지 내용은 정홍명에게 속아서 나온 것이 아니겠는가? 또한 이발과 백유양은 기축년(1589, 선조22) 11월

---

41) 청천(聽天) : 심수경(沈守慶, 1516~1599)의 호이다. 본관은 풍산(豊山), 자 희안(希安)이 다. 좌의정 정(貞)의 손자로서, 우의정 등을 역임하였다.

42) 조대중(曺大中) : 1549~1589. 본관은 옥천(玉川), 자 화우(和宇), 호 정곡(鼎谷)이다. 이황(李滉)의 문인이다. 1589년 전라도사로 지방을 순시하던 중 정여립의 죽음을 슬퍼하여 눈물을 흘렸다는 이유로 장살(杖殺)되었다. 국문을 받던 중 읊은 시가 난언(亂言)으로 규정되어 죽은 뒤 추형(追刑)을 당하였다.

43) 이양원(李陽元) : 1526~1592. 본관은 전주, 자 백춘(伯春), 호 노저(鷺渚)이다. 이황의 문인이다. 영의정 등을 역임하였다.

12일 유배를 떠났으나, 곧 선홍복(宣弘福)의 공초로 인해 12월 12일 다시 체포명령을 받아서 죽었는데,[44) 김장생 문집에서, "류 정승과 송강이 함께 위관이 되어서도 구원하지 못하였다."[45) 한 것도 또한 실상이 아니었다. - 이양원이 정승에 임명되었을 때는 신묘년(1591) 가을이었는데, 옥사는 경인년(1590) 겨울에 이미 종료되었다. 송강이 옥사를 다스린 일로써 죄를 입은 것은 신묘년 봄이었다. -

또 『기축록』을 살펴보건대 다음과 같이 말하였다. "경인년 7월에 정언신 (鄭彦信)[46)이 잡혀왔다. 8일에 문사랑(問事郎)[47)이 위관의 뜻으로 아뢰기를, '지금 이미 잡아 왔으나 추국(推鞫)하는 사체(事體)를 보통 죄인처럼 해서는 부당할 것 같은데, 어떻게 해야겠습니까?' 하니, 전교하기를, '그 역시 한 명의 죄인이니, 추국하는 사체를 다른 죄인과 달리할 것이 없을 듯하지만 의논하여 처리하라.' 하였다. 회계(回啓)하기를, '죄가 있는 대신을 삼성(三省)에서 국문하는 것[48)은 근거할 만한 전례가 없습니다. 신들의 어리석은 의견으로는 대신들도 안문(按問)에 참여시켜야 할 것입니다. ……' 하니, 전교하기를, '다른 대신들과 의논하여 아뢰라.' 하였다. 심수경이 논의하기를, '대신이 안문하는 데 함께 참여하는 것이 타당한지 모르겠

---

44) 선홍복(宣弘福)의……죽었는데 : 남하정(南夏正)의 『동소만록(桐巢漫錄)』에 따르면 이발 형제가 귀양을 떠난 뒤 정철이 의관(醫官) 조영선을 시켜 선홍복을 은밀히 꾀어 이발 형제를 유인하게 하였다. 선홍복이 이 말을 믿고 형제를 유인하였고, 이발 형제가 다시 잡혀서 죽임을 당하였다.

45) 류 정승이……못하였다 : 해당구절은 『송자대전(宋子大全)·변자훼우계지방 잉백선무소(辨訾毁牛溪之謗仍白先誣疏己巳正月)』 가운데 '문원공김장생답황종해서(文元公金長生答黃宗海書)'에 나온다.

46) 정언신(鄭彦信) : 1527~1591. 본관은 동래, 자 입부(立夫), 호 나암(懶庵)이다. 우의정 등을 역임하였다. 1589년(선조22) 정여립 옥사 때 위관(委官)에 임명되었지만 정여립과 삼종(三從)간이란 이유로 탄핵을 받아 사직하였다.

47) 문사랑(問事郎) : 죄인의 취조서를 작성하여 읽어 주는 일을 맡은 임시 벼슬이다. 문사랑은 국청(鞫廳)·정국(鞫國)·성국(省鞫)·의금부가 주관한 추국 등에 차출되어 위관(委官)·의금부 당상·형방 승지의 지휘를 받아 도사(都事)와 함께 죄인의 국문에 참여하고 문안의 작성 등 실무를 담당하였다.

48) 삼성(三省)에서 국문하는 것 : 강상죄 등 중죄를 범한 죄인을 형조나 의금부, 의정부, 사헌부나 사간원인 대간 등 삼성이 합좌하여 국문하는 추국의 한 형태를 삼성추국(三省推鞫)이라고 하였다.

습니다.' 하였다. 이산해가 논의하기를, '대신이 명을 받들어 안문했으니,
비록 다른 관원들은 동참하지 않아도 무방할 것 같습니다.' 하였다. 서애
류성룡이 논의하기를, '위관이 이미 명을 받들어 안문하고 있는데 다시
다른 대신을 동참하도록 명하시는 것은 사체에 온당하지 않을 뿐만
아니라 전에 없던 일이니, 전에 없던 일을 처음 시작하는 것은 어려울
듯합니다.……' 하였다."

   이 같은 수의(收議)를 보건대, 중고(中古) 이전에는 추국할 위관 외에
다른 대신이 동참하는 규정은 원래 없었다. 따라서 이른바 "류 정승과
송강이 함께 위관이 되었다." 말한 것은 더욱 맹랑한 일일 뿐이었다.
정홍명이 병란[兵燹] 이후 추안(推案)[49]이 존재하지 않는 것을 알고 더욱
거짓을 일삼아 속여 말하였는데, 지금 사계의 말로써 보건대 추안이
없는 것은 곧 정홍명의 행운이라고 할 수 있다.

   『서애연보』에서 말하였다. "참의(參議) 이발이 먼 변방으로 귀양 가게
되었지만 감히 위문하는 친구가 없었는데, 선생이 서리(書吏)를 시켜 성문
밖까지 전송하였다. 이에 이발은 시를 지어 사례하였는데, '삼천리 밖으로
귀양 가는 나그네. 77세 병든 어버이를 두고서 가네.' 구절이 있었다.
얼마 안 있어 다시 체포되어 국문을 받다가 형장에 죽었고, 선생이 면포(綿
布)를 보내어 부조하였다." 이양원이 정승에 임명되었을 때는 신묘년
가을이었는데, 옥사가 마무리된 지 이미 오래된 뒤였으므로, 정홍명이
이른바 이발의 늙은 어미와 어린 아들이 죽었을 때 류아무개와 이아무개가
서로 이어서 대신하였다고 이르는 것은 더욱 맹랑하다.

---

49) 추안(推案) : 죄인을 심문한 내용을 기록한 문서이다. 주요 내용으로는 죄인을 심문한
   것과 죄인의 답변이 함께 기록되었다. 넓은 의미의 추안에는 형조, 의금부, 포도청,
   각 도의 감영 등에서 죄인을 심문한 기록이 모두 포함된다. 좁은 의미의 추안은
   죄인을 국문한 내용을 기록한 문서, 즉 국안(鞫案)만을 가리킨다.

정릉의 변고[靖陵事]

계사년(1593, 선조26) 4월 초순에 선릉(宣陵)[1]과 정릉(靖陵)[2]이 왜적에게 도굴되었다. 당시 나[3]는 동파(東坡, 경기도 문산)에 있었는데, 이 제독(李提 督)[4]이 평양에서 개성으로 돌아온다는 소식을 듣고, 원수(元帥) 김명원(金命 元)[5]과 함께 가서 문후(問候)하였다. 접반사(接伴使) 이덕형(李德馨)[6], 유수(留 守) 노직(盧稷)[7], 호조판서 이성중(李誠中)[8] 등 5, 6인이 접대청(接待廳)에 모여 앉아 있는데, 경기감사(京畿監司) 성영(成泳)[9]의 급보가 이르렀다. 당시

1) 선릉(宣陵) : 성종(成宗)과 계비 정현왕후(貞顯王后) 윤씨의 능이다.
2) 정릉(靖陵) : 중종(中宗)의 능이다. 임진왜란 당시 선릉과 함께 왜적의 피화를 입어 묘가 파헤쳐지는 수모를 겪었다.
3) 나 : 류성룡이다.(『雲巖雜錄』)
4) 이 제독(李提督) : 이여송(李如松, 1549~1598)이다. 명나라 장군으로 임진왜란 당시 동생 이여백(李如栢)·이여매(李如梅)와 함께 2차 원군 4만을 이끌고 조선을 구원했다. 평양과 개성을 수복했지만, 벽제관(碧蹄館) 전투에서 패배하기도 했다. 이후 한양을 수복하고 귀국했다.
5) 김명원(金命元) : 1534~1602. 본관은 경주, 자 응순(應順), 호 주은(酒隱)이다. 1589년 정여립 옥사를 수습한 공으로 경림군(慶林君)에 봉해졌고, 임진왜란 때에는 임진강 방어전을 전개하여 적의 침공을 지연시킨 것으로 유명하다. 유학에 조예가 깊었고, 병서(兵書)와 궁마(弓馬)에도 능했다.
6) 이덕형(李德馨) : 1561~1613. 본관은 광주(廣州), 자 명보(明甫), 호 한음(漢陰)·쌍송(雙 松)·포옹산인(抱雍散人)이다. 임진왜란 당시 선조를 호종하며 명나라 원병을 요청하 여 성사시켰다. 광해군대 남인 출신으로 북인의 영수 이산해의 사위가 되어 양측의 절충을 도모하였다.
7) 노직(盧稷) : 1545~1618. 본관은 교하(交河), 자 사형(士馨)이다. 정유재란 당시 접반정 사(接伴正使) 김명원의 부사로서 명나라 지휘관 형개(邢玠)를 맞아 군사문제를 논의하 였다.
8) 이성중(李誠中) : 1539~1593. 본관은 전주, 자 공저(公著), 호 파곡(坡谷)이다. 계양군(桂 陽君) 이증(李璔)의 현손이다. 이중호·이황의 문인이다.
9) 성영(成泳) : 1547~1623. 본관은 창녕(昌寧), 자 사함(士涵), 호 태정(苔庭)이다. 임진왜 란 당시 경기도 순찰사로서 군대를 이끌고 참전하였고, 이듬해 경기좌도관찰사가

캄캄한 밤중이었으므로 불을 켜고 그 글을 펴 보니, 바로 능침(陵寢)에 변고가 생겼다는 보고였다. 즉시 울부짖으며 슬퍼하니, 제독이 듣고서 그 보고를 가져다 보았다. 나는 여러 공들과 함께 만월대(滿月臺)[10] 앞 기슭에 가서 남쪽을 바라보며 거애(擧哀)[11]하였다. 다음날 새벽에 원수 김명원과 함께 동파로 돌아와서 두 능의 상황을 정탐하러 갈 사람을 모집하려 했는데, 군관 이홍국(李弘國)이라는 자가 나와 꿇어앉아 말하기를, "소인은 바로 대군(大君)[12]의 후예입니다. 나라를 향한 정성이 어찌 보통 사람들과 같을 수 있겠습니까? 비록 죽을지라도 가기를 원합니다." 하였다.

나는 원수와 함께 그의 충성을 칭찬하였고, 또한 말하기를, "그대 혼자 가서는 안 되니, 다시 가기를 원하는 군사 10인을 모아 함께 가도록 하라." 하였다. 이때 창의사(倡義使) 김천일(金千鎰)[13]이 강화도에 있었는데 거느리고 있는 사람들이 모두 경성(京城) 사람들이었다. 내가 일찍이 이들 가운데 2백 명을 선발하여 동파에 주둔시키고 명을 받들게 하였었다. 이홍국으로 하여금 그들 중에서 모집하게 하였더니 과연 10명을 얻을 수 있었는데, 모두 각 사(各司)의 노자(奴子)로 봉상시(奉常寺)[14] 사람이 절반을 차지하였다. 내가 모두 앞에 불러 놓고 울며 타이르니, 감격하여 힘을 다하겠다고 청하지 않는 사람이 없었다. 이에 식량과 비용을 갖추어

되었다.

10) 만월대(滿月臺) : 고려시대 궁궐터로 경기도 개성시 송악산(松嶽山)에 위치했다. 919년 태조가 송악산 남쪽 기슭에 도읍을 정하고 궁궐을 창건한 이래 1361년(공민왕10) 홍건적의 침입으로 소실될 때까지 거처였다.

11) 거애(擧哀) : 상례에서 죽은 사람의 혼을 부르고 나서 상제가 머리를 풀고 슬피 울어 초상난 것을 알리는 일이다.

12) 대군(大君) : 양녕대군(讓寧大君, 1394~1462)이다. 태종의 장남으로, 이름은 제(禔), 자 후백(厚伯)이다. 1404년(태종4) 세자로 책봉되었다가 1418년 폐위되었다.

13) 김천일(金千鎰) : 1537~1593. 본관은 언양(彦陽), 자 사중(士重), 호 건재(健齋)이다. 임진왜란 당시 고경명(高敬命) 등과 함께 의병을 일으켜 전라도 등지에서 전과를 올렸다. 1593년 진주성 전투에서 분전하다가 전사하였다.

14) 봉상시(奉常寺) : 국가의 제사 및 시호를 의론하여 정하는 일을 관장하기 위해 설치되었던 관서이다.

보냈는데, 떠날 때 내가 타일러 말하였다. "너희들은 이미 각 사의 사람들이
니 두 능으로 가는 길이 본래부터 익숙할 것이다. 다만 근래에는 오래도록
강화도에 있었기 때문에 동쪽 편 적의 진영이 있는 곳은 또한 자세히
알지 못할 것이다. 지금 방어사(防禦使) 고언백(高彦伯)15)이 양주(楊州)의
군사들을 거느리고 해유령(蟹踰嶺, 경기도 양주 소재)에 주둔하고 있으니,
너희들이 모름지기 고언백에게 가서 다시 한두 명의 길잡이를 얻는다면
거의 차질이 없을 것이다." 즉시 고언백에게 보내는 비밀 관문(關文)을
이홍국에게 주었으니, 그때가 4월 9일이었다.

이홍국이 떠났다가 며칠 뒤에 돌아와 아뢰었다. "장군의 명령을 받들어
방어사의 진중에 가 길을 잘 아는 한 사람을 뽑아서, 그로 하여금 앞길을
인도하게 하여 독음리(禿音里)에 도착하니, 날이 이미 저물었습니다. 작은
고기잡이 배를 구하여 12명이 함께 타고 물길을 따라서 내려가 밤중에
삼전도(三田渡)16)를 거쳐서 정릉 아래에 정박하였습니다. 몇 사람은 배를
지키고 8명이 능에 올라가 보니 이미 파헤쳐져 있었습니다. 당시 달은
지고 하늘이 깜깜해져서 도굴한 곳의 깊이를 측량할 수 없었습니다.
따라 간 사람들의 포대(布帶)를 풀어 연결해서 차례로 줄을 잡고 내려갔지만
구덩이 속이 어두워서 아무것도 볼 수 없었습니다. 손으로 더듬어 보니
누워 있는 시신이 있어서 모두 놀라 손을 움츠렸습니다. 한참 뒤 정신이
안정되고 나서 다시 더듬어보니, 시신은 덮는 것도 없이 회토(灰土) 속에
놓여 있었으며, 약간의 습기가 남아 있어서 손가락에 끈끈한 것이 묻어났
습니다. 사람들이 구덩이 밖으로 도로 나와 구덩이 곁에서 찢어진 의상과
'범(梵)'자가 쓰인 종이, 검게 물든 손바닥만 한 크기의 나무 조각을 주워서
증거품으로 가져왔습니다. 또 선릉에 도착하니 구덩이가 도굴되었으나
얕아서 겨우 한 사람이 들어갈 정도였고, 텅 비어서 아무 것도 없었습니다.

---

15) 고언백(高彦伯) : ?~1608. 본관은 제주이다. 임진왜란 당시 영원군수(寧遠郡守)로서
    참전하였다. 이듬해 양주목사에 임명되어 능침(陵寢)을 보호하였다.

16) 삼전도(三田渡) : 경기도 광주군(廣州郡) 중대면(中垈面) 송파리(松坡里)에 있던 나루터
    이다. 한강진·양화진과 더불어 한강 삼진중 하나이다. 병자호란 당시 남한산성이
    함락되자 인조가 직접 청나라 태종에게 항복한 장소이다.

마침내 배로 돌아와서 거슬러 올라와 삼전도에 이르니 날이 밝아졌고, 독음리를 거쳐서 배를 타고 내려왔습니다. 지금까지 상황이 이러합니다."

내가 원수 김명원, 순찰사 권율(權慄)17)과 모여서 의논하였으나 계책이 나오지 않았다. 내가 말하였다. "보고에 따르면 옥체(玉體)가 광중(壙中)에 그대로 드러나 있다고 하니, 정리(情理)상 애통함을 참을 수 없습니다. 또 적이 우리나라 사람들이 가서 탐지했다는 것을 알고, 다시 불측한 짓을 한다면 어찌하겠습니까? 만 번 죽음을 무릅쓰고서라도 몰래 업고 나와서 다른 곳에 봉안했다가 적이 평정되기를 기다렸다가 능을 복구하는 것만 같지 못합니다." 모두 "그렇다." 하였다. 원수의 진영 가운데 관은(官銀) 백 냥이 있었으므로 즉시 덜어내어 당흑포(唐黑布) 몇 필을 사서 겹이불[複衾]을 만들었다. 또 씨를 뺀 목화 수십 근을 구하였으며, 순찰사 권율이 유둔(油芚, 기름종이)을 내고, 또 장인(匠人)을 구하여 작은 남여(藍輿, 덮개 없는 가마)를 만들되 편리하게 제작해서 가벼워 쉽게 운반할 수 있게 하였다. 내가 종사관 신경진(辛慶晉)18)을 돌아보며 말하기를, "뒷날 반드시 이것을 가지고 나를 모함하는 사람이 있을 것이다. 그러나 나는 오직 군친(君親)을 천양(泉壤)의 화(禍)19)에서 구하는 일을 알 뿐이다." 하였다. 다시 군중에 영을 내려 "누가 가겠는가?" 하니, 이에 창의사 중군(中軍) 박유인(朴惟仁)과 전 부장(部將) 김극충(金克忠), 아울러 따르기를 원하는 군인 50명이 있었다. 이홍국으로 하여금 길을 인도하게 하고, 경계하여 말하기를, "이는 큰일이니, 나 역시 미루어 짐작하기 어렵다. 너희들은 그곳에 도착해 형세를 살펴보고 만약 묻을 만하면 묻고, 그렇지 않으면 다른 곳에 봉안(奉安)하라." 하였다. 박유인이 알았다 하고 떠났다.

---

17) 권율(權慄) : 1537~1599. 본관은 안동, 자 언신(彦愼), 호 만취당(晩翠堂)·모악(暮嶽)이다. 이항복의 장인으로, 호조판서 등을 역임하였다. 임진왜란 때 행주대첩을 승리로 이끌었다.

18) 신경진(辛慶晉) : 1554~1619. 본관은 영월(寧越), 자 용석(用錫), 호 아호(丫湖)이다. 이이(李珥)의 문인이다. 임진왜란 당시 류성룡의 종사관으로 활약하였다. 대사헌 등을 역임하였다.

19) 천양(泉壤)의 화(禍) : 천양은 황천(黃泉), 또는 지하를 뜻한다. 땅 속의 백골이 화를 당하는 것을 가리킨다.

다시 독음리를 거쳐 배를 타고 밤에 내려가서 시신을 남여에 싣고 도로 나와서 물길을 거슬러 올라왔으나, 경성의 수십 리 밖을 돌아보니 적이 항상 가득차서 봉안할 만한 곳이 없었다. 부득이 양주(楊州) 송산(松山) 에 이르러 부서진 민가 몇 칸을 얻어서 봉안하였다. 김극충이 50명을 거느리고서 지키고, 박유인이 와서 보고하므로 나는 즉시 장계를 올려 상황을 보고하였다.

그 달 20일 적병이 남쪽으로 내려갔으므로 이에 내가 대군을 따라 경성에 들어갔다. 22일 송산으로 달려가서 봉심(奉審)하였는데, 감히 열어 보지는 못하고 다만 그곳을 향하여 곡만 하고 돌아왔고, 23일에는 병들어 누웠다. 5월에 들으니, "영의정 최흥원(崔興源)[20], 예조판서 김응남, 좌참찬 성혼, 예조참판 이관(李灌)[21] 등 5, 6인이 행재소(行在所)[22]로부터 차례로 명을 받들고 장차 두 능을 봉심하려 한다." 하였다. 또 들으니, "성혼이 도중에 사람을 만나서 정릉에서 발견된 시신의 진위 여부를 자못 물었는데, 그의 말이 의심할 만한 것이 많이 있었다." 하였다. 도착하고 나서 또 들으니, "여러 재상들은 먼저 정릉에 가서 봉심하였다." 하였다. 최후에 여러 재상들이 처음으로 송산에 가면서 나에게 같이 가기를 요청하였다. 나는 그때 병석에서 막 일어났으나 일이 중대하기 때문에 병을 무릅쓰고 가서 모였다. 그때 조신(朝臣) 가운데에는 중종[中廟][23]을 섬겼던 사람이 없었고, 오직 동지(同知) 송찬(宋贊)[24]이 나이 84세로 중종 때에 한림(翰林)을

---

20) 최흥원(崔興源) : 1529~1603. 본관은 삭녕(朔寧), 자 복초(復初), 호 송천(松泉)이다. 영의정 최항(崔恒)의 증손이다. 임진왜란 당시 류성룡을 대신하여 영의정에 기용되었 다.

21) 이관(李灌) : 1518~1577. 본관은 전주, 호 혼계(渾溪)이다. 세종의 아들 계양군 증(桂陽 君增)의 증손으로, 순천군(順天君)에 봉해졌다.

22) 행재소(行在所) : 임금이 멀리 거둥할 때 머무르는 임시 거처이다. 임진왜란 당시 의주(義州)에 두었다.

23) 중종[中廟] : 1488~1544, 재위 1506~1544. 성종의 둘째 아들로 1494년(성종25) 진성대 군(晉城大君)에 봉해졌으며, 1506년 중종반정으로 연산군이 폐위되면서 제11대 왕으 로 즉위하였다. 왕릉은 정릉(靖陵)으로, 현재 서울 강남구 삼성동에 위치한다.

24) 송찬(宋贊) : 1510~1601. 본관은 진천(鎭川), 자 치숙(治叔), 호 서교(西郊)이다. 중종대 승문원참교, 선조대 경상감사 등을 역임하였다. 중종·인종·명종·선조의 4조에 걸친

지냈는데, 피난 가서 충청도에 있다는 말을 듣고 역마(驛馬)를 보내 불러들였다. 6월 18일에 여러 신하들이 모두 송산에 모였다. 대신 심수경·최흥원 및 유홍(兪泓)25)은 나와 함께 같은 줄에 속했다. 성혼·이관·권징(權徵)26)이 한 줄이 되었고, 종실(宗室) 부안도정(扶安都正) 이수산(李壽山)이 한 줄이 되었으며, 낭청 서인원(徐仁元) 등은 줄 밖에 있었다.

또 예양부인(豫陽夫人)이 평양[西都]에서 왔다. 예양은 바로 중종의 왕자인데, 그 부인이 궁중에 있으면서 일찍이 중종의 용안을 알고 있었기 때문에 온 것이다. 환관 몇 사람도 같이 와서 다른 곳에 있었다. 이윽고 여러 재상들이 들어가 살펴보려고 하는데, 어떤 자가 말하기를, "다른 사람은 이미 중종을 섬긴 적이 없으니, 비록 들어가 살필지라도 어찌 그 진위를 알 수 있겠는가? 마땅히 먼저 평소 성체(聖體)의 대체적인 모습을 물어서 살펴본 뒤에야 그 허실(虛實)을 결정할 수 있을 것이다." 하니, 모두 "옳다." 하였다.

이에 송 동지(宋同知)와 중종[靖陵]을 섬기고 뵈었던 나인[內人]에게 물어서 각각 그 키의 크고 작음과 살찌고 여윈 모습을 기록하였다. 첫째로 중종의 성체(聖體)는 보통 사람보다 조금 크고, 둘째로 중종은 상체(上體)는 풍만하고 하체는 말랐기 때문에 옷을 입을 때에 홑치마를 여러 벌 활용하여 하체가 풍성하도록 하였다. 조신들이 그것을 따라서 드디어 등나무 고리를 써서 하의가 풍성하게 하였다. 셋째로 수염은 매우 적고 또한 자줏빛이었으며, 넷째로 턱은 밖으로 약간 튀어나왔다. 다섯째로 중종의 뒤통수가 약간 오목하게 들어갔기 때문에 평소 쓰신 갓이 밖으로 기울어지는 일이 많아서 매번 손으로 정돈하였다고 했다. 기록을 마친 뒤 방안이 좁아

중신으로 장수하였다.

25) 유홍(兪泓) : 1524~1594. 본관은 기계, 자 지숙(止叔), 호 송당(松塘)이다. 우의정·좌의정 등을 역임하였다. 정여립 옥사를 다스린 공으로 토역(討逆) 2등에 녹훈, 기성부원군(杞城府院君)에 봉해졌다.

26) 권징(權徵) : 1538~1598. 본관은 안동(安東), 자 이원(而遠), 호 송암(松菴)이다. 권근(權近)의 후손이다. 임진왜란 당시 경기도 관찰사를 거쳐 공조판서가 되어 선릉과 정릉의 보수를 주관하였다.

많은 사람을 수용할 수 없어서 나누어 들어가기로 하였는데, 대신이 송 동지에게 청하여 함께 들어갔다. 이불을 들추어 시신을 보니, 체구는 보통 사람 정도이고, 모발은 벗겨져 있었다. 콧마루는 함몰되었으며, 수염은 흔적만 희미하게 보였는데, 자세히 보니 자줏빛이었다. 양쪽 어깨는 밖으로 평평하게 펴져있고, 가슴은 매우 높았다. 정강이는 뼈만 남아 있고 살은 없었으며, 힘줄이 서로 이어져 있었다. 가슴과 배에 칼자국이 두 군데 있었는데, 아마 왜적이 찌른 것인 듯하였고, 몸 전체는 말라서 마른 나무와 같았다. 4월부터 꺼내다 안치하였고, 그전에 노출되어 있던 것이 또 며칠이나 되었는지 알 수 없었는데, 벌레나 구더기가 없고 또한 냄새도 나지 않아 매우 괴이하게 여겨 사람들이 반복해서 살펴보았다. 송 동지가 또 말하였다. "일찍이 중종은 등에 종기를 앓아서 처음에는 어의(御醫) 김응곤(金應昆)을 시켜서 침을 놓았는데 통증이 매우 심해서, 다시 박세거(朴世擧)로 하여금 침을 놓게 하였으니 아마 그 흔적이 있을 것입니다. 마땅히 이것도 함께 살펴야 할 것입니다." 그래서 박유인으로 하여금 시신을 돌려놓게 하였는데, 등 뒤에 재와 숯가루가 거칠게 붙어서 두께가 몇 치[寸]나 되어 피부색이 보이지 않았다. 명주 수건을 물에 적셔서 여러 차례 씻으니, 차츰 피부와 살이 보이는데 홀연히 왼쪽 어깨 아래에 흔적이 두 군데 드러났다. 두 곳 사이의 거리는 1, 2푼[分]인데 하나는 크고 다른 하나는 작으며, 네 면에 검은 무리가 있어 둥근 모양이 큰 엽전만하고 그 가운데가 뚫려 있었다. 이것을 보고 사람들이 크게 놀랐다.

밖으로 나오니 김응남·성혼·권징 등이 차례로 들어가면서 송공에게 다투어 묻기를, "어떻소?" 하니, 송공이 말하기를, "매우 놀랍습니다. 시신은 보통 사람 정도이고, 상체는 풍만하고 하체는 말랐습니다. 턱은 약간 나왔고, 뒤통수는 오목하게 들어갔으며, 또한 등 뒤에는 종기의 흔적이 있습니다." 하니, 성혼은 묵묵히 응대하지 않았다. 이윽고 오래지 않아 곧 나와서 도로 앉았는데, 여러 재상들이 서로 돌아보며 아무 말도 하지 않았다. 성혼이 점잖게 일어나 홀로 대신 앞에 나아가 불쾌한 표정으로 말하였다. "들어가 살펴보니, 비록 '체구는 보통 사람 정도'라고는 하지만, 나[某]의 소견은 이러한 것을 보지 못했습니다. 비록 '상체가 풍만하고 하체는 말랐다.' 하지만, 나의 소견은 이러한 것을 보지 못했습니다." 송공의 말을 열거하여 하나하나 반박해 나가는데 다른 말을 할 겨를도 없이 다만 "이러한 것을 보지 못하였다.[不見如是]"는 네 글자로 송공의 말을 모두 부정하였다. 말을 마치고 유유히 물러가니, 같이 앉아 있던 사람들은 얼굴만 서로 바라볼 뿐이었다.

내가 말하기를, "다른 일은 알 수 없지만 등 뒤의 종기 흔적은 어찌 의심스럽지 않은가?" 하니, 부안도정 이수산이 즉시 성혼의 말을 억지로 끌어다 붙여서 큰소리로 말하기를, "등 뒤 종기가 비록 의심스럽다고 하지만 여섯 군데나 흉터가 있으니 어찌 그렇게 많을 수가 있겠습니까?" 하였다. 내가 말하기를, "이미 여러 사람들이 함께 살펴보았지만 분명 두 군데 흉터가 있었다. 지금 여섯 군데라고 하면 이는 큰일이므로 이와 같이 서로 어긋나서는 안 된다. 즉시 다시 살펴보아야 할 것이다." 하고, 드디어 다른 재상으로 하여금 이수산과 같이 다시 들어가 살피게 하였더니, 과연 두 군데였다. 이수산은 말이 궁해지자 이내 말하기를, "앞서 여섯 군데라고 말한 것은 대충 한 말입니다." 하였다. 그러나 좌중에 있는 사람들이 성혼을 두려워하여 다시 어떻다고 변론하지 않았다. 날이 저물어 자리를 파하고 성중(城中)으로 돌아왔다.

다음날 다시 남학동(南學洞, 서울 충무로 일대)의 빈 집에 모여 장계를 올리려 하였다. 내가 늦게 도착했는데, 여러 논의를 보니 이미 성혼에게로 쏠려 있었다. 내가 영의정 최흥원에게 말하기를, "여러 공들의 소견이 모두 그렇다면 별도로 논의할 여지가 없습니다. 그렇다면 정릉의 옥체는 어디로 갔다는 말입니까?" 하였다. 최흥원이 말하기를, "능 앞에 작은 재가 있었는데, 여러 사람들이 이것을 옥체에 해당한다고 보고, 왜적이 태운 것으로 여겼습니다." 하였다. 내가 말하기를, "최근에 왜적이 시체를 태운 곳을 많이 보았는데, 사람의 형체는 비록 다 타서 재가 되었더라도 오히려 똑똑히 알아볼 수 있습니다. 지금 이 능 앞에서 발견된 재의 흔적은 길었습니까 짧았습니까?" 하였다. 최흥원이 말하기를, "길지 않았으며, 둥근모양이 방석과 같았습니다." 하였다. 예조참판 이관이 그 소리에 응하여 말하기를, "매우 길었습니다." 하니, 최흥원이 아연실색하며 말하기를, "그렇게 말할 수 없습니다. 길이는 길지 않았고, 또 그것이 옥체의 재라고 단정할 수도 없습니다. 그러나 논의 상 여러 사람을 어길 수는 없습니다." 하였다. 나도 또한 감히 그 말을 질정하지 못하고 다만 말하기를, "등 뒤에 종기 흔적이 있지만 오래된 일이므로 정확하게 알 수 없으니, 근처에 옛 무덤을 도굴한 곳이 있고 없는지를 마땅히 아울러 살펴보아야 할 것입니다. 대충 서둘러서 결정해서는 안 될 것입니다." 하였다. 이와 같은 내용으로 헌의(獻議)하고 물러나왔다.

사람 시체는 썩어 문드러지기 쉬워 금방 죽은 시체도 며칠이 지나지 않아 모두 부패한다. 그런데 지금 이 시신은 바깥에 둔 지 몇 개월이 지났고, 한창 더운 여름인데도 냄새도 없고 벌레와 구더기도 없으니, 후장(厚葬)[27]하여 지극히 오래된 것이 아니면 이럴 수 없었다. 그러니 왜적이 어디서 이런 시신을 가져다가 광중(壙中)에 두었겠는가. 이것은 변별하지 않을 수 없는 명확한 증거이다. 당시 이 제독이 성(城) 안에 있다가 이 소문을 듣고, 또한 말하기를, "이것은 변별하기 어렵지 않다. 마땅히 오래된 것인지 최근의 것인지 여부를 가지고 결정하면 될 것이니, 오래된 시신이라면 필시 다른 사람의 시신은 아닐 것이다." 하였다.

모임이 있었던 다음날 나는 경상도로 내려갔다. 경안역(慶安驛)에 도착하여 냇가에서 말을 쉬게 하였는데, 종사관 신경진이 나에게 말하기를, "여러 공들의 논의를 듣건대, 송산의 시신은 진짜가 아니라 하며 버리자고 하는데 천하에 어찌 그런 일이 있을 수 있겠습니까?" 하였다. 내가 말하기를, "진짜를 가짜라 하는 것이나 가짜를 진짜라 하는 것은 똑같이 지극히 중대한 일인데, 이미 직접 그 허실을 알지 못하면서 어찌 감히 그 옳고 그름을 단정할 수 있겠는가?" 하였다.

---

27) 후장(厚葬) : 두터운 성의(誠意)로 장례를 지내는 것을 말한다.

얼마 뒤 내가 남쪽 지방에 있으면서 다음과 같이 들었다. "선릉과 정릉, 모두 능 옆에 있던 잡회(雜灰)를 조금 재궁(梓宮)28)에 넣어서 허장(虛葬)29)하였고, 송산의 시신은 진짜가 아니라 하여 버렸다. 그러나 주상이 오히려 의심하고 후장을 명하자 도감(都監) 감역(監役)30) 강우(姜霌)가 당상(堂上)에게 말하기를, '후장하면 더욱 사람들의 의심을 살 것입니다.' 하여, 대충 서둘러서 다른 곳에 묻고 말았다."

박유인이 말하였다. "서소문 밖에 늙은 사약(司鑰)31) 한 사람이 있는데, 80여 세였다. 일찍이 중종을 섬겼는데 그 일을 듣고 가슴을 치며 슬퍼하기를, '이 분은 실로 성인(聖人, 중종)인데 어째서 버렸단 말입니까? 모든 사람이란 썩기 쉬운 봄·여름에 죽은 자는 비록 후장을 하더라도 썩지 않는 것이 없습니다. 하지만 겨울에 죽은 자는 비록 오래되어도 썩지 않고, 나뭇조각처럼 건조해집니다. 소인이 일찍이 조부의 무덤을 옮겼는데, 겨울에 죽었기 때문에 60년 뒤에도 전혀 썩지 않았습니다. 지금 들으니 능의 시신도 또한 그렇다고 하니, 중종이 승하하신 때가 11월 15일로 몹시 추울 때였습니다. 이것도 명백한 증거가 될 수 있는데 어째서 버린단 말입니까?' 하였다."

능의 역사를 마치고 성혼이 장차 해주(海州)의 행재소에 복명(復命)하려고 가다가, 재령(載寧)에 이르러서 병을 핑계로 나아가지 않았다. 이때 승지 구성(具成)32)도 능소(陵所)에서 행재소로 향하던 길에 성혼을 찾아보니, 성혼이 은밀히 말하기를, "이홍국이 다른 사람의 시체를 빌려 가지고 옥체라 하면서 공을 세우려고 하였으니, 마땅히 주상께 아뢰어 국문해야

---

28) 재궁(梓宮) : 왕과 왕후의 관을 가리킨다.

29) 허장(虛葬) : 부모가 돌아가신 곳과 시기를 알지 못하여 시신을 거두지 못한 채 빈 관으로 장사 지내는 일을 말한다.

30) 감역(監役) : 선공감(繕工監)에 두었던 종9품 관직으로서, 궁궐·관청의 건축과 수리 공사를 감독하였다. 여기서는 개장도감(改葬都監) 소속 감역을 가리킨다.

31) 사약(司鑰) : 액정서(掖庭署)에 딸린 벼슬이다. 대전(大殿) 및 각 문(門)의 열쇠를 보관(保管)하는 일을 맡아보았다. 정6품의 잡직(雜職)으로 체아직(遞兒職)이다.

32) 구성(具成) : 1558~1618. 본관은 능성, 자 원유(元裕), 호 초당(草塘)이다. 좌찬성 사맹의 아들, 인헌왕후(仁獻王后, 인조 모친)의 오빠로서, 호조참판·대사성 등을 역임하였다.

할 것이다." 하였고, 구성이 그 말대로 하였다. 이에 옥사가 크게 일어나 삼성(三省)이 함께 국문하였다.

이홍국과 먼저 능소에 갔던 열 명을 체포하여 국문하였다. 그 사람들이 옥사에 먼저 오기도 하고 뒤에 오기도 했지만, 진술한 것이 한결같아서 다시 의심할 여지가 없었다. 주상이 무고(誣告)임을 살펴서 알고 석방하도록 명하였다. 이것은 성혼이 처음부터 이로 인하여 나를 모함하고자 이와 같이 날조한 것이니, 차마 이럴 수 있단 말인가?

바야흐로 능을 개축할 때 무덤의 양쪽 언덕이 아무 이유 없이 갑자기 무너져서 일꾼 세 명이 깔려 죽었다. 이해 9월에 주상이 탄 수레가 장차 도성으로 돌아가려고 출발하려는데, 밤에 천둥이 크게 쳐서 왕자가 거처했던 집의 사람과 가축이 벼락을 맞았다. 병신년(1596, 선조29) 3월 그믐, 여러 능에서 삭제(朔祭)를 지내려고 헌관(獻官)들이 궐내에서 향촉을 받았는데, 갑자기 천둥이 치고 문 밖에 있던 향촉을 실은 말 3필과 역졸이 벼락에 맞았다. 며칠 뒤에 부제학 이호민(李好閔)[33]이 인대(因對)[34]하여 말하기를, "정릉의 일에 대한 처리가 옳지 못하였으니, 하늘의 변고가 이로 말미암은 것이 아니라고 단언할 수 없습니다." 하니, 주상이 이르기를, "이것은 큰일이다." 하고, 대신에게 묻기를 명하였다. 좌의정 김응남이 화를 내며 말하기를, "이 말은 나를 모함하기 위해 말한 것이다." 하였으니, 이는 김응남이 봉심할 때 예조판서였기 때문에 그렇게 말한 것이다. 그러나 그때는 이미 세월이 오래 되었고, 또 증명할 길도 없었다. 그래서 내가 헌의하여 다만 말하기를, "주상의 하교를 받자오니, 신은 차마 들을 수 없습니다. 큰일이 이미 정해졌으니, 아마 다시 처리할 방도가 없을 것입니다." 하여, 일이 마침내 그쳤다. 대개 처음에 변별하지 못한 것은 이설(異說)이 난무했기 때문인데, 지금 수년 뒤에 형체가 더욱 사그라져 남은 것이 없을 것이니, 비록 추가로 변별하고자 해도 될 수 없고, 한갓

---

33) 이호민(李好閔) : 1553~1634. 본관은 연안, 자 효언(孝彦), 호 오봉(五峯)·남곽(南郭)·수와(睡窩)이다. 대제학·좌찬성 등을 역임하였다.

34) 인대(因對) : 임금의 물음에 따라 대답하는 것이다.

끝없는 아픔만 더할 뿐 다시 선처할 길이 없으니, 어찌하겠는가? 천고에 지극한 한이 되었다 할 수 있으니, 지금 생각하여도 마음을 다잡을 수가 없다.

무술년(1598, 선조31) 가을에 이르러 내가 시배들의 공격을 받게 되었다. 이이첨(李爾瞻)35)이 이산해에게 논의하기를, "만약 정릉의 일을 들추어 죄목을 삼는다면 함정에 빠뜨릴 수 있을 것이다." 하니, 이산해가 말하기를, "이일은 중숙(重叔)과도 관련될 수 있으니 부디 제기하지 말라." 하였다. 중숙은 김응남의 자(字)로, 응남은 이산해의 매부였으므로, 옥사가 일어나면 화가 그에게까지 미칠 것을 두려워하여 그렇게 말한 것이니, 가소롭고, 가소롭도다.

갑진년(1604) 봄에 예안(禮安) 생원 아무개가 정릉참봉(靖陵參奉)이 되었는데, 이 사람은 정릉을 복구한 시말(始末)을 모르는 사람이었다. 고향에 돌아와 그의 친구에게 말하였다. "능에서 밤중이면 늘 울음소리가 끊어지지 않자 늙은 수호군(守護軍)들이 모두 말하기를, '전에 옥체를 가지고 장사지내지 않은 채 버려버리고, 잡회(雜灰)를 넣어서 거짓으로 장사지냈기 때문에 그때부터 지금까지 밤마다 곡소리가 이와 같이 나는 것이다. 단지 오늘만의 아픔이 아니니 탄식이 끊이지 않는다.' 하였다." 내가 이 말을 듣고 나도 모르게 뼈에 사무치는 슬픔을 느껴서, 그때의 일을 자세히 적어 신하로서 품고 있는 지극한 원통함을 말해둔다.

---

35) 이이첨(李爾瞻) : 1560~1623. 본관은 광주(廣州), 자 득여(得輿), 호 관송(觀松)·쌍리(雙里)이다. 대북(大北)의 영수로서, 정인홍 등과 광해군대 정국을 주도하면서 영창대군의 죽음과 폐모 논의 등에 깊숙이 간여하였다. 인조반정 당시 사로잡혀 주살되었다.

봉심 후 대신에게 써서 올린 의론

奉審後呈大臣議

계사년(1593, 선조26) 6월   우계(牛溪)

선릉(宣陵)과 정릉(靖陵), 두 능의 세 곳이 도굴되었고 불에 탄 모습이 대체로 똑같았습니다. 옥해(玉骸)가 불에 탔지만 아직 재가 되지 않은 것은 뼈마디를 분명히 인식할 수 있었으며, 옥해가 탄 재는 빛깔이 자못 희어서 초목이 탄 재와는 다르고 그 무게도 또한 보통 재보다 두 배나 되었는데, 두 능의 세 곳이 모두 같았습니다. 이 재와 옥해가 비록 참으로 선릉(先陵)의 시신[遺體]에서 나온 것인지는 알 수 없으나 또한 진짜가 아니라고 할 수도 없으며, 정릉은 또 옥체가 광중(壙中) 안에 남아 있으니, 이는 어째서인지 모르겠습니다. 흉악한 왜적들의 소행을 가만히 살펴보면 보화(寶貨)를 취하기 위한 사졸(士卒)의 계책에서 나온 것이 아니라 바로 적장(賊將)의 소행으로 우리나라를 깊이 원수로 여겨 나온 행동이었습니다. 그런데 어찌하여 유독 선릉에만 흉악한 짓을 자행하고 정릉의 옥체는 온전히 보존하였겠습니까?

또 정릉을 도굴한 구멍은 좁고 깊어서 광중의 밑바닥은 겨우 재궁만 들어가고 더 이상 남은 공간이 없으니, 재궁을 불태울 때 반드시 옥체를 밖으로 꺼내놓고 불이 꺼지기를 기다린 뒤에 다시 광중에 넣었을 것입니다. 왜적의 흉악한 마음이 어찌 이와 같이 자상한 데까지 이른 것인지 모두 헤아릴 수가 없습니다. 송산(松山)을 봉심하기 전에 일이 선조(先朝)를 섬겼던 종척(宗戚)과 시녀들에게 어용(御容)을 생각해내게 하고 먼저 이것을 기록해서 여러 신하들에게 보여준 뒤에 봉심하게 하였으나, 세월이 오래되어 시신이 바짝 마르고 손상되어 비슷하다고 지목하여 인정할 만한 곳이 없을 뿐만 아니라 그 기록에는, "선왕의 용안은 길고 턱뼈가 길다." 말하였는데, 여기의 흔적으로는 얼굴이 네모난 사람인 듯하며, "선왕은 뒤통수가 평평하고 깎아지른 듯하여 관을 쓰는 데 방해되었다." 하였는데, 여기는 뼈가 있는 듯 하였습니다. "선왕은 노쇠하여 다소 수척하다." 하였는데, 여기는 가슴 사이가 평평하고 넓어 평소에 비대한 사람인 듯 하였습니다. 이처럼 여기에서 본 것은 모두 기록한 내용과 같지 않았습니다. 그러나 두면(頭面)의 피부가 거의 다 벗겨지고 떨어져 분간하여 알기 어려우니, 살펴서 분별할 만한 근거가 전혀 없습니다. 이미 지혜를 발휘해도 찾을 수 없고, 또 증거로 삼아 참고할 만한 것도 없으니, 신자(臣子)의 심정에 몹시 민망하고 절박하여 어찌할 바를 모르겠습니다.

참의 이해수36)에게 보낸 편지 별지37)

與李參議別紙

우계

　계사년(1593, 선조26)에 송산(松山)에 가서 봉심할 때38) 조정의 관원들이 초막에서 대거 모였는데, 거의 30명에 달했습니다. 옥체를 봉안한 민가[民舍]가 매우 협소하여 한꺼번에 들어갈 수 없어서 가장 먼저 대신 4명이 들어가 봉심하고, 그 다음에 이상(二相)39) 1명과 판서 서너 명이 들어가 봉심하고 나왔습니다. 다음으로 제[渾]가 신점(申點)40)공, 이제민(李齊閔)41)공, 송찬(宋贊)42)공과 또 아무개 공 한 사람과 함께 들어갔었습니다.

　제가 앞에 있었기 때문에 먼저 들어가서 시신 옆에 꿇어앉았으며, 여러 공들은 차례로 뒤에 늘어서 있었습니다. 저는 손으로 시체를 살펴보고 거의 한 식경(食頃)43)이 넘도록 반복하여 만져 보았습니다. 여러 공들은 뒤에 있으면서 다만 바라보기만 할 뿐이었고, 또 공경하고 삼가는 자리라서 감히 말을 할 수가 없었으므로 떠들지 않고 묵묵히 형상만 보고 나왔을

---

36) 이해수(李海壽) : 1536~1599. 본관은 전의(全義), 자 대중(大中), 호 약포(藥圃)·경재(敬齋)이다. 1587년 정철이 건저(建儲) 문제로 유배되자 연루되어 종성으로 유배되었다. 임진왜란으로 풀려나와 왕을 의주로 호종하였다.

37) 『牛溪集·與李參議別紙』.

38) 송산(松山)에……때 : 『우계연보(牛溪年譜)』에 따르면 정릉(靖陵)에서 발견된 시신의 진위 여부를 살필 수 없자, 일단 시신을 송산으로 옮겨 갔다. 그리고 신하들이 왕명에 따라 1593년 5월 29일에 송산으로 가서 시신의 진위를 살펴보았던 것이다.

39) 이상(二相) : 의정부 차관인 찬성(贊成)을 가리킨다. 종1품으로 좌·우 찬성이 있다.

40) 신점(申點) : 1530~?. 본관은 평산(平山), 자 성여(聖與)이다. 임진왜란 당시 명나라에 머물다가 파병을 요청하였다. 1604년 선무공신(宣武功臣) 2등에 녹훈되고, 평성부원군(平星府院君)에 봉해졌다.

41) 이제민(李齊閔) : 1528~1608. 본관은 전주, 자 경은(景誾), 호 서간(西澗)이다. 효령대군(孝寧大君) 보(補)의 현손이다. 임진왜란 당시 대사간·대사헌 등을 역임하였다.

42) 송찬(宋贊) : 1510~1601. 본관은 진천(鎭川), 자 치숙(治叔), 호 서교(西郊)이다. 1594년 판중추부사 등을 역임하였다.

43) 식경(食頃) : 한 끼 식사를 할 때 걸리는 시간으로, 대략 20~30분 정도이다.

뿐입니다. 그 뒤에 또 두세 차례 한 무리의 여러 공들이 들어가 봉심하였습니다. 이윽고 봉심을 마치고 나서 대신이 먼저 일어나 서울로 들어갔고, 저도 또한 물러나 마을에 있는 집에 유숙하고 다음날 서울로 돌아왔습니다. 개장도감(改葬都監)에서는 대신이 여러 관원들에게 각기 소견을 단자(單子)에 적어 올리도록 하였으므로 여러 관원들이 모두 자기 거처로 물러가서 소견을 적어 올렸으며, 저도 전례에 따라 적어 올리고 물러왔습니다. 여러 관원들은 진달할 내용을 적는 대로 빠르고 늦게 바치고 나오자, 대신들은 이를 모두 열람하였으나 그 나머지 사람들은 모두 전체를 볼 수 없었던 까닭에 실로 여러 사람들의 견해가 같은지 다른지를 알지 못하였고, 그 밖에는 실로 소견이 같은지 다른지를 변론할 단서가 없었습니다.

지금 경연관(經筵官)이 진계(進啓)한 말을 들으니, 말하기를, "송찬의 무리가 의심스러운 점에 대해 의논하는 즈음에 어떤 한 재신(宰臣)이 그것은 불가하다고 크게 말하여 의논이 마침내 중지되었는데, 어찌 큰소리로 저지할 수 있단 말입니까?" 하였다고 합니다. 이것은 함께 들어갔던 여러 공들이 모두 알고 송찬 공도 역시 알고 있습니다. 하물며 명령을 받들어 진위(眞僞)를 봉심하였으니, 소견이 같든 다르든 제각기 자신의 소견을 모두 말했을 뿐입니다. 다른 사람이 저지할 수 있는 것도 아니고, 또한 다른 사람의 저지를 받고서 갑자기 자기 소견을 버릴 수 있는 것도 아닙니다. 또 함께 들어간 여러 공들이 모두 묵묵히 한마디 말도 하지 않고 나왔는데, 어떻게 소견의 같고 다름을 알아서 반드시 불가하다고 말할 수 있겠습니까? 자못 괴이하고 한탄스럽습니다. 그러나 제가 올린 문자가 모두 남아 있어서 잘못되고 망령된 말에 대해서는 죄를 피할 길이 없으니, 이 때문에 죄를 받는다면 무슨 한(恨)이 있겠습니까? 삼가 한번 보고 버려서 다른 사람이 보지 못하게 하기를 지극히 기원하고 극진히 기원합니다.

삼가 살펴보건대, 정릉에서 획득한 시신의 진위여부는 마땅히 먼저 오래되었는지 최근의 것인지를 가지고 논하는 것이 사리에 합당하다. 이미 근래에 죽은 시신이 아니라면 또한 거짓으로 얻을 이치가 없을 것이니, 이 두 가지 중에서 확정할 수 있을 것이다. 그래서 이 제독이 말하였다. "이것은 변별하기 어렵지 않다. 마땅히 오래된 것인지 최근의 것인지 여부를 가지고 결정하면 될 것이니, 오래된 시신이라면 필시 다른 사람의 시신은 아닐 것이다." 그 말이 간략하고 뜻이 명확하다고 할 수 있다. 비록 우계가 또한 "세월이 오래되어 시신이 바짝 마르고 손상되었다." 말하였지만, 후장하면 오래되어도 썩지 않는다는 것을 알 수 있다.44) 천하의 사태 변화가 비록 무궁하지만 이치에서 벗어나는 일은 결코 없다. 만약 "왜적이 우리를 속이고자 거짓 시신을 가져다가 광 속에 넣었다." 한다면 이는 반드시 그럴 이치가 없는 것이다. 이홍국이 공을 세우고 싶어서 깊은 밤 급작스럽게 이 시신을 가져다 두었다고 하는 것도 또한 반드시 그럴 이치가 없는 것이다. 그렇다면 그곳에서 얻은 시신을 진짜가 아니라고 하는 것이 과연 이치에 합당한 것인가, 이치에서 벗어난 것인가? 더욱이 이홍국 등을 국문한 일은 우계의 지휘를 받아 나온 것으로 구성이 모함하여 얽어 넣은 바이니, 그 억지로 꾸며서 만든 옥사가 반드시 이르지 못할 곳이 없어서 저 10여 명이 앞서거니 뒤서거니 감옥에 연루되었지만 진술한 내용이 한결같아서 끝내 단서를 얻지 못하였으니, 그렇다면 이 시신이 선왕의 능에서 나왔다는 것을 더욱 의심할 여지가 전혀 없는 것이 아니겠는가? 이와 같이 논단한다면 우계가 다소간에 의심스럽다고 한 말은 분별할 수 있을 것이고, 분별하지 않아도 또한 괜찮다.

그러나 일단 그 말에 나아가 살펴보면 다음과 같다. "옥체가 불에 탔지만 아직 재가 되지 않은 것은 뼈마디를 분명히 인식할 수 있었으며, 옥체가 탄 재는 빛깔이 자못 희어서 초목이 탄 재와는 다르고 무게도

---

44) 우계 또한……알 수 있다 : 우계가 시신이 오래되어 구분할 수 없다고 강조하자 필자는 후장하면 오래되지 않아도 그렇게 될 수 있다고 하면서 우계의 논설을 반박하면서 시신의 진위를 분별할 수 있음을 부각한 것이다.

또한 보통 재보다 두 배나 되었습니다. 두 능의 세 곳이 모두 같았습니다. 비록 이 재와 뼈가 모두 참으로 선릉(先陵)의 시신에서 나온 것인지는 알 수 없으나 또한 진짜가 아니라고 말할 수도 없습니다.……"

이는 매우 괴이한 말이다. 정릉에서 과연 뼈마디를 분명하게 알아볼 수 있는 것이 있었다면, 비록 손가락 한 마디일지라도 단연코 옥체로 간주하는 것이 가하고, 그때 획득한 시신은 많은 말이 필요 없이 가짜라고 결정할 수 있을 것이다. 우계가 만약 이것을 증좌로 삼아 그 진위를 판별했다면 당시 누가 감히 다른 의견을 낼 수 있었을 것이며, 후세에 또한 어찌 괴이한 사단이 일어나겠는가? 그런데 그 헌의 가운데 논한 말들은 시신이 실제 중종의 모습과 같은지 다른지를 논한 내용이 대부분이 었고, 또한 그 시신이 진짜인지 진짜가 아닌지 등을 언급한 말들로 시신을 장차 중종의 것이라고 믿을 것인지 의심할 것인지 만을 논하였으니 이는 또한 무엇 때문인가?

이것으로 보건대, 이른바 "뼈마디를 분명하게 알아볼 수 있었다."는 것은 선릉에서였지 결코 정릉에서 그런 것이 아니었다. 정릉은 단지 재만 남았을 뿐이었으므로, 단순히 "재가 희다."거나 "재가 무겁다." 말하 였으니, 이것은 옥체의 증거가 될 수 없다. 때문에 "재와 옥해[灰與骸]" 세 글자를 윗글에 이어서 뒤섞어서 말한 것이 명백하다. 이 때문에 최흥원 과 이관이 모두 우계의 논의에 붙여서 단지 재 흔적의 길고 짧은지 여부만 말하였을 뿐, 뼈마디를 분명하게 알아볼 수 있다고 말하지 않았으니 정릉에서는 뼈마디가 없었음을 알 수 있다.

또한 다음과 같이 말하였다. "흉악한 왜적들의 소행은 보화를 취하기 위한 사졸의 계책에서 나온 것이 아니라 바로 적장의 소행으로 우리나라를 깊이 원수로 여겨서 나온 행동이었습니다. 어찌하여 유독 선릉에만 흉악한 짓을 자행하고 정릉의 옥체는 잘 보전하였겠습니까?……"

이 말은 매우 교묘하고도 치밀하니, 이처럼 말한 이후에야 시신을 가짜로 만들 수 있기 때문이다. 그러나 예로부터 오랑캐 적들이 제왕의 능을 도굴한 것이 한이 없었고, 그것은 모두 보옥을 취하기 위한 계책에서 나온 것인데, 어찌 유독 왜적에 대해서만은 그들이 단연코 우리나라를 깊이 원수로 여김으로써 보화를 취하기 위한 계책에서 나온 것이 아니라고 하는가? 대개 그 계책은 오로지 보화를 취하려는 것에서 나왔기 때문에 옥체를 바깥으로 옮기고 하고 싶은 짓을 멋대로 자행한 것일 따름이었다.

또한 두 능의 도굴은 반드시 한 왜적의 손에서 나왔다고 할 수 없고, 저들 적장의 흉폭하고 잔인함 또한 정도의 차이가 있어서 혹은 흉악함을 부리기도 하고 혹은 보화만을 취하고 옥체에 해를 끼치지 않았다 해도 반드시 그럴 리가 없다고 할 수는 없을 것이다. 또한 그 불이 꺼지기를 기다렸다가 다시 광중에 넣어 놓았다는 것은 매우 괴이한 일이다. 왜적의 실정이 결코 그렇지 않으니, 이는 또한 그럴듯하지만 실제로는 그렇지 않다. 만약 왜적이 이와 같이 했다고 한다면, 진실로 곡절이 있었을 것이다. 그렇지만 비록 왜적의 기세가 충천했을 때라도 우리나라 또한 어찌 충성스럽고 의로운 사람이 없었겠는가? 당초 경기감사가 능에 일어난 변고를 보고[報聞]45)하였을 때, 그 보고가 능졸(陵卒)이 달려와서 알린 것에서 나오지 않았다는 것을 어찌 알았겠는가? 시신이 드러난 것을 애통하게 여겨 다시 광중에 들인 것이 또한 어찌 능졸이 한 일이 아니라는 것을 알았겠는가? 또한 반드시 그럴 이치가 없다고는 할 수 없을 것이다.

사람의 형체는 크고 작고 길고 짧음이 전혀 같지 않다. 지금 이 시신과 송공(宋公)이 기록한 것이 전혀 비슷하지 않았다면, 우계가 반드시 반론을 제기하려는 마음을 갖고도 어찌하여 한마디로 단정하여 말하지 않았는가? 지금 도리어 시시콜콜하게 소소한 차이에 연연하면서 감히 드러내놓고 말하지 않는 것인가? 크고 작고 길고 짧음이 확연히 다른데 왜적과 이홍국은 어디에서 이처럼 흡사한 모양을 가지고 오랫동안 썩지 않은 시신을 얻었단 말인가? 또한 등 뒤의 종기 흔적이 두 곳 있었으니 이는 명확한 증거라고 할 수 있다. 우계가 만약 단연코 다른 뜻이 없었다면 당연히

---

45) 보고[報聞] : 임금이 신하의 주장(奏章)을 읽고 비답(批答)을 내릴 때 이미 알고 있다는 뜻으로 '문(聞)' 자를 쓴 것을 이른다. 곧바로 임금의 비답을 가리키기도 한다.

참의 이해수에게 보낸 편지 별지 51

실제 본대로 모두 진술하고 아울러 종기 흔적에 대해서도 논하여, 지극히 중대한 변고에 의논을 반복하여 잘 의논하여 처리하여 그 마땅함을 얻는 것이 가할 것이다. 그런데 지금 종기 흔적 한 가지에 대해 전혀 거론하지 않은 것은 무엇 때문인가? 이미 말하기를, "두면(頭面)의 피부가 거의 다 벗겨지고 떨어져 분별하여 인식하기가 어렵다." 하였는데, 이것을 살펴서 알았다면 또한 어찌 네모난 얼굴의 뒤통수 뼈에 대해서 지적하여 말하였는가? 가슴 사이가 평평하고 넓다고 한 것은 반드시 세월이 지났다고 해서 변하여 달라지는 것도 아니었다. 송공이 말하기를, "중종의 상체는 풍만하고 하체는 말랐다." 하였으니, 가슴 사이가 평평하고 넓은 것은 어찌 상체가 풍만하다는 증거가 아니겠는가?

서애를 무고하여 군부의 천양의 화[泉壤之禍]46)를 돌아보지 않았다고 하였으니, 그 하늘까지 닿을 죄를 이루다 말할 수 있겠는가? 다만 당시 사기(事機)를 헤아려보면 이는 국가의 커다란 변고였다. 흙을 쌓아 올려 능을 만든 뒤에 조금이라도 다른 논의가 있었다면 화 또한 헤아릴 수 없었을 것인데, 우계가 시신이 진짜가 아니라는 논의를 힘껏 주장하니, 누가 기꺼이 그 사이에서 붉은 깃발을 세워 화의 기미를 범하려 하였겠는가? 봉심한 여러 공들이 휩쓸리듯 우계를 따른 것은 아마도 이 때문이었을 것이다. 여러 공들은 책망하기에도 부족하지만, 서애가 그것이 옥체임을 명백히 알고서도 피눈물을 흘리면서 그것이 가짜가 아니라고 한번 곧바로 통렬하게 아뢰지 않아서 끝내 큰일에 대해 완벽하기를 바라는 후세 군자의 논의를 면치 못하였으니 매우 유감이 아닐 수 없다.

우계의 속마음은 참의 이해수에게 보낸 편지에 모두 드러났다. 연신(筵臣)이 재상 한 명이 불가하다고 큰 소리로 말한 자가 있다고 아뢴 것은, 어찌 일찍이 들어가 시신을 봉심할 때 이 말을 했다는 것이겠는가? 편지에서는 전후 세 번 나누어 들어갔다고 말하고, 들어가 봉심할 때는 변론이 없었다는 것을 여러 재상들을 끌어다가 입증하였다. 그런데 바깥으로

---

46) 천양의 화[泉壤之禍] : 천양은 황천(黃泉), 또는 지하의 뜻이다. 땅 속의 백골이 화난(禍難)을 당한 것이다.

나온 뒤 그 불가하다고 크게 말한 일에 대해 그런 일이 있었는지의 여부는 끝내 말하지 않은 것은 무엇 때문인가? 공경하고 삼가는 자리라서 감히 말할 수 없는 것이 당연하다면, 바깥으로 나온 뒤에 오로지 진위를 논변할 수 없었단 말인가?

서애가 기록한 다른 일은 비록 알 수 없지만, 송공이 들어가서 봉심하고 나왔을 때, 여러 재상이 맞이하여 어떤지를 물었는데, 이는 정리(情理)로 보아 그만둘 수 없는 것이었다. 이수산이 말하여 다시 봉심을 거행하기까지 하였다고 한 것도 결코 꾸며낸 말이 아니었다. 지금 단지 말하기를, "여러 공들이 두세 차례 봉심하였고, 이윽고 일을 마친 뒤에 대신들이 먼저 일어나 서울로 들어갔다." 하여 마치 대신 이하가 봉심한 뒤에 모두 한마디 말도 하지 않고 서로 쳐다보고 침묵하다가 끝마쳤던 것처럼 말하였는데, 왕명을 받들어 봉심하는 일의 사체가 어찌 이와 같은 일을 용납할 뿐이겠는가?

우계는 단지 자신의 말을 감추었을 뿐만 아니라 아울러 다른 사람들의 말까지도 숨겼는데, 이는 이미 의심스러운 일이 되었다. 당시 실상이 과연 이와 같아서 숨겨서 비밀로 할 만한 것이 없는데도 굳이 다른 사람으로 하여금 편지를 보지 못하게 하라면서 지극히 기원한다고까지 하였는데, "기원한다."고 말한 것은 무엇 때문인가? 서애가 이른바 송공의 말을 낱낱이 들어 하나하나 논파하였다고 한 것과 연신(筵臣)이 이른바 "큰소리로 불가하다." 한 것을 여기서 더욱 숨길 수 없게 되었다.

송시열이 조사달(趙士達)[47]에게 보낸 편지에서 말했다.[48] "'노선생(老先生) - 사계 - 께서 과연 우계에 대해 의심스럽게 여기시는 바가 있었다.' 하였으니, 이는 바로 능변(陵變)[49] 이후의 일을 지적하신 것입니다. 당시의 일은 오직 선사(先師)만 의심한 것이 아니라 우계를 아버지처럼 섬긴

---

47) 조사달(趙士達) : 사달은 조봉원(趙逢源, 1608~1691)의 자이다. 본관은 함안(咸安), 호 파서(坡西)이다. 김상헌(金尙憲)의 문인이다. 첨지중추부사 등을 역임하였다. 송시열이 제2차 예송(禮訟)에 패하여 덕원에 유배되자 파산(坡山)의 농가에 돌아가 쉬었다.
48) 『宋子大全·與趙士達戊辰九月一日』.
49) 능변(陵變) : 임진왜란 당시 왜적이 선릉(宣陵)과 정릉(靖陵)을 도굴한 일이다.

황추포(黃秋浦)50)까지도 오히려 의심을 면치 못하여 힘써 간쟁하였는데, 어찌 이것을 가지고 헐뜯은 것이라 하겠습니까? 더구나 선사께서는 그 일을 계기로 권도(權道)는 함부로 논해서는 안 된다고 하시며 말하기를, '만약 율곡이 그런 일을 맡았다면 반드시 이와 같지 않았을 것이다.' 하였습니다. 어떤 일이 생기면 거슬러 올라가 옛사람이 잘 대처한 일을 생각하는 것, 이것이 바로 인정[常情]입니다."

월사(月沙)51)가 찬술한 『우계시장(牛溪諡狀)』에서 말하였다.52) "명나라 [天朝]의 고 시랑(顧侍郎)53)이 호 참장(胡參將)54)을 통해 보낸 자문(咨文)에서 말하기를, '중국 병사들이 지치고 힘이 고갈되었으니, 우선 왜적의 화의(和議)를 들어주어야 하겠다. 귀국(貴國)은 이러한 형세를 갖추어 아뢰고 상주(上奏)하라.' 하였다. 서애 류 정승이 입대하여 아뢰어 결정하고자 선생과 함께 들어갈 것을 청하였다. 마침 이때 전라감사 이정암(李廷馣)55)이 우선 화의를 허락하여 병란(兵亂)을 늦추는 계책으로 삼을 것을 청하였다. 아뢰어 말하기를, - 우계가 아뢴 것이다 - '이 사람이 그런 말을 하면 처벌을 받을 것이라는 것을 모르지 않지만 지극한 성심에 따라서 국가를 걱정하여 감히 숨기지 않고 말한 것입니다.' 하였다. 주상이 크게 노하자, 류 정승은

50) 황추포(黃秋浦) : 추포는 황신(黃愼, 1562~1617)의 호이다. 자는 사숙(思叔)으로 성혼의 문인이다. 호조판서 등을 역임하였다. 스승과 달리 왜적과의 화친에 반대하였다.
51) 월사(月沙) : 이정귀(李廷龜, 1564~1635)의 호이다. 본관은 연안, 자 성징(聖徵), 호 보만당(保晩堂)이다. 우의정·좌의정 등을 역임하였다. 장유(張維)·이식(李植)·신흠(申欽)과 더불어 이른바 한문사대가로 일컬어졌다.
52) 『牛溪年譜·牛溪先生年譜附錄』.
53) 고 시랑(顧侍郎) : 명나라 장군 고양겸(顧養謙)이다. 임진왜란 당시 일본과의 화친을 주장하였다. 이에 영의정 류성룡과 성혼이 동조하였다.
54) 호 참장(胡參將) : 명나라 장수 호택(胡澤)이다. 유격장군(遊擊將軍) 심유경(沈惟敬)과 함께 일본과의 강화를 위해 노력했기 때문에 조선과 외교적 갈등을 초래했다. 또한 고양겸의 지시에 따라 조선 조정에 주본(奏本), 즉 명나라 황제에게 보내는 글을 올려 일본에 대한 책봉을 요청하도록 강요하였다.
55) 이정암(李廷馣) : 1541~1600. 본관은 경주, 자 중훈(仲薰), 호 사류재(四留齋)·퇴우당(退憂堂)·월당(月塘)이다. 대사간·이조참의 등을 역임하였다. 임진왜란 당시 의병을 모아 왜군을 격퇴하였다.

감히 말하지 못하고 물러 나왔다."

『석실어록(石室語錄)』에서 말하였다.56) "예전에 들으니, '류 정승이 선생
-우계-과 같이 입대하여 고 시랑 자문의 뜻을 마땅히 따라야 한다고
아뢰기로 약속하였는데, 선생이 먼저 말했으나 류 정승은 입을 다물고
있었으므로 선생이 홀로 의심과 비방을 받게 되었다.' 하였다. 지금 문서들
을 살펴보니, 류 정승이 자문의 뜻을 마땅히 따라야 한다고 차자에서
말한 것은 등대하기 전에 있었던 일이니, 예전에 들었다고 하는 것은
착오인 듯싶다. 이정암을 구원했다는 사항은 또한 실상 고 시랑의 자문에
대한 시비와는 상관없는 일이었다."

삼가 살펴보건대, 임진년 국난(國難)에 명나라 상서(尙書) 석성(石星)57)이
조선에 파병하여 우리나라를 구원하자고 힘껏 주장하였다. 그 뒤 전쟁이
오래도록 끝나지 않아서 중국이 소란스러워지자 논의하는 자들이 그를
많이 책망하였다. 석공(石公)이 자기에게 화가 미칠 것을 두려워하여 심유
경(沈惟敬)58)으로 하여금 왜적을 타일러 화친을 구하게 하였고, 고 시랑이
자문을 보내 본국으로 하여금 왜적을 위해 봉공(封貢)59)을 청하도록 하였
다. 서애가 차자(箚剳)를 올려 말하였다.60) "'왜적을 대신하여 봉공을 요청
한다.'는 한 구절은 진실로 따를 수 없습니다만, 또한 적의 정세를 상세히

56) 『魯西遺稿·石室語錄』.
57) 석성(石星) : 1538~1599. 명나라 대신으로, 자는 공신(拱宸), 호 동천(東泉)이다. 임진왜
란 당시 병부상서(兵部尙書)로서 조선을 구원했다. 심유경(沈惟敬)의 말에 따라 풍신수
길(豊臣秀吉)을 일본국왕에 봉하려다가 실패한 뒤 관직을 삭탈당하고 죽었다.
58) 심유경(沈惟敬) : ?~1597. 임진왜란 당시 명나라 신기삼영유격장군(神機三英遊擊將
軍)의 신분으로 조선에 와서, 소서행장(小西行長)과 화평 협상을 추진하였다.
59) 봉공(封貢) : 벼슬을 봉하여 주고 조공(朝貢)하게 하다.
60) 서애가……말하였다 : 1594년(선조27) 류성룡이 올린 상소이다. 긴 상소문을 요약하
여 인용하다보니 원문과는 글자의 출입이 많다. 고양겸이 호택을 통해 요청한
것을 모두 거절하면 이들이 명나라 조정에서 난처한 처지에 빠지게 될 것이므로
이들의 주장을 수용할 수밖에 없다는 것을 주장하는 내용이다.(『宣祖實錄』 27年
5月 12日)

갖추어 보고하여 명나라 조정의 처분을 따르는 것이 마땅합니다. 우리나라
는 이미 스스로 진작할 수 없기에 단지 대국에 의뢰하여 다시 일어나려
하는데, 그가 말하는 일을 굳게 거절하고 따르지 않아서 일을 맡은 사람이
화를 내고 돌아앉아 함께 마음을 합치는 것을 달갑게 여기지 않는다면
우리나라의 국사가 더욱 고립되지 않겠습니까?" 주상이 허락하였다.

때마침 왜적 또한 전라감사 이정암을 통해 화친을 청하였다. 이정암이
주상에게 아뢰어 청한 것이 왜적의 말과 같자 우계는 "이정암이 만약
절의를 위해 죽음을 각오하려는 마음이 없었다면 반드시 이 같은 말을
하지 못했을 것입니다." 하였다. 이에 주상이 진노하니, 우계가 그 말을
끝내지 못하고 물러났다.

고 시랑이 자문에서 말한 화친의 일은 명나라 조정의 장수와 재상이
주장한 것이므로, 우리는 어찌할 수 없는 일이었다. 이정암이 말한 것은
화친을 우리로부터 시작하자는 것인데, 우계가 절의를 위해 죽음을 각오하
였다고 칭찬하였기 때문에 주상의 노여움을 거듭 범한 것이었다. 해당하는
조목[條款]이 각각 다른데, 오늘날 시장(諡狀)에서 마치 고 시랑을 통해
보낸 자문의 일 때문에 우계가 죄를 얻고 서애가 처음에 함께 청하기로
약속했다가 뒤에 배신한 것처럼 말한 것은 자세히 살펴보지 않았기 때문에
나온 말이 아니겠는가? 고 시랑의 자문 건은 이미 서애가 차자를 올렸을
때 허락한 일인데 어찌 우계에 대해서 노여워할 리가 있겠는가? 청음(淸
陰)61)선생이 이른바, "이정암 건은 실로 고 시랑의 자문에 대한 시비와는
상관이 없다." 한 것은 또한 우계의 주화(主和)를 옳지 않다고 여긴 것이다.

---

61) 청음(淸陰) : 김상헌(金尙憲, 1570~1652)의 호이다. 본관은 안동, 자 숙도(叔度), 호
 석실산인(石室山人)이다. 예조판서·좌의정 등을 역임하였다. 이정귀·김유·신익성·
 이경여·이경석·김집 등과 교유하였다. 인조대 청서파(淸西派)의 영수로서 활동하다
 가 병자호란 때 척화론(斥和論)을 주장하였다.

기축록(己丑錄)

- 억울하게 죽은 자가 매우 많았는데, 두 정(鄭)[1]과 최(崔)[2]가 입은 화가 더욱 혹독하였으므로, 공가(公家)의 문자와 선배[前輩]들의 기록에 보이는 내용을 여기에 대략 기록해 둔다. -

1) 두 정(鄭): 정언신(鄭彦信, 1527~1591)과 정개청(鄭介淸, 1529~1590)을 가리킨다. 정언신의 본관은 동래, 자 입부(立夫), 호 나암(懶庵)이다. 우의정 등을 역임하였다. 1589년(선조22) 정여립 옥사 때 위관(委官)에 임명되었지만 정여립과 삼종(三從)간이란 이유로 탄핵을 받아 사직하였다. 사사(賜死)의 명이 있었으나 감형되어 갑산에 유배, 그곳에서 죽었다. 1599년에 복관되었다. 정개청의 본관은 고성(固城), 자 의백(義伯), 호 곤재(困齋)이다. 예학(禮學)과 성리학에 밝아 당시 호남지방의 명유(名儒)로 알려졌다. 이산해의 천거로 곡성현감을 지내기도 했다. 1589년(선조22) 정여립 옥사에 연루되어 유배되어 죽었다. 저서로는 『우득록(愚得錄)』이 있다.
2) 최(崔): 최영경(崔永慶, 1529~1590)을 가리킨다. 본관은 화순(和順), 자 효원(孝元)이다. 조식의 문인으로, 1589년(선조22) 정여립 옥사 때 길삼봉(吉三峯)으로 지목되어 국문을 받다가 죽었다.

정언신

鄭彦信

경인년(1590, 선조23) 5월 16일에 호남유생 양형(梁泂)과 양천경(梁千頃)[3] 등이 상소하여 말하기를, "정언신이 위관(委官)에 임명되어 고변자 10여 명을 참수하려 했습니다.……" 하니, 위관 정철이 회계(回啓)하였다. "양형 등이 상소에서 정언신이 고변자를 참수하려 했다고 한 말은 일찍이 도성 안에 퍼졌고, 신 또한 들은 일이 있습니다. 과연 그 말과 같다면 이는 옥사를 뒤엎는 수단이 되니 그 죄상은 참으로 용서하기 어렵습니다. 이 일은 청컨대 국문에 참여했던 여러 신하들을 문초한 뒤에 처리하는 것이 어떠한지요?" 주상이 "아뢴 대로 하라." 하였다.

위관 정철이 아뢰었다. "인신(人臣)이 전에 없던 국가의 변을 당했으니 마땅히 뼈에 사무치는 마음으로 오직 주토(誅討)가 엄하지 못할까 두려워해야 하는데, 정언신은 대신의 몸으로 바야흐로 추관(推官)의 자리에 있으면서 도리어 흉패한 말을 함부로 하여 역적을 두둔할 계교를 부리려고 하였습니다. 이 사람이 무슨 심정으로 은혜를 저버리고 역적을 두둔하는데 방자하고 거리낌 없음이 이 지경에 이르렀는지 모르겠습니다. 그 말이 국청에서 나왔음은 주위에 있던 추관들이 모두 들었으니, 다시 물어볼 까닭이 없습니다. 정언지(鄭彦智)[4]도 그의 동생과 같이 역적을 두둔하고 주상을 기만하였는데, 바야흐로 그 동생이 고변한 자를 죽이라고

---

3) 양천경(梁千頃) : ?~1591. 본관은 제주(濟州)이고, 거주지는 전라도 창평(昌平)이다. 전 행 거창현감(前行居昌縣監) 양자징(梁子澂)의 3남 중 장남으로 태어났다. 동생은 양천회(梁千會)와 양천운(梁千運)이다. 기축옥사 당시 정철의 휘호 아래 동생 양천회, 조응기(趙應麒) 등과 함께 호남유생들을 모아 이발(李潑) 형제와 정여립 등이 모반을 도모하고 있다는 상소를 올렸다. 이때 길삼봉(吉三峰)이라는 가공의 인물을 만들어낸 뒤 그가 바로 최영경이라고 무고(誣告)하였다. 1591년 무고 사실이 드러나자 문초를 당하였고, 이후 정철의 부탁으로 거짓 상소를 올렸다고 자백하였다. 장형을 맞고 유배를 가다 죽었다.

4) 정언지(鄭彦智) : 1520~?. 본관은 동래, 자 연부(淵夫)이다. 우의정 언신(彦信)의 형으로, 한성부좌윤 등을 역임하였다. 정여립 옥사에 연루되어 강계에 유배되었다.

주장할 때 한결같이 찬조하였지만, 그 말을 들었다는 자가 없습니다. 두 사람의 정상을 참작하여 죄를 정하는 것은 오직 주상의 결단에 달려 있습니다." - 정언지는 형조참판으로 곽사원(郭嗣源)과 송익필(宋翼弼)⁵⁾의 교하(交河) 언답(堰畓) 송사⁶⁾ 사건을 논의하였다. 주상이 송익필을 가두고 죄를 다스리라는 하교가 『계갑록(癸甲錄)』⁷⁾에 보인다. -

5월 26일에 전교하였다. "역적이 정언신에게 병기(兵器)를 나누어 보냈다는 말은 설사 그 말이 십분 사실이라 할지라도 한 번 웃음거리도 되지 않는다. 정언신이 그 말을 들으면 또한 반드시 불복할 것이며, 긴 화살 한 뭉치로 무엇을 할 수 있단 말인가? 하물며 그 상소에서 모함과 속이는 말이 여러 군데에서 나오니 이것은 묻기에도 부족하고, 결코 형추(刑推)해서도 안 된다. 인심이 지극히 험악한 때를 만나 뜻밖의 망측한 일이 있을까 두려우니 결코 옥사를 일으켜서는 안 된다. 당당한 국가가 지방 유생의 허황되고 잡스러운 상소로 인해 추국하고 형추한다면 사체가 크게 손상되어 반드시 훗날 폐단이 생길 것이니 그대로 두는 것만 못하다. 의금부에 말하라."

영의정 이산해의 계사(啓辭)에 답하였다. "……지금 지방 유생의 상소로

---

5) 송익필(宋翼弼) : 1534~1599. 본관은 여산(礪山), 자 운장(雲長), 호 구봉(龜峯)이다. 이이·성혼 등과 교유하였다. 예학에 밝아 김장생에게 영향을 주었다.
6) 곽사원(郭嗣源)……송사 : 1584년(선조17) 황유경(黃有慶)의 사노(私奴) 거인(居仁)과 곽사원 사이에 제방 쌓는 일로 벌어진 송사로, 이 사건에 많은 사대부들이 관여되었다. 거인 편에는 구종(具悰)이, 곽사원 편에는 아들 건(健)의 장인 송한필(宋翰弼, 송익필의 형)이 있었다. 그런데 송한필과 교분이 있던 이이(李珥)가 적극적으로 지원하여 관원들이 감히 마음대로 척결하지 못한 채 시간을 끌어왔다. 1582년 곽사원의 문서에 위조된 도장이 찍힌 사실이 드러났지만 형조에서 이를 덮어두었고, 이에 거인 측에서 상소하였다. 당시 한성좌윤 정언지는 한성부에 내려온 사건을 다시 형조로 이첩하였다. 곽사원은 대사헌 윤두수(尹斗壽)와 정언지 등에게 반감을 품고 무고하였다. 그러자 정언지가 상소하여 곽사원과 송한필은 이익을 함께한 자라고 비난하였다. 당시 선조는 거인과 곽사원 양측에게 모두 벌을 내렸고, 송한필도 형벌에 처하였다.
7) 계갑록(癸甲錄) : 안방준(安邦俊, 1573~1654)의 저술로, 계미(1583, 선조16)·갑신년(1584) 이후 동인과 서인으로 분당된 일에 대해서 기록하였다. 안방준의 본관은 죽산(竹山), 자 사언(士彦), 호 은봉(隱峰)·우산(牛山)이다. 성혼의 문인으로, 공조참의 등을 역임하였다.

인하여 죄를 더하는 바가 있으면 사체가 편치 않아 뒷날 폐단이 될까 두렵다. 정언신은 이미 외딴 섬으로 귀양 가 죽을 때가 임박했으니 한갓 늙은이에 불과할 뿐이다. 어찌 반드시 죄를 더할 필요가 있겠는가? 내 뜻은 이와 같으니, 그대로 두고 논하지 말아서 대체(大體)를 보존하고 뒷날 폐단을 막는 것이 나을 듯 한데, 어떠한가?" 이산해가 회계하여 운운하였다.

5월 28일에 전교하기를, "정언신의 옥사는 의금부에서 전에 취품(取稟)하였으니 다시 논하지 말도록 의금부에 말하라." 하였다.

6월 20일에 궁궐 문을 닫은 뒤 위관이 비밀리에 계사를 올렸고, 금부도사가 문틈으로 집어넣어 아뢰었다. 대략 이르기를, "정언신이 역적과 결탁하고 군부(君父)를 속인 것은 종묘사직을 저버리고 군부를 업신여긴 것일 뿐만 아니라 최(崔)와 정(鄭)의 복심(腹心)으로 소굴이 되었습니다." 하였다. 그날 밤 4경(更, 오전2시 전후)에 금부도사 이배달(李培達)이 잡으러 나갔다. -최와 정은 최영경과 정여립을 가리킨다.-

7월 5일, 잡아왔는데, 대제(大祭)의 재계(齋戒) 때문에 삼성(三省)에서 추국(推鞫)하지 못했다.

15일, 전교하기를, "모레 궐정(闕庭)에서 추국하겠다." 하였다.

18일, 원정(元情, 진술서)을 입계하니, 처음에 사사(賜死)하라는 명령을 내렸다. 여러 대신들이 회계하기를, "우리나라는 일찍이 대신을 죽인 일이 없습니다.……" 하였다. 전교하기를, "그대로 가두고 조용히 처리하라." 하였다.

19일, 양사(兩司)에서 정국(庭鞫)하는 일을 합계(合啓)하였으나, 윤허하지 않았다.

20일, 아뢴 대로 당일 4경에 형벌을 받고 하옥하였다.

21일, 의금부에서 아뢰기를, "죄인의 병이 위중한데 형장을 더하는 일을 어떻게 시행하오리까?" 하니, 전교하기를, "형장을 더하는 것을 면제하고, 갑산(甲山)에 정배(定配)하라." 하였다.

22일, 처음으로 양사가 합계하였다.

23일부터 양사가 연달아 세 번 아뢰고, 홍문관[玉堂]에서 재차 아뢰었다.

25일, 답하였다. "이미 참작하여 죄를 정하였으니 다시 추국해서는 안될 것이다. 상하가 서로 고집하다가 만에 하나 병을 얻어 옥중에서 갑자기 죽게 된다면 전혀 사형을 사면해준 뜻이 아니다. 속히 정지함이 매우 타당할 것이다."

8월 1일, 답하였다. "어찌 이렇게 강요하여 고집하는가? 따를 만하다면 무엇 때문에 이유 없이 일을 미루겠는가? 정언신은 불학무식하여 자신도 모르게 스스로 큰 죄에 빠진 것에 불과할 뿐이다. 역적이 정언신을 먼저 죽이고자 하였으니 정언신의 마음을 따라서 알 수 있다. 그 정상(情狀)이 용서할 만하고, 사람의 죄를 논할 때 중도를 얻지 못해서는 안 된다." 윤허하지 않았다.

2일, 답하였다. "정언신의 죄는 진실로 있지만 사람의 죄를 논할 때에는 저울질을 하여 중도를 취하는 것이 귀중하다고 한다. 정언신이 평소에 실로 사심(邪心)을 품지 않고 나라 일에 마음을 다하였다는 것 또한 속일 수 없다. 이는 편벽되게 사사로이 당을 세워 서로 배척하는 자와는 다른 것이다. 배우지 못하였기 때문에 대사(大事)에 임하여 큰 죄에 빠졌다. 옛사람이 말하기를, '『춘추(春秋)』에 통달하지 못하면 반드시 수악(首惡)의 죄명을 뒤집어쓰게 된다.' 하였는데 하물며 정언신에 있어서랴? 그 정상이 불쌍하니 심하게 죄주어서는 안 된다. 애초 뒷사람을 징계하고자 법대로 처리하려 했으나 여러 대신들의 지극한 뜻을 보고 바꾸지 않을 수 없었다. 내 뜻은 여기서 모두 밝혔으니 번거롭게 해서는 안 될 것이다." 답하였다. "……지금 만약 다시 국문하여 혹시 매 맞다 죽는다면 반드시 전정(殿庭)에서 대신을 죽였다는 악명이 있을 것이다. 상하가 서로 고집하다가 혹시 병으로 죽는다면 또한 대신을 하옥하여 병들어 죽였다는 악명이 있게 될 것이니 모두 좋지 않다. 경들이 어찌 차마 할 일인가? 마땅히 속히 정지해야 할 것이다.……" 세 번이나 아뢰었지만 윤허하지 않았다. 그날 3경(更, 자정 전후)에 옥사에서 나와 성문이 열리자 나아갔는데 압송한 금부도사는 엄인달(嚴仁達)이다.

최영경

崔永慶

　호남유생 강현(姜晛)·양천경(梁千頃) 등이 길삼봉(吉三峯)⁸⁾을 최영경이라 여기고 제원찰방(濟源察訪) 조응기(趙應麒)에게 말한 것을, 조응기가 감사에게 보고하였고, 감사가 낱낱이 들어 장계하므로 잡아들여 추국하였다.

　최영경의 원정(元情, 진술서)에서 운운하였다. 다시 공초⁹⁾에서 대략 말하였다. "정언신은 저와 10살 전부터 때부터 친구였고, 노수신(盧守愼)¹⁰⁾은 저의 칠촌 되는 친척입니다. 저는 단지 이 사람들과 서로 알고 지냈을 뿐이었습니다. 어찌 감히 이것으로써 그들과 복심(腹心)으로 소굴이 되었겠습니까?⋯⋯" -"복심으로 소굴"이란 밀계(密啓)에 있는 표현이다.-

　8월 30일, 추안(推案)을 입계하니, 전교하기를, "최영경을 풀어주어라." 하였다. 같은 날 사간원에서 아뢰기를, "최영경은 괴이하고 음흉 간특한 사람으로서 평일에 역적과 결탁하였습니다.⋯⋯" 하였다.-정언(正言) 구성(具宬)이 계를 올렸다.- 답하였다. "최영경은 이미 삭탈관작 하여 벌을 시행하였으니 다시 추국해서는 안 된다. 편지를 서로 주고받은 것이 과연 이와 같다 해서 어찌 사람마다 국문하겠는가? 최영경을 모름지기 다시 국문하지 말라.⋯⋯"

---

　8) 길삼봉(吉三峰) : 기축옥사가 발생하고 나서 여러 죄인들의 입에서 "길삼봉이 모주(謀主)이다." 자백이 나왔는데, 당시 "삼봉은 길씨 성이 아니라 최영경이다."는 유언비어가 있었다. 이와 관련하여 다양한 당론서에서 이 문제를 거론하였는데, 당색에 따라 상반된 사실관계와 평가를 내 놓았다. 『족징록(足徵錄)』같이 노론의 입장이 반영된 당론서에서는 길삼봉이 최영경이라는 설을 강조한 반면, 『동소만록』과 같은 남인측 당론서에서는 이를 부정하였다.

　9) 다시 공초 : 원문은 "更招"이다. 죄인을 두 번 이상 신문하는 것을 가리킨다. 죄인을 신문하는 것을 취초(取招), 자백을 받는 것을 봉초(捧招), 죄상을 사실대로 진술하는 것을 직초(直招), 신문에 대해 구술로 답변한 내용을 공사(供辭) 또는 초사(招辭)라 한다.

10) 노수신(盧守愼) : 1515~1590. 본관은 광주(光州), 자 과회(寡悔), 호 소재(蘇齋)·이재(伊齋)·암실(暗室)·여봉노인(茹峰老人)이다. 좌의정·영의정 등을 역임하였다. 정여립 옥사 때 예전 정여립을 천거했던 이유로 대간의 탄핵을 받고 파직되었다.

9월 9일, 잇달아 아뢰니 답하기를, "최영경이 경계를 넘어 서로 종유했다는 말이 어느 곳 어느 사람의 말에서 나왔는지 그 말의 근원을 상세히 아뢰라." 하였다.

10일, 사간원 전원이 아뢰었다. "최영경이 역적과 함께 경계를 넘어 상종하였다는 말이 퍼진 지 오래되었을 뿐만이 아니라 역적의 편지에 있는 두류산(頭流山, 지리산)의 약속이라는 것을 보더라도 평일 친밀히 왕래한 정상이 괴이할 바가 없습니다. 또 역적이 진주에 있는 최영경의 본가로 찾아가 만났고 며칠간 머물렀다가 돌아갔는데, 판관 홍정서(洪廷瑞)가 친히 그 사실을 알고 도사(都事) 허흔(許昕)에게 말하였습니다. 신들 가운데도 허흔에게 직접 들은 사람이 있습니다.……" 전교하기를, "홍정서·허흔·최영경을 잡아 가두라." 하였다.

최영경이 원정(元情)에서 말하였다. "……지난 병인(1566, 명종21)·정묘년(1567) 사이에 이이(李珥)가 출사하니 온 세상의 선비들이 모두 '옛사람이 다시 나왔다.' 하였는데, 저는 혼자 그렇지 않다고 웃었더니 한 때 젊은 사람들이 저를 무식하다고 하거나 미쳤다고도 하거나 어리석다고 하였습니다. 저는 이 말을 듣고도 못 들은 척 하며 웃기만 한 채 대답하지 않은 지 오래되었습니다. 그 뒤 어렴풋이 들으니 이이의 하는 짓이 크게 사람의 뜻을 만족시키지 못하였고, 때문에 한 때의 젊은이로서 책을 옆에 끼고 담론하기 좋아한 무리들이 모두 이이와 등져서 함께 벗하기를 부끄러워한다고 하였습니다. 어떤 사람은 제가 선견지명이 있다고 하고, 또 어떤 사람은 제가 유식하다고 하였습니다. 이에 이이의 분노는 극도에 달하였고, 한 때의 동년배와 문생의 무리들이 모두 저를 가리켜 나쁘다고 하였습니다. 그 뒤로 사대부 가운데 청류(淸流)로 인정받지 못하는 자들이 모두 저를 가리켜 나쁘다고 하였으니, 막막한 한갓 외로운 이 몸이 어찌 자립할 수 있었겠습니까? 거짓말을 만들어 비방하고 참소에 얽어 넣거나 거리에 터무니없는 방(榜)을 붙이며 못하는 짓이 없더니, 종국에는 중외(中外)에 떠도는 말들을 합쳐 허무맹랑한 일을 꾸며서 이 지경에 이르렀습니다. 제가 무엇으로 스스로를 해명할 수 있겠습니까? 이것이 바로 화근이 나온 연원이었습니다.

홍정서가 진주판관이 되어 저의 집에 4, 5차례 찾아왔지만 제가 늙고 병이 심해 맞이하여 접대하기 곤란하였으며, 그 사람됨을 싫어해 한 번도 서로 만나지 않았습니다. 그 뒤 분노와 원망이 많이 일어나 이치에도 없는 패악한 말을 수없이 발설하였는데, 이는 온 고을과 이웃 마을에서도 모두 아는 바입니다. 난리가 일어나자 어떤 사람은 제가 가마를 타고 가서 역적과 만났다고 하고, 어떤 사람은 역적이 제 집에 와서 4, 5개월 동안 묵었다고도 하였으니, 이와 같이 이치에도 없는 말이 이르지 않는 데가 없었습니다. 청컨대 저를 홍정서와 면질시켜 전형(典刑)¹¹⁾을 바로잡아 주십시오.

'역적과 서로 만났다.'는 것은 정축년(1577, 선조10)에 자식을 잃고 발인하여 양주(楊州) 땅 선인(先人)의 묘소에 안치하였을 때의 일입니다. 어느 날 해질 무렵에 이발이 역적과 함께 찾아와 제가 나가 보니 이름 모를 한 사람이 곁에 서 있었는데 이발이 아무개라고 운운하였습니다. 그래서 여막으로 인도하여 들어와 세 사람이 함께 묵었는데, 곡읍(哭泣) 중이라 비록 조용히 이야기를 나누지 못하였습니다만, 그 사람됨이 교만하고 건방져서 윗사람을 능멸하고, 뽐내고 거들먹거리며 남을 업신여기는 사람이어서 제가 그의 사람됨을 매우 싫어하였습니다. 그 뒤 이발과 안민학(安敏學)의 무리들에게 경계하여 교제하지 말도록 하였습니다만 어찌 제 말을 따랐겠습니까? 그 후로는 서로 얼굴을 보지 못했으니, 이는 온 나라 사람들이 모두 아는 사실입니다. 지난 날 난잡한 휴지 속에서 나온 편지 한 통에 대해서는, 제가 자식을 잃고 난 뒤 완전히 음식을 끊고 오로지 술로 세월을 보냈으므로 정신이 혼미하여 기억할 수 없습니다. 일상적인 안부를 묻는 한 통의 편지가 무슨 관계가 있다고 속이기까지 하겠습니까? 역적이 조문하러 온 일은 상중(喪中) 한 밤중의 일이었기에 아는 사람이 없는데, 이 또한 오히려 바로 아뢰었으니 그

---

11) 전형(典刑) : 예전부터 전하여 내려오는 법전이다. 혹은 한번 정하여져 변하지 않는 법을 말한다.

실정을 여기에 근거하여 미루어 짐작할 수 있을 것입니다. 남의 집에서는 편언척자(片言隻字)도 모두 불에 태우는데 제가 삼봉(三峯)의 이야기를 들은 지 이미 3, 4개월이 지났지만 마음이 담담하였으므로 자잘한 문서도 일찍이 불태우지 않았던 것입니다.……"

허흔이 공초(供招)에서 말하였다. "홍정서에게서 들은 것이 아니라, 지난 해 동지(冬至)에 전문(箋文)을 받들고 서울에 왔다가 돌아가는 길에 밀양(密陽)에서 감사를 만나 앉아서 이야기를 나누다가 말이 역적의 일에 미쳤습니다. 감사 김수(金晬)가, '역적 정여립이 최영경의 집에 왔었다는 말을 홍정서에게 들었는데 그대도 들었는가?' 하기에, 듣지 못했다고 대답하였습니다. 체임(遞任)되어 서울로 돌아온 뒤 또한 친구들과 이야기를 나누었는데, 듣는 사람들이 제가 홍정서에게서 들었다고 잘못 안 것입니다.……"

전교하기를, "김수를 승정원으로 불러 물어 보라." 하였다. 김수가 아뢰었다. "신이 밀양에 있을 때, 허흔과 이 일에 대해 언급한 적이 있었습니다. 신이 홍정서에게서 들은 것이 아니라 진주 훈도(訓導) 강경희(康景禧)가 홍정서로부터 들은 것인데, 홍정서가 말하기를, '……처음에는 역적이 최영경의 집에 왔다고 들었으나 나중에 자세히 들어보니 윤기신(尹起莘)이 온 것을 역적이 왔다고 잘못 안 것으로, 사실은 역적이 아니었다.' 하였습니다. 이 말을 허흔과 함께 나누었으니, 허흔이 퍼뜨린 말이지 신이 한 말이 아닙니다."

전교하기를, "강경희 등도 잡아들여 문초하라." 하였다. 홍정서는 품관(品官) 정홍조(鄭弘祚)에게서 들었다고 하였다. 정홍조가 진술하였다. "최영경의 집은 관가에서 5리 되는 곳에 있고 저는 40리 밖에 있었습니다. 역적이 명성을 훔친 지 이미 오래되었으므로 백주 대낮에 공공연히 왕래하는데 어찌 이른바 명류(名流)라는 자가 와서 만나는 일을 5리 거리의 판관이 모르는데 40리 거리의 품관이 홀로 알 리가 있겠습니까? 만약 몰래 왔다면 저 또한 어찌 알 수 있겠습니까? 일찍이 판관에게 말한 적이 없습니다.……" 전교하기를, "홍정서를 형추하라." 하니, 위관이 아뢰기를, "정홍조가 번복한 정상이 모두 드러났으니, 홍정서에게 형신을 가하는 것은 마땅하지 않습니다." 하였다. 그런데 밤이 이미 깊어 다른 승지가 나아가 홍정서를 한 차례 형신하라는 뜻을 전하므로 부득이하게 다시 한 차례씩 형신하고, 다음날 모두 석방하였다. 최영경이 감옥에서 죽으니, 국청에서 아뢰기를, "구호를 소홀히 하여 자살케 했으니 금부도사 강종윤(康宗允)을 파직시켜야 합니다.……" 하였다. - 대사헌 윤두수가 아뢰기를 "최영경은 자신의 죄를 알고 음독하여 죽었으니12) 청컨대 당직 도사를 파직하십시오.……" 하였다. -

신묘년(1591, 선조24) 윤 3월14일, 양사에서 합계하여 영돈녕부사(領敦寧府事) 정철을 파직시킬 것을 아뢰자, 아뢴 대로 하라고 하였다. 전교하였다. "옛날에 대신을 파면해서 쫓아낼 때는 조당(朝堂)에 방(榜)을 게시하였다. 이는 온 나라 사람들의 이목(耳目)에 죄상을 분명히 드러내 보여 뒷사람들을 경계하려는 것이었다. 지금 정철을 파직하라는 전교를 받들어 고사에 따라 조당에 게시하라."

7월, 양천경과 강현 등을 붙잡아 와서 국문하니, 양천경이 자신들이 올린 상소는 모두 정철의 지시한 것이라고 승복하였다.

갑오년(1594, 선조27) 8월, 사헌부에서 아뢰자 답하였다. "정철이 내 앞에서 최영경을 효우(孝友)라고 칭찬하였다는데, 나는 생각해 보아도 기억이 나지 않는다. 다만 윤해평(尹海平)13)이 그의 효성이나 석곽(石槨) 등의 일을 말한 것은 들은 적이 있다."

경상감사 박경신(朴慶新)14)이 사당 - 덕산서원(德山書院)15) - 을 참배하고 물

---

12) 최영경은……죽었으니 : 『동소만록』에서는 홍정서가 죽인 것으로 기술되었다. 홍정서가 무고죄에 걸릴 것을 두려워하였는데, 때마침 최영경이 병이 들어 음식을 먹지 못하고 날마다 소주를 마신다는 소식을 들었다. 이에 옥졸에게 뇌물을 써서 독이 든 술로 바꿔쳐서 마시게 하였고 마침내 최영경이 죽고 말았다는 것이다.

13) 윤해평(尹海平) : 해평은 윤근수(尹根壽, 1537~1616)의 본관이다. 자는 자고(子固)이고, 호 월정(月汀)이다. 영의정 두수(斗壽)의 동생으로, 이황의 문인이다. 형조·이조판서 등을 역임하였다. 1591년(선조24) 세자책봉 문제로 형 두수와 함께 삭탈관직되었다.

러나와 여러 유생들과 이야기를 나누다가, 이어 말이 기축년의 옥사에 미쳤다. "정철이 위관이 되어 국청에 있었는데, 수우(守愚, 최영경의 호)가 국청으로 잡혀 오는 것을 보자 발끈하여 말하기를, '저 자가 전에 나를 죽이려고 하였다.' 하니, 심수경이 말하기를, '장차 죽게 될 사람을 보면 측은한 마음을 갖는 것은 사람이라면 똑같은 것인데 어찌 차마 이런 말을 하는가?' 하였다. 하루는 주상이 최영경의 사람됨을 물었는데 정철이 말하기를, '그 행동거지가 괴이하고 편벽합니다.' 하니, 말이 끝나기도 전에 심수경이 말하기를, '신은 평소에 전혀 몰랐으며 국청에서 처음 보았는데, 그 용모와 사기(辭氣)가 선비 같았습니다.' 하였다. 김명원(金命元)16)이 또 아뢰기를, '신은 오늘 처음 보았는데, 과연 심수경이 대답한 바와 같이 실로 역모를 꾀할 사람이 아니었습니다.' 하였다. 윤근수가 잇달아 아뢰기를, '신은 일찍이 그 사람됨을 알고 있었는데, 참으로 효성스 럽기가 하늘이 낸 듯 하여 살아 있을 때는 섬기고 죽어서 예로써 장사 지내는 것이 옛사람에게 부끄러울 것이 없으며, 심지어 석곽을 만들어 그 마음을 다하였습니다.……' 하였다. 내가17) 그때 문사랑(問事郞)으로 있었기에 상세하게 안다." - 덕산서원 원장의 기록에서 나왔다. -

14) 박경신(朴慶新) : 1560~1626. 본관은 죽산(竹山), 자 중길(仲吉), 호 한천(寒泉)·삼곡(三 谷)이다. 광주목사 등을 역임하였다.

15) 덕산서원(德山書院) : 1576년(선조9) 남명(南冥) 조식(曺植, 1501~1572)의 학덕을 추모 하기 위해 최영경·하항(河沆) 등 사림(士林)들이 건립한 서원이다. 경상남도 산청군에 위치하였다. 임진왜란으로 소실되었다가 1602년 중건되어, 덕천서원(德川書院)으로 개칭되고, 1609년(광해군1) 사액서원(賜額書院)이 되었다. 덕천서원은 강우유맥 남명 학파의 본산이 되었다.

16) 김명원(金命元) : 1534~1602. 본관은 경주(慶州), 자 응순(應順), 호 주은(酒隱)이다. 이황의 문인이다. 1589년 정여립의 난을 수습하는 데 공을 세워 평난공신(平難功臣) 3등에 책록되고 경림군(慶林君)에 봉해졌다. 우의정 등을 역임하였다.

17) 내가 : 박경신을 가리킨다.

정개청
鄭介清

    경인년(1590, 선조23) 5월에 전라감사(全羅監司)가 조정의 분부에 따라 역적과 절친한 사람을 찾아서 장계(狀啓)를 올릴 일을 각 관(各官)에 통지하였다. 나주(羅州) 향소(鄉所)18)와 교생(校生) 10여명이 고하기를, "정개청이 교생 조봉서(趙鳳瑞)와 함께 정여립을 찾아가 집터를 살펴보았습니다. ······" 하므로, 낱낱이 열거하여 징계를 올리니, 이들을 잡아들였다.

    정개청이 원정(元情)에서 말하였다. "······본 주(本州)의 목사가 저에 대한 헛된 명성을 듣고 본 도에 천거하여 본 주의 훈도(訓導)19)가 되자, 교생 홍천경(洪千璟)20)이 면전에서 저를 욕하였습니다. 그 뒤 목사가 또 저를 서원의 원장으로 삼았는데, 일찍이 원한을 품고 있던 한두 사람들이 동료를 이끌고서 원장 직을 멋대로 삭탈하였습니다. 그 의도를 어렵지 않게 알 수 있었으니, 끝내는 반드시 죽이려 한 것입니다. 그래서 변란 모의가 있은 뒤부터 망령된 말을 써서 여러 사람을 현혹하고 허위로 떠들어 모함한 것이 이르지 않는 곳이 없었습니다. 정암수(丁岩壽)21)가 상소하여 제가 지은 '동한절의 진송청담(東漢節義晉宋淸談)'22)이란 하나의

---

18) 향소(鄉所) : 각 고을 수령의 자문 기관으로서 수령을 보좌하고 풍속을 바로 잡고 향리(鄉吏)의 부정을 규찰하며, 국가의 정령(政令)을 민간에 전달하고 민정(民情)을 대표하는 자치 기구이다. 임원(任員)으로는 향정(鄉正) 또는 좌수(座首) 1명과 별감(別監) 약간 명을 두었다.

19) 훈도(訓導) : 한양의 사학(四學)과 지방의 향교에서 교육을 담당한 교관이다.

20) 홍천경(洪千璟) : 1553~?. 본관은 풍산(豊山), 자 군옥(羣玉), 호 반항당(盤恒堂)이다. 중추부첨지사 등을 역임하였다. 기대승(奇大升)·이이·고경명(高敬命)의 문하에서 배웠다. 임진왜란 당시 창의사(倡義使) 김천일(金千鎰)의 진중으로 나가 군량의 수집, 수송 등의 임무를 담당하였다. 1609년(광해군1) 급제하여 남원교수 등을 역임하였다.

21) 정암수(丁岩壽) : 1534~?. 본관은 나주, 자 응룡(應龍), 호 창랑(滄浪)이다. 고향인 화순에 창랑정(滄浪亭)을 짓고, 정철·정구(鄭逑)·고경명(高敬命) 등과 교유하였다. 기축옥사(1589)가 일어나자 박천정(朴天挺) 등과 연명하여 이산해·정언신·정인홍·류성룡을 간인(奸人)으로 규정하는 상소를 올렸다.

22) 동한절의 진송청담(東漢節義晉宋淸談) : 정개청이 『주자어류(朱子語類)』를 읽다가 34

설을 절의를 배척한 것[背節義]23)이라고 지목하였습니다. 또 도내(道內)에 통문을 돌려 제가 윤원형(尹元衡)24)과 심통원(沈通源)25)의 집에 의탁해 살았다는 근거 없는 말을 지어냈고, 오히려 이것으로는 죽이지 못할까 염려하여 또한 저와 조봉서가 함께 정여립을 찾아가 집터를 살펴보았다고 했습니다. 나주 사람들이 멋대로 저에게 죄목을 더한 것이 세 차례나 되니, 모함하여 반드시 죽이겠다는 실상이 명확해서 감출 수 없습니다. 본도 감사가 역적 무리 중에서 빠진 자를 적발하는 일로 공문을 본 주에 보내자 유생 90여 명이 일제히 모여 역적 무리와 서로 친한 사람이 이와 같이 전혀 없다고 그 사정을 진술하여 호소하였는데, 향소(鄕所)의 몇 명과 교생 6, 7명이 공모하여 이런 무고를 하였으니 근거가 전혀 없는 것입니다. 제가 실제로 집터를 보기 위해 왕래했다면 역적 무리 가운데

권의 '자위안연장(子謂顔淵章)'과 25장의 절의(節義)를 논한 대목에 이르러 분노하여 그 말을 인용하여 한 논설을 지었다. 그것이 '동한절의 진송청담 소상부동설(東漢節義 晋宋淸談所尙不同說)'이었다. 여기서 정개청은 후한(後漢)의 명절(名節)은 말년에 이르러 자신은 귀하게 여기고 남은 천하게 여기는 폐단이 있었다고 했다. 또 진·송대 인물이 청고(淸高)함을 숭상했다고 하지만 개개인은 모두 관직을 바랐으며 한편으로는 권세가를 섬기며 재물을 바쳤다고 했다. 이같은 논설에 대해 정철 등은 자신들을 겨냥한 비판으로 인식하여 배절의론(排節義論)이라고 규정하며 논박하였다. 즉 정개청이 글이 부족하여 본래 주자의 설을 잘못 이해하여 절의지사(節義之士)를 나라 망치는 사람이라고 기술했다고 비판하였다.

23) 절의를 배척한 것[背節義] : 정개청의 '동한절의 진송청담론'을 서인에 대한 공격으로 인식한 정철의 당여 정암수 등이 이를 배절의론으로 지목하여 정개청을 옥사에 연루시켜 죽음에 이르게 하였다. 즉 정개청이 박순에게서 배웠지만 박순이 영의정에서 파직되자 정여립·이발 등과 친교를 맺은 사실을 들어 절의를 배반한 혐의를 씌워 옥사에 얽어 넣었다.

24) 윤원형(尹元衡) : ?~1565. 본관은 파평(坡平), 자 언평(彦平)이다. 아버지는 판돈녕부사 지임(之任), 문정왕후의 동생이다. 1543년(중종38)에 윤임 일파를 대윤, 윤원형 일파를 소윤이라 하여 외척간의 세력 다툼이 시작되었다. 을사사화를 통해 대윤 일파를 숙청하고 정권을 좌지우지 하다가 1565년(명종20) 문정왕후가 죽자 실각하고 은거하다가 죽었다. 이량(李樑)·심통원(沈通源)과 더불어 3흉(凶)이라 불렀다.

25) 심통원(沈通源) : 1499~1572. 본관은 청송(靑松), 자 사용(士容), 호 욱재(勗齋)이다. 고조는 세종의 장인 심온(沈溫), 증조는 영의정 심회(沈澮), 조부는 판관 심원(沈湲), 부친은 심순문(沈順門)이다. 맏형 영의정 심연원(沈連源)의 아들은 명종의 장인 심강(沈綱)이다. 명종 비 인순왕후(仁順王后)와 8명의 아들을 두었다. 훗날 서인(西人)의 영수인 심의겸(沈義謙)과 심충겸(沈忠謙) 등이 대표적이다. 명종대 좌의정 등을 역임하였다.

어찌 한 사람도 발고한 자가 없었겠습니까? 나주 향소, 교생, 당장(堂長), 유사(有司)와 한 자리에서 면질하여 말이 나온 근원을 철저히 조사해 주십시오.……"

위관 정철이 아뢰었다. "이 편지²⁶⁾를 보니, 정개청과 역적이 두터운 교분을 맺었다는 것은 과연 헛된 것이 아니었습니다. 심지어 말하기를, '일찍이 덕의(德義)를 흠모하여 마음이 기울어졌습니다.' 하였고, 또 말하기를, '도를 보는 것이 고명(高明)한 것은 오직 존형 한 사람뿐입니다.……' 하였으니, 매우 놀랄 만합니다. 또한 절의를 배척한 논의를 지어 온 세상 사람을 미혹하여 어지럽게 하였으니, 이것이 사악한 주장임은 말할 것도 없습니다. 그가 이미 절의를 배척하였으니, 반드시 절의와 상반되는 일을 좋아할 터인데 그 절의와 상반되는 것이 무엇이겠습니까?"

추가로 공초하였다. "……제가 지난 날 절의청담(節義淸談)을 논할 때에 말은 비록 분명치 못하나, 실은 절의의 근본을 배양하는 데에 뜻이 있었습니다. 그런데 도리어 절의를 배척하였다 하니, 이는 제 본심이 아닙니다. 원통한 마음에 제대로 소명하지 못하였습니다." 추안(推案)을 입계(入啓)하니, 전교하기를, "의논하여 아뢰라." 하였다.

위관이 아뢰었다. "집터를 살펴본 일은 한결같이 원통하다고 하면서 정여능(鄭汝能)과 한 곳에서 대질하여 처결해달라고까지 하니 아마 사실이 아닌 듯합니다. 그렇지만 일찍이 절의를 배척한다는 하나의 논설을 지어 후진들을 현혹케 한 것은 그 말류(末流)의 화가 홍수·맹수보다 심합니다. 형추하여 실정을 파악할 것을 청합니다." 답하기를, "아뢴 대로 하라." 하였다. 한 차례 형장을 가해 심문한 후에 형장을 더하기를 청하니, 답하기를, "법에 따라 죄를 정하라." 하였다. 처음에는 위원(渭原)으로 유배 보냈는데, 다시 아뢰어 경원(慶源)의 아산보(阿山堡)로 고쳐 정배(定配)하였다. - 이상은 『기축록』에 나온다. -

---

26) 이 편지 : 정철이 문제 삼은 편지는 정개청이 정여립에게 보낸 것이다.

다른 책
他書

경인년(1590, 선조23) 6월에 전라감사 홍여순(洪汝諄)[27]이 비밀리에 아뢰기를, "길삼봉은 바로 최영경입니다." 하고, 한편으로 경상병사 양사영(梁士瑩)에게 공문을 보냈는데, 양사영은 허흔과 김수 등의 말에 따라 앞서 이미 최영경을 체포하였다. 이에 최영경이 국문을 받았는데, 국청에서 아뢰어 홍여순에게 묻기를 청하니, 홍여순이 제원찰방 조응기를 끌어들이고, 조응기는 김극관(金克寬, 정여립의 처족)을, 극관은 강해(姜海)와 양천경을 끌어들였다. 이에 감사에게 나와 공초하고 이어서 상소하며 서울지역에서 전파된 말들을 끌어다가 스스로 증거를 댔다.

처음에 최영경을 국문할 때, 송강이 손으로 자신의 목을 그으면서 말하기를, "저 공(公)이 내 목을 이와 같이 자르고자 했다." 하였다. - 이상 두 기사는 윤선거(尹宣擧)[28]의 문집에 나온다.[29] -

최영경이 항상 정철을 '색성소인(索性小人)'[30]이라고 하자, 정철이 마음 속으로 항상 원한을 품었다. 중추부에서 회의하던 날 앞장서서 말하기를, "영남의 유명한 선비 중에 역적의 무리가 있다." 하였는데, 그 뜻이 최영경을 지목한 것이었다. 이에 큰 옥사를 일으켜 한 도의 선비를 모두 모함하고

---

27) 홍여순(洪汝諄) : 1547~1609. 본관은 남양(南陽), 자 사신(士信)이다. 호조·병조판서 등을 역임하였다. 1599년(선조32) 북인에서 갈라진 대북(大北)에 속해서 이이첨(李爾瞻) 등과 함께 남이공(南以恭)의 소북(小北)과 대립하였다.

28) 윤선거(尹宣擧) : 1610~1669. 본관은 파평, 자 길보(吉甫), 호 미촌(美村)·노서(魯西)·산천재(山泉齋)이다. 성혼의 외손이자 윤황(尹煌)의 아들이며 윤증의 부친이다. 병자호란 이후 강화도에서 살아남은 것을 자책하여 출사하지 않고, 학문에만 정진하였다. 벗이었던 송시열과 윤휴가 주자의 경전 해석을 두고 학문적으로 대립하자, 이를 중재하다가 결국 송시열과 대립하게 되었다.

29) 『魯西遺稿·與權思誠論崔司畜事』 및 『魯西遺稿·牛溪年譜後說 奉稟愼獨齋』.

30) 색성소인(索性小人) : 직선적인 성격의 소유자로, 자기 마음대로 해야 직성이 풀리는 소인을 말한다.

자 하였으나 마침 힘써 변론하는 자가 있어서 그 말을 실행하지 못하였다.
이에 정철이 근신(近臣)31)을 영남 우도[嶺右]에 보내 그로 하여금 진주로
곧장 향해서 최영경을 원망하는 자의 집에 속히 가게 하였으니, 이는
그들의 말을 수집하여 날조한 사실로 모함하려는 음모를 이루고자 함이었
다. 그러나 그 집에서 무고하지 않았고 사명(使命)을 받은 사람도 정철의
뜻에 따르지 아니하여 그 일이 마침내 중지되었다. - 정철의 관작을 추탈하는
전지에 보인다. -

　당시 정철이 "영남유생들이 역적을 두둔하였다."는 것으로써 어사를
파견하여 조사하고 심문하려 하였다. 어느 날 재상들이 빈청(賓廳)32)에
모였다. 영의정 이산해가 정철에게 말하기를, "공이 영남유생들을 조사하
고 심문하려 한다는데, 예조판서가 영남 사람이거늘 어찌하여 그 허실(虛
實)을 묻지 않습니까?" 하였다. 정철이 언성을 높여 말하기를, "듣건대
영남유생들이 역적을 억울하다 하여 심지어 신원하여 구제하려는 자가
있다고 하니 그대로 두고 불문에 붙일 수 없습니다." 하였다.
　선생33)이 말하였다. "영남유생은 그 수가 헤아릴 수도 없는데, 지금
사람을 보내 장차 집마다 이르게 하고 호구마다 힐문한단 말입니까?
혹은 장차 누구누구를 적발하여 심문하단 말입니까? 공이 기필코 이
일을 이루고자 한다면 장차 온 나라의 인망(人望)을 크게 잃을 것입니다."
　모임을 끝마치고 나갔는데, 정철이 길가 어떤 집에 들어가 사람을
보내어 선생을 불렀다. 선생이 가니 정철이 일어나 맞으면서 말하기를,
"여기는 나의 매부 계림군(桂林君)34)의 집입니다." 하고, 곧 주인을 불러내

31) 근신(近臣) : 오억령(吳億齡, 1552~1618)을 가리킨다. 본관은 동복(同福), 자 대년(大年),
　　호 만취(晚翠)이다. 대사헌·이조참판 등을 역임하였다.
32) 빈청(賓廳) : 궁궐에서 대신이나 비변사의 당상들이 모여서 회의하던 곳이다.
33) 선생 : 류성룡을 가리킨다.
34) 계림군(桂林君) : ?~1545. 성종의 셋째아들 계성군(桂城君) 순(恂)의 양자이며, 장경왕
　　후의 아버지 윤여필(尹汝弼)의 외손이다. 정철의 둘째 누이가 계림군의 부인이었다.
　　을사사화(乙巳士禍, 1545) 당시 윤임(尹任)이 계림군을 추대하려 한다고 모함하여
　　참수되었다.

어 절을 시키며 말하기를, "이 사람들은 을사사화(乙巳士禍, 1545)[35] 때 수레에 실려 장차 형벌을 받을 뻔했다가 다행히 화를 모면한 사람들입니다." 하였다. 선생이 말하기를, "만약 그렇다면 공이 옥사를 다스림에 더욱 자세히 살펴야 할 것입니다." 하고, 곧이어 말하기를, "영남유생들을 안문(按問)하는 일은 참으로 뜻밖입니다." 하였다. 정철이 말하기를, "유생은 곧 공론이 있는 곳인데, 누가 역적인지 모르겠기에 사람을 보내어 알아듣도록 타이르려 했을 뿐입니다." 하자, 선생이 말하였다. "공이 만약 지극히 공정하게 옥사를 다스리면 사람들이 장차 타이름을 기다리지 않고도 자복(自服)할 것입니다. 그렇지 않으면 비록 집마다 한 번씩 말해준다 한들 무슨 이득이 있겠습니까? 공은 대신의 지위에 있으면서 어찌하여 온 도의 사람들을 몰아서 예측할 수 없는 지경에 빠뜨리기를 동한(東漢) 때 당고(黨錮)[36]같이 하려 합니까?" 정철이 말하기를, "공의 말이 이와 같다면 나는 마땅히 그만두겠습니다." 하였는데, 다음날 정철이 오히려 이전 의논을 고집하면서 어사의 파견을 청하였다. 선생이 이 날 마침 이조판서[銓長]가 되었는데, 오억령(吳億齡)이란 사람이 신중하고 성실하여 보낼 만하였기에 왕명을 받아 그를 보냈더니, 영남유생들이 마침내 무사하였다. - 『서애연보』에 나온다. -

"문하에 경박한 무리", "옥사를 다스린 것이 인심을 만족시키지 못하였다." - 신응구(申應榘)[37]의 상소에서 나온 말이다. 신응구는 우계의 문인이었다. - 등의 말에 대해,[38] 신군(申君)이 다음과 같이 말하였습니다. "기묘년(1519, 중종

---

35) 을사사화(乙巳士禍) : 1545년(명종 즉위) 윤원형(尹元衡) 일파 소윤(小尹)이 윤임(尹任) 일파 대윤(大尹)을 숙청하면서 사림이 크게 화를 입은 사건이다.

36) 동한(東漢) 때 당고(黨錮) : 후한(後漢) 환제(桓帝, 132~168)와 영제(靈帝, 156~189) 때 이응(李膺)과 진번(陳蕃) 등이 태학생들과 함께 환관들을 숙청하려 했다. 당시 태학생들은 절조와 의리를 숭상하면서 환관과 갈등을 벌였다. 하지만 붕당을 결성하여 조정을 비방한다는 죄목으로 수백 명이 죽고 유배당하였다.(『後漢書·黨錮列傳』)

37) 신공(申公) : 신응구(申應榘, 1553~1623)로, 본관은 고령, 자 자방(子方), 호 만퇴헌(晚退軒)이다. 성혼·이이의 문인으로, 형조참의·좌부승지 등을 역임하였다.

38) 말에 대해 : 『창랑집』 「상해평부원군서(上海平府院君書戊申)」에는 "……말이 있어

14) 정암(靜庵)39)의 문도는 군자의 무리라고 할 수 있지만, 당시 식자들은 오히려 혹 경박하다고 기롱하였다. 하물며 송강의 문도 가운데 경박한 자가 섞여 들어간 일이 없었겠는가. 바야흐로 역옥이 일어났을 때 전후로 문초 받다가 죽거나 귀양 간 자들이 어찌 한 명 한 명 다 억울함이 없었을 것이며, 송강이 법관의 임무[廷平]를 맡아 혹 자신의 주언(奏讞)40)을 고집하지 못하여 한 지아비라도 원망함을 품는다면 누가 그 책임을 지겠으며, 인심이 달가워하지 않는 것도 어찌 전혀 없다고 할 수 있겠는가?" 소생이 이로 인해 생각해보니, 송강의 문도 가운데 양천경 같은 무리들은 진실로 책망하기에도 부족하다고 운운할 뿐입니다. - 성문준(成文濬)41)이 윤해평(尹海平)에게 보낸 편지42) -

　저들이 전적으로 송강을 원망한 것은 아마도 자기들이 홍천경과 원수 사이인데, 홍천경과 양천경이 송강 문하에 출입하였기 때문일 것이다. 송강이 정개청을 미워한 것 또한 반드시 이 무리 때문이 아니라고 할 수 없을 것이다. - 윤증(尹拯)43)문집44) -

　정개청이 일찍이 사암(思菴) 박순(朴淳)45)을 스승으로 섬기다가 뒤에

　　소생이 고칠 것을 청하였더니[小生亦嘗請改]……"라고 되어 있다.
39) 정암(靜庵) : 조광조(趙光祖, 1482~1519)의 호이다. 본관은 한양, 자 효직(孝直)이다. 대사헌 등을 역임하였다. 김굉필(金宏弼)에게 수학하고, 김종직(金宗直)의 뒤를 이어 사림파의 영수가 되었다. 사림 중심의 도학정치를 펼치다가 기묘사화 때 죽임을 당했다.
40) 주언(奏讞) : 옥사를 평의하고 죄를 결정하여 임금에게 아뢰다.
41) 성문준(成文濬) : 1559~1626. 본관은 창녕, 자 중심(仲深), 호 창랑(滄浪)이다. 혼(渾)의 아들이다.
42) 『滄浪集·上海平府院君書戊申』.
43) 윤증(尹拯) : 1629~1714. 본관은 파평, 자 자인(子仁), 호 명재(明齋)이다. 선거의 아들로서, 송시열의 문인이었지만 사상적 대립으로 노소분당(老少分黨)을 초래하였다. 본래 윤선거와 송시열 상호간에 현실인식과 학문관 등에서 현격한 입장차이가 있었는데, 이것이 윤휴와 예송 등 주요 현안을 놓고 표면화되었으며, 부친 사후 묘갈명 문제로 격화되었다.
44) 『明齋遺稿·答權子定酉十一月二日』.

배반했다. 국문할 때 절의를 배척한 논설[排節義論]에 대해 물으니 정개청이 말하기를, "이는 주자의 말이다." 하자 송강이 큰 소리로 말하기를, "네가 어찌 주자를 안다고 하는가? 주자 또한 스승을 배반하는 말을 했단 말인가?" 하였다. 일찍이 송강이 말하기를, "정개청은 반역하지 않은 정여립이요, 정여립은 이미 반역한 정개청이다.……" 하였다. - 윤선거 문집에 나온다.46) -

"정철은 세미한 일에 삼가고 청렴함으로써 헛된 명성을 훔치고 스스로 예법에서 벗어나 방자하게 권세와 이익의 마당에서 분주하였습니다. 그 뜻을 이루어 기세등등해진 뒤에는 술과 여색에 빠져 음탕함을 일삼았으므로, 더불어 당파에 연결하고 벗을 맺은 사람들은 모두 행실이 없고 염치를 모르는 무리였습니다. 그리하여 순정한 유학자와 장사(莊士, 단정한 선비)의 논의에 배척받는 것을 스스로 알고 감히 자신을 절의와 청담의 무리라고 칭탁하며, 한결같이 형벌[刑器]과 법도를 쓸모없는 것47)으로 여기더니, 끝내는 실속 없이 겉만 화려한 것을 자랑하고 근본이 되는 실지를 망각하였으며, 통달을 귀히 여기고 성인의 가르침에 따르는 언행을 천하게 여겼습니다. 그의 지식과 재주, 계책과 기개는 또한 족히 빛나고 장황하여 후생 가운데 허황되고 경망하여 사류(士流)에 끼지 못하는 자들이 서로 함께 선동하여 종횡가(縱橫家)48)가 펼치는 패합(捭闔)49)의 변론술로

---

45) 박순(朴淳) : 1523~1589. 본관은 충주, 자 화숙(和叔), 호 사암(思菴)이다. 서경덕(徐敬德)의 문인으로, 우의정·영의정 등을 역임하였다. 이이를 옹호하다가 서인으로 지목되어 탄핵을 받았다.

46) 『魯西遺稿·牛溪先生年譜後說 奉稟愼獨齋』.

47) 쓸모 없는 것 : 원문은 "芻狗"이다. 제사 때 사용하는 것으로 풀을 묶어서 개 모양으로 만든 것이다. 제사가 끝난 뒤에 바로 버리기 때문에, 한번 쓰고 버리는 천한 물건에 비유한다.

48) 종횡가(縱橫家) : 전국(戰國)시대 여러 나라를 돌아다니며 변설로 책략을 도모하여 국가 간 균형을 이용해서 권력을 쟁취하려는 사상가들을 말한다.

49) 패합(捭闔) : 개폐(開閉)·억양·허실 등을 펼쳐가는 변론술(辯論術)을 말한다. 『귀곡자(鬼谷子)』에 패합편(捭闔篇)이 있는데, 소진(蘇秦)·장의(張儀)가 귀곡선생을 스승으로 삼아 패합, 종횡의 술수를 배워 유세(遊說)하였다.

그의 논설을 지지하였습니다. 그리하여 막연히 의리가 무엇인지를 알지 못한 채 농담과 방종을 일삼으며 검속하는 범위 밖에서 스스로 편안하였으니, 모두 천리(天理)를 해치고 민심을 어지럽게 하여 도술(道術)을 방해하고 풍교(風敎)를 무너지게 한 것이 여기에 이르러 극에 달하였습니다.

정개청의 학문은 항상 정자와 주자를 종주를 삼았는데, 간신들이 세상을 그르치는 상황을 목격하고, 후학의 폐단이 될까 염려하여 선유(先儒)의 주장을 부연한 한 편의 논설을 저술하여 절의가 왜곡되는 폐단을 구원하려 하였습니다.…… 이로 말미암아[50] 늙은 간신이 그 평생의 심술을 사람들에게 점검당하여 군자의 정견(正見)에 의해 폭로될 것을 꺼려하였습니다. 하지만 그 실정을 온 세상 사람에게 숨길 수 없었으므로 그것을 덮고 가리는 술책을 만들기 위하여 마침내 사영(射影)[51]의 계책을 내었습니다. 이에 저술한 논설 위에 '배(排)' 자를 멋대로 더하여 '절의를 배척'한 것이라고 지목하고, 성청(聖聽)을 크게 속였습니다. 심지어는 홍수와 맹수의 해로움에 비유하여 사방에 방(榜)을 붙여 보이고, 역당(逆黨)이라는 이름을 더하였으니, 고금 천하에 이같이 원통한 일이 어디 있겠습니까? ……"

비답하기를, "너희들의 논의가 지극하다. 마땅히 의논하여 처리하라." 하였다. - 나덕윤(羅德潤)의 상소[52]에 나온다. -

최영경이 양천경과 강해 등의 모함으로 감옥에 갇혀 죽게 되었는데, 당시 나는 한가하게 있었다. 그 진술한 말을 얻어 보니, 당초부터 서로 날조하고 선동한 것은 분명히 양천경이 한 짓이었다. 나는 그 뒤 비로소

---

50) 이로 말미암아 : 정개청의 문인 나덕윤(羅德潤)이 올린 상소문 앞부분이 생략되었는데, 대체로 정철이 절의를 내세워 세상을 속였다고 비판하기 위해 문제의 정개청 논설이 나왔다는 내용이다.

51) 사영(射影) : 물여우가 모래를 사람 그림자에다 뿜으면 그에게 종기가 난다고 한다. 여기서는 남을 음해한다는 뜻으로 사용되었다.

52) 나덕윤(羅德潤)의 상소 : 1608년(광해군 즉위년)에 나덕윤이 이 같은 상소를 올려 스승의 억울함을 풀려 하였다.(『光海君日記』 卽位年 11月 12日)

지난날 "수염이 길어 배에 이른다." 등을 주워 모은 말이 바로 양천경 등의 소행이라고 믿게 되었다. -『백사집(白沙集)』-

백사 이상국(李相國)이 『기축록』을 지어 옥사에 대해 상세히 말하자 저들이 그것을 꺼려하여 진주본(晉州本)의 백사문집을 개간하면서 『기축록』을 제거하고 위작(僞作)으로 보충하여 그 자취를 없애버렸다. 그 마음은 귀신이라도 속일 수 있고 백세(百世)토록 속일 수 있을 것이라고 여긴 것이다. 그러나 그러한 이치는 없으니 인심도 속이지 못할 것인데, 하물며 귀신을 속일 수 있겠으며, 필부도 속일 수 없는데, 하물며 백대(百代)를 속일 수 있겠는가? -『미수집(眉叟集)53)·우득록서(愚得錄序)』-

임인년(1602, 선조35) 7월 27일 주강(晝講)에서 병조판서 신잡(申磼)54)이 아뢰었다. "매번 한 마디 아뢰고 싶었지만 올리지 못하였습니다. 역옥(逆獄)이 일어났을 때 정철이 비밀리에 아뢰기를, '역적들의 말에, 「호남의 길목을 누르고 해서(海西)의 입구를 막아서 의병이 영남에서 일어나면 종묘사직은 위태로울 것이다.」……' 하였는데, 이때 주상이 작은 쪽지에 답하기를, '이 말을 들은 자는 반드시 그 모의에 참여한 것이다.' 하였습니다.

신이 문사낭청(問事郎廳)으로서 승정원에 나아가 봉서(封書)를 받아서 정철 앞에서 뜯어보니, 정철이 마음속으로 민망해 하며 대답할 바를 알지 못하다가 곧 말하기를, '이 말은 사람마다 모두 하는 말인데, 그대도 들었는가?' 하였습니다. 신이 대답하기를, '저는 들은 일이 없습니다.' 하니, 정철이 말하기를, '이 말은 기효증(奇孝曾, 양천경의 처 종형(從兄))과 이선경(李善慶)이 말하였으므로 들은 것이다.' 하였습니다. 신이 말하기를,

---

53) 미수집(眉叟集) : 미수는 허목(許穆, 1595~1682)의 호이다. 본관은 양천(陽川), 자 문보 (文甫)·화보(和甫)이다. 현종대 예송에서 남인을 대표하여 활약하다 처벌받았다가, 숙종대 초반 남인 정권에서 우의정까지 현달하였다. 현재 남아 있는 저술로는 『기언(記言)』이 있다.

54) 신잡(申磼) : 1541~1609. 본관은 평산, 자 백준(伯俊), 호 독송(獨松)이다. 호조·병조판 서 등을 역임하였다. 임진왜란 당시 탄금대에서 전사했던 신립(申砬)의 형이다.

'이 일은 중대하니 궁궐에 들어가서 직접 아뢰지 않을 수 없습니다.'
하였습니다. 그리하여 서계(書啓)하였는데, 기효증과 이선경의 이름은 쓰
지 않았고, 이항복의 이름을 써서 아뢰었습니다. 당시 이항복이 말하기를,
'정철이 스스로 말하였으므로 들었습니다. 지금 내 이름을 써 넣어서
바쳤다고 하니, 민망한 일입니다.……' 하였습니다." - 권길창(權吉昌)[55]에게
서 나왔다. -『은대일기(銀臺日記)』 신립(申砬)[56] 공의 형이라고 한다.[57]

　　살펴보건대, 정언신은 애초 양천경과 양형이 무고하는 상소에서 나왔는
데, 정철의 두 번째 회계(回啓)는 극도로 참혹하고 심각하였다. 선조[宣廟]가
지방 유생의 상소이므로 죄 주지 않으려고 재삼 전교하여 그대로 두고
논하지 말라고 특별히 명령하였다. 이에 그 계략이 이루어지지 않게
되자 또 밀계(密啓)를 올려 두려움에 동요하게 하고 끝내 잡아서 국문하도록
만들었다. 급기야 사사(賜死)하라는 명이 내려진 다음에야 공의(公議)에
쫓겨서 마지못해 구원하는 계가 있었으니 이는 정철 한 사람의 뜻이
아니었다.
　　정언신 공이 북도 도순찰사(北道都巡察使)가 된 것은 오랑캐 니탕개(尼湯介)
가 난을 일으켰을 때[58]였다. 이때 감사 정철을 파직하라는 장계를 올렸는
데, 술과 여색에 빠져 군사 업무를 돌보지 않는다는 말이 있었다. 정공의

55) 권길창(權吉昌) : 길창은 권협(權悏, 1553~1618)의 봉호이다. 본관은 안동, 자 사성(思
　　省), 호 석당(石塘)이다. 1605년 길창군에 봉해졌다.
56) 신립(申砬) : 1546~1592. 본관은 평산, 자 입지(立之)이다. 삼도순변사 등을 역임하였
　　다. 임진왜란 때 충주 탄금대(彈琴臺)에서 배수진을 치고 전투를 벌이다가 순절하였
　　다.
57) 은대일기……한다 : 저본의 이 부분은 착간이 있는 것 같다. 아마도 이 자료의
　　출전이 길창군 권협이 기록한 『은대일기』라는 것과, 이 자료의 증언자인 신잡이
　　신립(申砬)의 형이라는 사실을 전달하려고 한 것으로 보인다.
58) 니탕개가……때 : 1583년(선조16) 여진족 추장 니탕개가 3만여 명을 이끌고 함경도
　　북부를 침입하였다. 1월에 경원성(慶源城)을 공략한 뒤 철수하였고, 2월에는 훈융진
　　(訓戎鎭)을 공격하다가 신립 등의 공격을 받고 퇴각하였다. 다시 5월에 종성진(鐘城鎭)
　　을 침공하자 조선에서는 김우서(金禹瑞)를 보내 방어하였다. 7월에 방원보(防垣堡)를
　　공격했다가 퇴패한 뒤 만주로 도망쳤다.

화는 이로부터 싹 텄던 것이다.

　살펴보건대, 최영경의 옥사가 일어난 지 10여 개월이 지났는데도 최영경이 길삼봉이라고 하는 자는 한 명도 없었다. - 백사(白沙)가 지은 『기축록』에 있는 말이다. - 전라감사가 조응기의 말로써 낱낱이 죄상을 열거하여 장계를 올렸고, 그 말의 근원을 추궁하니 점점 서로 고발하며 끌어들였는데, 양천경에 이르러 다시 갈 곳이 없게 되었다. 양천경이 정철의 문객(門客)이라는 것은 성문준과 윤증이 이미 말하였고, 백사 또한 그 날조하여 주워모은 말이 양천경에서 나왔다고 말하였으니 정철이 어찌 사주하였다는 의심에서 벗어날 수 있겠는가? 손으로 목을 그어서 머리를 자르는 형상은 윤선거 또한 가리고 숨길 수 없었으니, 그의 마음속에 쌓인 생각이 이와 같다면 구원하는 마음이 어디에서 나올 수 있단 말인가?

　살펴보건대, 정개청은 학문하는 선비로서 당대에 유명하였는데, 온 도의 선비들이 모두 정철에게 쫓아가 붙었지만 그만 홀로 가서 보지 않았다. 또 그가 지은 절의론은 정철의 심술을 깊게 꿰뚫어서 정철이 반드시 모함하여 죽이려 한 것이 진실로 이미 깊었다. 그러나 역적들의 진술에서 증거 삼을 바가 없게 되자 비로소 본 도로 하여금 역적과 서로 친했던 인사들을 조사하게 하고, 은밀히 양천경으로 하여금 고변하게 하였다.

　윤증이 어떤 사람에게 보낸 편지에서 말하였다.[59] "그 행장에서 - 정개청의 행장 - 이르기를, '조정에서 분부하여 여러 읍에서 역적과 절친한 사람을 탐문하였다.' 하였고, 그 전(傳)에서 - 정개청의 전기(傳記) - 바로 말하기를, '송강이 군읍(郡邑)으로 하여금 죄인의 당여를 염문(廉問)하게 하였다.' 한다. 고금(古今)이 서로 멀지 않은데, 조정이 어찌 그런 분부를 하였겠는가? 이것은 바로 이치에 맞지 않는 말일 뿐이다."

　윤공은 『기축록』과 곤재(困齋)의 공사(供辭)를 보지 않았던가? 『기축록』

59) 『明齋遺稿·答權子定乙酉一月二日』.

에 기록된 내용이 이미 저와 같고, 공사에서도 역시 이르기를, "감사가 역당(逆黨)으로서 빠진 사람을 적발하는 일을 본 주(州)에 문서로 전달하였다.……" 하였다. 감사가 조정의 분부가 아니었다면 어찌 문서를 보내 적발할 리가 있었겠는가? 정철이 이미 영남 우도에 어사를 파견하여 역당을 염문하는 일을 건의하였는데, 유독 본 도에 분부하는 것을 건의하지 못했겠는가? 이와 같은 공가(公家)의 문자를 믿을 수 없다고 하면서 도깨비 같은 안방준(安邦俊)60)의 편지는 어찌 유독 믿을 수 있단 말인가?

윤증이 어떤 사람에게 보낸 편지61)에서 정곤재(鄭困齋)가 저술한 논설에 대해서 말하였다. "주자는 절의를 장려하면서 다만 말류의 폐단을 말하였는데, 이 설은 유독 그 말류의 폐단만을 들어 절의 전체를 배척함으로써 청담설과 함께 나라를 망하게 한 죄과로 귀결시켰으니 잘못되었다고 할 것입니다."

곤재의 논설을 보건대, 반드시 윤증의 말과 같지 않지만 설령 전적으로 그가 한 말과 같다 하더라도 이는 표현[措辭]이 분명치 못한 것에 불과할 뿐이다. 본뜻은 절의의 근본을 배양하는 데 있다고 운운하였는데, 이 옥사를 주관하는 자가 장차 이 저술의 본의를 취하여 용서해야 하겠는가, 아니면 장차 표현이 분명하지 못한 것을 가지고 죄를 주어야 하겠는가? 하물며 고금 천하에 어찌 "절의를 배척한다."는 제목을 내세워 학설을 세우고 책을 저술하는 일이 있겠는가? 정철이 또한 스승을 배신했다는 것으로 크게 꾸짖고 질책하였는데, 당시 국문하던 자는 사암(思菴, 박순의 호)을 배신한 것을 신문해야 하는지, 단지 역적과 더불어 서로 친한 여부를 신문해야 하는지, 스승을 배신한 것이 옥사와 무슨 관계가 있는지 알지 못하겠다. 이것으로 보건대 정철이 옥사를 다스린 방법은 오로지 논의의 같고 다름을 가지고 사람의 생사를 결정한 것이었다. 스승과 제자의

---

60) 안방준(安邦俊) : 1573~1654. 본관은 죽산(竹山), 자 사언(士彦), 호 은봉(隱峰)·우산(牛山)이다. 성혼의 문인으로, 공조참의 등을 역임하였다. 정몽주와 조헌을 숭상해서 자신의 호를 이들의 호를 한자씩 따서 '은봉'이라 하였다.
61) 『明齋遺稿·答權子定乙酉一月二日』.

관계를 변론한 내용은 윤선도(尹善道)62)의 국시(國是) 상소63)에 있다.

정철이 관직을 버리고 호남으로 돌아가자 경박하게 떠들기 좋아하는 유사(遊士)들이 많이 모여들어 날마다 밤에 술을 마시며 시사(時事)를 조롱하고 비난하였는데, 이것이 원근으로 전파되어 재앙의 빌미가 더욱 커졌다. -『운암록(雲岩錄)』64)에 나온다. - 이것으로 보건대, 곤재의 절의에 관한 논설은 지목하고자 하는 것이 있어서 지은 것인데, 끝내 그 자신이 죽는 재앙의 빌미가 되었다.

정여립은 전주 사람으로 문과에 급제하였는데, 성질이 거칠고 비루하였다. 일찍부터 도학(道學)을 담론하여 이이·이발·정철 등과 서로 어울려 매우 친밀하였다. 선비들 사이에 유명해져서 모두 그를 요직에 추천하려 하였으나, 이조좌랑 이경중(李敬中)65)이 평소 정여립의 사람됨을 싫어하여 청현직(淸顯職)에 추천하려고 하지 않았다. 이에 정여립을 편드는 자들은 이경중이 착한 사람을 시기한다고 하였다. 정인홍(鄭仁弘)66)이 장령(掌令)이 되자 이이 등과 함께 이경중이 뛰어난 선비를 막는다고 탄핵하여 파직시켰다. 이에 정여립이 비로소 정언이 되었지만 대부분 시골에 머물면서 출사하지 않아서 더욱 사람들의 추앙을 받았다. 계미년(1583, 선조16)에

---

62) 고산(孤山) : 윤선도(尹善道, 1587~1671)의 호이다. 본관은 해남(海南), 자 약이(約而), 호 해옹(海翁)이다. 공조·형조정랑 등을 역임하였다. 현종대 예송 때 서인과 대립하다가 유배되었다.

63) 국시(國是) 상소 : 1658년(효종9) 윤선도가 기축옥사에 연루되어 죽은 정개청의 신원을 위해 국시소(國是疏)를 올렸다가 반대파의 공격을 받았다.

64) 운암록(雲岩錄) : 류성룡의 저술로, '붕당(朋黨)·기정릉사(記靖陵事)·기기축옥(記己丑獄)·잡기(雜記)·기건저사(記建儲事)·기염철사(記鹽鐵事)·기이상대조남명사(記李相待曺南冥事)' 등으로 이루어졌다.

65) 이경중(李敬中) : 1542~1584. 본관은 전주, 자 공직(公直), 호 단애(丹崖)이다. 응교·집의 등을 역임하였다. 선조대 정여립을 논척하다가 파직되었다.

66) 정인홍(鄭仁弘) : 1535~1623. 본관은 서산(瑞山), 자 덕원(德遠), 호 내암(來菴)이다. 조식의 문인으로, 우의정·영의정 등을 역임하였다. 광해군대 대북정권을 이끌고 큰 영향을 미쳤으나 인조반정으로 처형되었다.

이이가 이조판서가 되자 입대하여 정여립을 등용할 만하다고 하며 적극
천거하였다. 이에 정여립이 수찬이 되었으나, 얼마 뒤 사직하고 떠났다.
급기야 이이와 이발 등의 사이가 점차 벌어지고 이이가 죽자, 정여립은
다시 이발에게 붙어서 이이를 매우 격렬히 공격하였다. 사류 가운데
이이를 비난하는 자들은 모두 그와 더불어 교유하였다. 백유양이 정여립과
함께 홍문관에 입직하면서 그의 언론을 듣고 매우 좋아하여 그 딸을
정여립 형의 아들에게 아내로 주었다. -『운암록』에 나온다. -

　갑신년(1584, 선조17) 특별히 이이가 이조판서에 제수되어 이이가 사은
(謝恩)하자 주상이 인견하였다. 이이가 말하였다. "지금 인재가 부족하여
처사(處士) 중에 쓸 만한 사람은 더욱 얻기 어렵습니다. 정여립은 아는
것이 많고 재주가 있어 실로 등용할 만합니다만 남을 업신여기는 병통이
있습니다. 오늘날 매양 주의(注擬)[67]해도 낙점을 받지 못하니, 참소하는
자가 있었던 것은 아닙니까?" 주상이 답하였다. "조금의 비방이나 칭찬도
없었다. 그러나 이 어찌 등용할 만한 사람이겠는가? 사람을 등용할 때는
한갓 그 명성만 취할 것이 아니라 반드시 시험해 써 본 뒤에야 그 여부를
알 수 있다." -『일월록(日月錄)』에 나온다. -

　사헌부에서 이조좌랑 이경중의 파직을 청하자, 이에 따랐다. 이경중은
본래 무식하고 성질 또한 완고하여 선을 따르는 데에는 부족한 점이
있었다. 전랑이 된 지 매우 오래되었는데, 자못 자기 멋대로 처리하는
습성이 있었다. 장령 정인홍이 그것을 미워하여 장차 탄핵하려 했지만
대사헌 정탁(鄭琢)[68]이 고집하여 따르지 않으므로 마침내 각각 소견대로
아뢰고는 피혐(避嫌)하고 물러났다. 사간원에서 아뢰어 정탁을 체직시키고

---

67) 주의(注擬) : 관원을 임명할 때에 먼저 문관은 이조, 무관은 병조에서 임용예정자
　　수의 3배수[三望]를 정하여 임금에게 올리던 것이다.
68) 정탁(鄭琢) : 1526~1605. 본관은 청주, 자 자정(子精), 호 약포(藥圃)·백곡(栢谷)이다.
　　형조·이조판서 등을 역임하였다.

정인홍을 출사시킬 것을 청하자, 마침내 이경중을 논핵하여 파직시켰다. 이에 그 무리들이 모두 의구심을 품고 의견이 분분하여 시끄러웠다. 류성룡 또한 자못 좋아하지 않으므로, 이이가 달래고 깨우쳐주며 말하였다. "정덕원(鄭德遠)은 초야에서 일어난 외로운 처지에 있는 자로, 충성을 다하고 공도(公道)를 받들고 있었다. 그가 논한 것이 비록 지나친 것 같지만, 이것은 실로 공론인데 어찌 틀렸다고 할 수 있겠는가?" 류성룡도 감히 말하지 못하였다. -『석담야사(石潭野史)』에 나온다. 당시 율곡이 대사간이었다. -

살피건대, 윤공이 정양(鄭瀁)[69]에게 보낸 편지에서 말하였다.[70] "정여립이 도리어 양현(兩賢, 성혼과 이이)을 배반하여 해친 뒤, 이발 등이 추천하고 장려하기를 그치지 않았다. 그러니 정여립의 반역에 이발 등이 어찌 편안할 수 있었겠는가?……" 역적이 독서와 강학으로 세상을 속이고 명성을 훔치니, 당시 그 무상(無狀)[71]함을 아는 자는 위로 오직 성주(聖主)가 있었고, 아래로 오직 이경중이 있었을 뿐, 세상 사람들은 모두 어두워 알지 못하였다. 바야흐로 그가 출세에 급급했을 때는 우계와 율곡 문하에서 노닐고, 정철과 깊이 교유하면서 서로 추켜 세워주며 천거하였다. 정여립의 헛된 명성은 이미 이발과 이길 보다 높았으니, 교유하기 전이었다. 그러나 이것은 그가 역모를 꾸미려는 징조가 아직 드러나지 전이었으므로, 한 쪽 편 사람들이 일찍이 이것으로써 우계와 율곡 등 여러 공의 죄로 간주하지 않았다. 지금 윤공이 우계와 율곡이 천거한 자취를 완전히 숨기고, 유독 역적을 추숭한 것으로써 이발과 이길의 죄로 삼으니 어찌 편벽되지 않겠는가?

윤공이 또한 말하였다.[72] "만약 형서(邢恕)[73] - 정여립을 가리킨다. - 가 역

---

69) 정양(鄭瀁) : 1600~1668. 본관은 연일, 자 안숙(晏叔), 호 포옹(抱翁)이다. 정철의 손자, 정종명(鄭宗溟)의 아들이자 홍명(弘溟)의 조카이다. 간성군수·장령 등을 역임하였다.
70) 『魯西遺稿·答鄭晏叔』.
71) 무상(無狀) : 멋대로 행동하여 내세울 만한 선행이나 공적이 없다.
72) 『魯西遺稿·牛溪年譜後說 奉稟愼獨齋』.

변을 일으키고, 장돈(章惇)74)과 채경(蔡京)75) - 이발을 가리킨다. - 이 연루되었다면 어찌 장돈과 채경을 억울하게 여겨 그들을 애석해할 이가 있겠습니까? 만약 이천(伊川)76)이 부름을 받아 이미 출사했다면 과연 장돈과 채경을 위하여 상소를 올려 구원하였겠습니까?" 또 말하였다.77) "공문중(孔文仲)78)과 임율(林栗)79)이 한 번 정자와 주자를 배척하니 곧 만세의 죄인이 되었습니다. 이발도 양현을 배척하지 않은 이전에는 오히려 명류(名類)라고 말할 수 있었지만, 이미 양현을 배척한 뒤에는 그 심술의 사악하고 편벽됨이 정여립과 구분되지 않았습니다. 그가 간괴(奸魁)라고 지목당한 것은 참으로 당연하니, 천고의 중형[鈇鉞]을 그가 어떻게 면할 수 있었겠는가? 다만 거듭 역옥에 걸려 그 실상이 미처 드러나지 않았기 때문에 일종의 논의가 그를 위해 슬퍼하고 불쌍히 여기기를 그치지 않았던 것입니다."

천하의 악은 반역보다 큰 것이 없다. 비록 장돈과 채경의 악으로써 형서의 역모에 참여하지 않았는데 잘못하여 중죄에 빠졌다면, 정자(程子)가 조정에 있으면서 장차 그들의 악을 배척하면서도 그들이 역모에 빠진 것을 신원(伸寃)하였겠는가? 아니면 그 죽음을 다행으로 여겨 역적이 아니라는 말을 하지 않았겠는가? 일찍이 장돈과 채경의 배척을 받아서 그들을

---

73) 형서(邢恕) : 송나라 학자이다. 정호(程顥, 1032~1085)를 배반하고 사마광(司馬光)의 문객(門客)이 되었다. 다시 사마광을 모함하고 장돈(章惇)에게 붙었다가 또 배반하고 채경(蔡京)의 심복이 되었다.

74) 장돈(章惇) : 1035~1106. 철종대 채변(蔡卞)·채경 등과 함께 청묘(靑苗) 등 왕안석의 신법을 회복시켰고, 사마광·문언박(文彦博)·소식(蘇軾)·정이(程頤) 등 이른바 원우 당인(元祐黨人)들을 조정에서 축출하였다.

75) 채경(蔡京) : 1047~1126. 신법을 회복한다는 명분으로 원우(元祐)의 신하들을 폄적하고 간당(奸黨)이라 부르면서 당인비(黨人碑)를 세웠다.

76) 이천(利川) : 정이(程頤, 1033~1107)의 호이다. 자는 정숙(正叔)이다. 형 명도(明道)와 함께 주염계(周廉溪)에게 학문을 배우고 신유학의 철학적 기초를 마련하여 주자학 형성에 크게 공헌하였다.

77) 『魯西遺稿·牛溪先生年譜後說 奉稟愼獨齋』.

78) 공문중(孔文仲) : 1033~1088. 소식(蘇軾)의 사주를 받고 상소를 올려 정이천을 오귀(五鬼)로 지목하여 좌천시켰다.

79) 임률(林栗) : 병부낭관(兵部郎官)에 재직하면서 주자와 『주역』을 토론하다가 의견이 맞지 않자 "주희(朱熹)는 문자를 알지 못하고 정이(程頤)와 장재(張載)의 찌꺼기를 표절하고 있다."는 비판 상소를 올렸다.

원수로 여기고 있었다 해도, 그들이 거듭 역옥에 걸려들어 실상이 드러나
지 않았는데도 신원하려 하지 않는다면 이 무슨 소인의 정태(情態)인가.
우계의 마음이 과연 여기에서 나왔다면 국가의 화를 다행으로 여기고
자신의 사사로운 감정을 푸는 기회로 삼은 것이 아니겠는가? 하물며
이발은 집에 거처해서는 행실이 지극하였고 조정에서는 높은 명성이
있었지만, - 율곡의 말이다. - 단지 정여립의 흉악함을 알지 못하였을 뿐이니,
이는 우계와 율곡도 면치 못한 일이었다. 어떤 일이 장돈과 채경에 가깝다
는 것인지 알지 못하겠다. 간괴의 지목은 후세의 공의(公議)에서 비롯되었
는데, 자손이 그 조상을 보호하기 위해 한 말이 어떻게 정론이 될 수
있겠는가? 공문중과 임율은 정자와 주자를 배척하였기 때문에 만세의
죄인이 되었는데, 이발이 배척한 사람 또한 정자와 주자란 말인가?

　성문준이 편지에서 말하였다.[80] "호이(湖李, 이발)가 체포되자 송강이
국청에 참여하였는데, 돌아오는 길에 선인(先人, 성혼)을 방문하여 눈물을
흘리며 말하기를, '경함(景涵)은 어진 사람이도다! 내가 그 죽음에 임하여
어지럽지 않음을 보았고, 또 그 진술이 격렬하고 엄격하여 군신의 대의를
아는 자 같았으니, 어진 사람이 아니면 이와 같을 수 있겠는가?' 하였다."
　창랑(滄浪) 성문준의 편지에서 말하기를, "신응구의 상소 가운데 정철이
사류를 위해서 힘써 구원하려 했으며, 이발을 위해 눈물을 흘리면서
그 어짊을 칭송하였다는 등 몇 가지 조항이 있다." 하였다. 신공 또한
우계의 문인이었지만, 오히려 기축옥사를 사화(士禍)로 간주하였는데, 윤
공은 억울하게 죽은 사람들을 간당(奸黨)으로 간주하면서 "간당 가운데
일어난 역옥"이라고 말하였으니,[81] 이것은 정여립 한 명을 가지고 모든

80) 『滄浪集·上海平府院君書戊申』.
81) 기축옥사를……말하였으니 : 이 점은 남인들이 생각하는 주요한 논점중 하나이다.
　　즉 기축옥사를 사화로 혹은 역옥으로 규정하는지에 따라서 관련자들의 정치적
　　입장이 크게 달라지기 때문이었다. 『동소만록』에 따르면 성문준은 기축옥사 이후
　　흉흉한 여론이 지속되자 그 책임을 정철에게 전가하고 성혼을 빼내기 위해서
　　사화로 규정하였다. 그런데 정철 가문의 반발에 직면하자, 이에 외손 윤선거에

사람들을 역당으로 몰아넣으려 한 것이다. 만약 성공(成公)의 말대로라면
정철은 오히려 곧음으로 원한을 갚으려는 마음이 있었다는 것이고, 윤공의
말대로라면 우계는 애석해 하는 마음이 없이 시세를 틈타 보복할 뜻을
가졌다는 것이다. 지금 정홍명과 성문준의 편지를 보면, 우계가 정철에게
옥사를 담당하라고 권하였고, 정철이 우계를 권면하여 불러들인 것82)은
모두 옥사가 만연되어 반드시 진신(搢紳)의 화(禍)가 될 것을 깊이 근심하였
기 때문이라고 한다. 그런데 우계는 임금의 부름에 응하여 조정에 나아간
지 7, 8개월이 되도록 옥사를 다스림에 평반(平反, 관대한 쪽으로 법률을
적용하는 것)하는 도리에 대해 끝내 한마디 말도 하지 않았다. 때문에
그의 심적(心迹) 사이에 의심이 없을 수 없었고, 죽은 뒤에 관작을 추탈당하
는 일을 피할 수 없었던 것이다.83) 윤공은 그러한 말을 병통이라 여겼지만
해명할 만한 말이 없자 그에 상응하는 논의를 하나 만들어 말하기를,
"기축년 여러 사람들의 죽음은 그 죄로 인해 죽은 것이므로, 우리 할아버지
가 구원하는 의리를 행할 수 없었다." 하였다. 심지어 수우 최영경과
이발 등을 정여립과 더불어 모두 간사한 역적이라고 칭하였으니 진실로
이미 그 마음이 바르지 못한데 이러한 말로 후세의 의혹을 풀어줄 수
있겠는가? 성문준의 말은 그 아버지가 여러 사람을 구원하였다는 것인데,
윤공은 그 주장을 한 번에 뒤집었다. 만약 성문준이 그 아버지를 무고한
것이 아니라면 이는 결단코 윤공이 자신의 할아버지를 무고한 것이니,
진실은 반드시 이 둘 중 하나일 것이다. - 성공이 윤해평에게 보낸 편지와
윤공이 정양에게 답한 편지를 보면 알 수 있다. -

의해서 역옥으로 재규정되었다. 그 과정에서 송시열의 협조를 구했으나 끝내 거절당
하였다. 이에 치옥(治獄)으로 규정하여 책임을 류성룡에게 전가하였다.
82) 우계가……것 : 기축옥사의 모주로 정철과 성혼을 꼽는 것은 남인계 당론서의 기본
관점이다. 여기에 더해 『동소만록』에서는 송익필의 역할에 주목하였다. 즉 기축옥사
는 송익필이 주도하고 정철이 완결지은 사건이라는 것이다. 성혼과 송익필의 무리가
정철을 권면하여 서울로 들어오게 하여 옥사를 주관토록 하였다고 한다.
83) 죽은 뒤……것이다 : 사간원의 주청에 따라 성혼의 관작이 삭탈되었다.(『宣祖實錄』
35年 2月 19日)

윤선거가 말하였다.[84] "역적의 진술 가운데 이른바 삼봉의 나이와 용모, 거주지가 각각 다르니, 원래 믿을 수 없습니다. 그렇지만 인지상정으로 헤아려 보건대, 난초(亂招)[85]가 마구 튀어 나오면 으레 사실과 어긋나는 일이 많습니다. 하지만 성이 최씨이고 진주에 산다는 말이 이미 명백하니 비록 "영경"이라는 두 글자가 없다 해도 최영경을 모른다고 한 것은 의아스러움을 면치 못하며, 이러한 이치가 없다고 말할 수 없습니다. 성이 최씨이고 진주에 산다는 것이 어찌 사축(司畜)[86]의 불행이 아니겠습니까?"

이 말뜻을 보건대, 비록 "영경"이라는 두 글자가 없다 해도 최영경을 모른다고 하는 것은 의심스럽다고 하였으니, 이는 삼봉이 최영경이 아님이 없다고 말한 것일 뿐이다. 그렇다면 최영경을 모른다고 한 것은 괴이한 난초로 치부하고 죽이는 것 또한 안 될 것이 없다는 것인가? 역적 진회(秦檜)[87]가 "그런 일이 있었을지도 모른다.[莫須有]" 세 글자를 가지고 악무목(岳武穆)[88]을 죽인 것은 이처럼 무고하여 죄로 얽은 것[89]에 불과할 뿐이었다. 어찌 천년 뒤에 또 이것을 이어받아서 행한 사람이 있을 줄 생각이나 했겠는가? 안에서는 안민학의 무리가 어지러운 말을 거짓으로 지어내고, 밖에서는 양천경 등이 그 의중을 받들어 거짓으로 무고하였다. 하늘로

---

84) 『魯西遺稿·與權思誠論崔司畜事』.
85) 난초(亂招) : 함부로 꾸며서 아무렇게나 횡설수설 대답하는 죄인의 진술을 가리킨다.
86) 사축(司畜) : 가축을 기르는 일을 맡던 벼슬이다. 최영경이 1575년(선조18) 사축에 임명되어 잠시 취임했다가 곧 그만두었던 까닭에 여기에서는 최영경을 가리키는 말로 사용되었다.
87) 진회(秦檜) : 1090~1155. 남송(南宋)대 재상으로 악비(岳飛) 등을 죽이고 금나라에 대해 신하의 예를 취하는 소흥화의(紹興和議)를 체결하였다.
88) 악무목(岳武穆) : 무목은 악비(岳飛, 1103~1141)의 시호이다. 남송대 장군으로 금나라에 맞서 싸우다가 진회의 무고로 죽임을 당하였다.
89) 진회(秦檜)가……것 : 진회가 악비를 무함하여 옥사를 벌이려 하자 한세충(韓世忠)이 사실 여부를 물었다. 이에 진회가 "사실 여부는 불분명하지만 '그런 일이 있었을지도 모른다.[莫須有]' 하겠다."고 하였다. 이에 한세충이 "'막수유' 세 글자로 어떻게 천하를 승복시키겠는가." 하였다.(『宋史·岳飛列傳』) 여기에 근거하여 '막수유'는 후대에 근거 없이 날조되었다는 의미로 쓰인다.

올라가고 땅 속으로 들어가는 것이 아니라면 어디로 간들 날조하여 죄를 만들지 못하겠는가? 이것이 어찌 최씨 성을 갖고 진주에 사는 자의 불행이라서 그러하였겠는가? 말은 마음에서 나오므로, 그 말이 이와 같으니 그 마음을 알 수 있다.

윤선거가 말하였다.[90) "우계가 최영경이 옥사에서 나왔다는 소식을 듣고 아들 문준을 보내 위문하자 최영경이 주머니에서 율곡의 편지 한 장을 꺼내 보이면서, '이 편지에 대한 답장을 미처 쓰지 못하였는데, 율곡이 갑자기 사망하였으니, 지금까지도 가슴이 아프다.' 하였다. 송강이 자기를 구원하였다는 말을 듣고 한 말이었다."

이 말이 과연 이치에 가까운가? 율곡은 갑신년(1584, 선조17) 1월에 세상을 떠났는데, 수우(守愚)가 7, 8년간이나 항상 그 편지를 지니고 있었다는 것인가? 아니라면 체포되는 순간 율곡의 편지를 주머니에 넣어 두었다가 정철에게 애걸하는 근거로 삼으려 했다는 것인가? 수우가 율곡에 대해서 과연 그의 생사에 마음을 두었다면 어찌 지난 진술에서 화의 근원이 오로지 율곡을 극력 배척한 데에서 연유한 것이라고 하였겠는가? 정철이 자신을 구원한 것을 듣고 이렇게 운운하였다면 그 진술은 반드시 이처럼 정철의 노여움을 거듭 건드리지 말아야 했을 뿐이다. 윤선거의 주장이 망령됨은 대개 이와 같아서 변론하기에도 부족하다. - 백사의 『기축록』에서 말하였다. "송강이 매우 화난 기색으로 말하기를, '그대가 이 진술을 한번 보라. 이 무슨 말인가? 그대의 최공은 매우 좋지 않은 사람이다.' 하였다." -

청음선생이 말하였다. "오성(鰲城, 이항복의 호)의 말을 들으니, '옥사를 다스릴 때 여러 사람들이 심리 받는 모습을 보니, 황망하여 몸둘 바를 잃지 않음이 없었다. 그런데 오직 최영경만은 형틀에서 고문을 당하는 처지에 있으면서도 자기 집 안방에 거처하는 것처럼 안색이 편안하고

---

90) 『魯西遺稿·與權思誠論崔司畜事』.

말도 어지럽지 않아 마치 평일에 손님을 대하는 것과 같았으니, 기백이 보통사람을 크게 뛰어넘는 점이 있었다.' 한다." -『석실어록』[91] - 선생이 또 말하였다. "노성(老成)한 사람의 말을 들으니 최영경이 비록 순정한 선비는 아니지만 그 진술을 역옥에 연루시키는 것은 사실에 가깝지 않다." - 위와 같다.[92] -

선산(善山)의 선비 김종유(金宗儒)의 자는 순중(醇仲)으로 우계의 문인이었다. 수우를 위해 파산(坡山)[93]의 우계를 뵈러 가서 울면서 말하기를, "수우의 일은 선생께서 구원하지 않으면 안 됩니다. 구원하지 않으면 뒤에 반드시 논의가 있을 것입니다." 하였다. 우계가 한참 동안 가만히 있다가 말하기를, "그는 사람됨이 편벽되었는데, 삼봉은 아마도 그 자의 별호(別號)일 것이다." 하였다. 순중이 말하기를, "삼봉이란 기괴한 무리들이 지어낸 말인데, 선생께서는 어찌하여 차마 이런 말씀을 하십니까?" 하였다. 돌아가는 길에 서울에 사는 여러 친구들을 만나서 말하기를, "수우는 죽을 것이다. 우계가 구원할 뜻이 없다." 하였다. 이로부터 마침내 우계 문하가 나눠지기 시작하였다. -『괘일록(掛一錄)』과 미수 문집[眉叟集]에 나온다. 종유라는 이름은『우계 문인록(牛溪門人錄)』에 있다. -

갑오년(1594, 선조27) 삼사(三司)에서 아뢸 때, 상촌(象村) 신흠이 말하기를, "정철은 대신의 몸으로 근거 없는 낭설을 막아서 최영경이 감옥에서 죽는 것을 벗어나게 하지 못하였으니, 비록 구원한 말이 있더라도 참으로 구원했다고 하기 어렵습니다. 오직 한쪽에 치우쳐 최영경이 죽음을 면치 못하도록 만든 것이 바로 그의 죄입니다." 하였다.

이시발(李時發)[94]이 아뢰기를, "최영경이 정철 때문에 죽었습니다. 조순

---

91) 『魯西遺稿·石室語錄』.
92) 『魯西遺稿·石室語錄』.
93) 파산(坡山) : 성혼을 가리킨다. 파산은 그의 거주지로, 지금의 경기도 파주(坡州)이다.
94) 이시발(李時發) : 1569~1626. 본관은 경주, 자 양구(養久), 호 벽오(碧梧)·후영어은(後潁漁隱)이다. 형조판서 등을 역임하였다.

(趙盾)95)도 임금을 시해한 죄악을 면하지 못하였는데, 최영경을 죽인 죄에 대해 정철이 무슨 말을 할 수 있겠습니까? 후일에 공론이 떨쳐 일어나는 것을 그만두게 할 수 없을 것입니다." 하였다. 박동열(朴東說)96)이 아뢰기를, "최영경은 산림의 선비인데 옥중에서 원통하게 죽었으니 누군들 분통해 하지 않겠습니까?" 하였다.

수몽(守夢)97)이 일찍이 송강을 소인이라고 하며 배척하였는데, 여러 노선생들이 번갈아 가며 지적하니 이에 고쳤다. 그 고친 견해는 영천(靈川) 의 견해98)에 비해 그 경중이 어떠한가? - 윤선거의 문집에 나온다. 수몽은 정엽(鄭曄)의 호이고, 영천은 신응구의 호이다. -

오윤겸(吳允謙)99)이 말하였다. "우리들이 당초에는 송강을 매우 좋지 못한 사람으로 여겼다. 일찍이 후생(後生) 한 명과 함께 성선생(成先生, 성혼)을 뵙고 송강의 사람됨이 좋지 못함을 말하자, 선생이 얼굴빛을 바꾸어 큰 소리로 운운하였다. 이때부터 이전의 견해를 일거에 고쳐서 감히 다시는 그렇게 말하지 못하였다." 하지만 그의 의사를 살펴보면, 오히려 다 고치지 못한 데가 있는 듯하였다. - 송시열이 기록한 『석실어록』에 보인다. 석실이 묻고 오 정승이 대답한 것이다.100) 오 정승은 추탄(楸灘, 오윤겸의 호)이다. -

- 이상은 모두 정철과 같은 당색인 사람들의 말이다. 정철은 소인이고, 최수우가

---

95) 조순(趙盾) : 춘추시대 진나라 신하이다. 자신이 옹립했던 영공(靈公)을 시해하는 데 도움을 주어 뒷날 '조순이 그 임금을 시해하였다.' 평가를 받았다.

96) 박동열(朴東說) : 1564~1622. 본관은 반남(潘南), 자 설지(說之), 호 남곽(南郭)·봉촌(鳳村)이다. 동량(東亮)의 형으로, 병조·이조정랑 등을 역임하였다.

97) 수몽(守夢) : 정엽(鄭曄, 1563~1625)의 호이다. 본관은 초계(草溪), 자 시회(時晦)이다. 송익필·성혼·이이의 문인으로, 대사헌·우참찬 등을 역임하였다. 광해군대 성혼의 문인으로 배척당해 좌천되었다. 폐모론에 반대하여 은거하였다.

98) 영천(靈川)의 견해 : 신응구가 정철의 행위를 좋아하지 않아서 항상 스승 성혼에게 절교할 것을 간청하였다.

99) 오윤겸(吳允謙) : 1559~1636. 본관은 해주, 자 여익(汝益), 호 추탄(楸灘)·토당(土塘)이다. 성혼의 문인으로, 우의정·영의정 등을 역임하였다.

100) 『宋子大全·石室先生語錄』.

억울하게 죽었다는 것은 당대의 공의(公議)로서 크게 정해졌다고 하지 않을 수 없다. 지금 윤공이 수우를 이발과 정여립, 정인홍과 함께 거론하면서, "간당(奸黨)에게 오염되었다." 하였다. 만약 이와 같다면 선비로서 절개를 잃은 것이 이보다 더 심할 수 없을 것이다. 그렇다면 우계의 도리로는 진실로 그와 절교하기가 어렵지 않았을 것인데, 어찌 아들을 보내 위문하며 쌀을 보내 노자에 보태게 했다가 그의 죽음을 듣고 돌아오기에 이르렀는가? 정여립과 정인홍의 역모가 아직 드러나기 전에 교분의 친밀함이 우계와 같은 자가 없다. 처사를 모함해 죽인 후에도 또한 정철의 사악함을 알지 못하였으니, 간당에게 오염되었다는 지목은 이 사람에게 있지 않고 저 사람에게 있는 것이다. -

연봉(蓮峯) 이기설(李基卨)[101]의 형 이기직(李基稷)[102]은 정철의 사위였는데 일찍 죽었으므로 과부가 된 형수가 정철의 집에 머물렀다. 어느 날 정철이 사람을 보내 급히 소식을 전해 말하기를, "갑작스럽게 병이 났는데, 와서 만나 보시오." 하여, 연봉이 말을 달려 가보니, 형수는 탈이 없었고 정철이 앉아 있었다. 연봉이 괴이하게 여겨 그 이유를 묻자 정철이 말하였다. "내가 대면해서 논의할 일이 있어서 그대를 빨리 오게 하려고 핑계를 대고 부른 것이다." 이어서 말하기를, "최영경의 옥사를 어찌 처리해야 하겠는가?" 하였다. 연봉이 그는 무죄이므로 풀어주지 않을 수 없다는 뜻을 힘껏 말하였다. 정철이 말하기를, "나 또한 이와 같은데, 우계가 나에게 편지를 보내 운운하였기 때문에 그대와 상의하여 처리하려고 한 것 뿐이다." 하였다. 곧 자신의 소매에서 우계의 편지를 꺼내 보여주었는데, 그 편지에서는 수우의 잘못을 일일이 거론하면서 애석해하는 말은 하나도 없었다. 연봉이 말하였다. "우계의 뜻이 비록 이와 같지만 다른 사람은 알지 못하니 선비를 죽였다는 이름이 오로지 공에게 돌아가지 않겠습니까?" 이와 같이 대화를 나눈 뒤 돌아와, 이 일에 대해서는 자제들

---

101) 이기설(李基卨) : 1558~1622. 본관은 연안(延安), 자 공조(公造), 호 연봉(蓮峯)이다. 1599년(선조32) 이산해의 추천으로 상원(祥原)군수로 나갔다. 1601년 청백리에 뽑혔으며, 이듬해 연안부사(延安府使)로 임명되었으나 부임하지 않았다.
102) 이기직(李基稷) : 1556~1578. 본관은 연안(延安), 자 백생(伯生)이다.

에게 끝내 말하지 않았다. 그 뒤 을해년(1635, 인조13) 성균관에서 문묘종사
의 논의가 있었는데, 연봉이 비로소 자제들에게 이 일을 말하면서, "너희들
은 결코 그 상소에 참여하지 않을 뿐이다." 하였다.[103]

이것으로 보건대, 우계와 정철 모두 수우에 대해 호의를 갖지 않았다.
우계는 은밀히 옥사를 만들라고 권하였는데, 정철이 이와 같이 누설하리라
고는 미처 생각하지 못했을 것이다. 정철이 기필코 수우에게 보복하려
했지만 오히려 공의(公議)의 엄중함을 두려워하여 친구를 팔아서 자신은
빠져나오려고 이와 같이 그 편지를 내보였던 것이다. 두 집안이 쟁변(爭辨)
하는 것을 보면 알 수 있다.

살피건대, 사계가 찬술한 정철의 행장에서 말하였다. "정철이 형적의
혐의를 피하지 않고 나아가 옥사를 다스리라는 명을 받든 것은 오로지
우계의 권유에서 나온 것이었다. 정여립을 김제군수(金堤郡守)와 황해도사
에 의망한 전관(銓官)을 탄핵한 일[104] 또한 우계에게서 나와서 우계가
주장한 것이었다." 윤공은 겉으로는 정철을 위하여 드러내 놓고 변론하는
말을 했지만, 실제 속으로는 때를 틈타 분풀이를 하려는 자취가 분명하게
드러났다. - 곤재에 대해서는 큰소리로 질책하였다 하고, 수우에 대해서는 손으로
목을 그어서 머리를 자르는 모습을 보였다고 하였다. -
성문준은 신응구의 상소 가운데 "문정(門庭)의 경박한 무리"와 "옥사를

103) 그 뒤……하였다 : 성혼의 문묘종사 논의는 이기설이 죽은 다음에 일어났으므로,
이 기록은 착오가 있는 것 같다.
104) 김제군(金堤郡)과……일 : 『족징록(足徵錄)』에 따르면 다음과 같다. 정철이 말하기를,
"정여립의 당여들이 황해도와 김제(金堤)에서 많이 잡혔으니, 당시 정여립을 황해도
사(黃海都事)와 김제현감에 의망한 자는 죄가 없을 수 없다." 하였다. 김장생이
말하기를, "정여립이 본래 세상을 속이고 이름을 도둑질하였으니, 당시 전조(銓曹)에
서 의망한 것도 으레 있는 일이었다. 어찌 저 역적이 반역을 도모할 것을 미리
알 수 있었겠는가? 반드시 처벌해야 할 의리는 없는 듯하다." 하였다. 이산해는
이전에 이조판서로서 정여립을 의망하였기 때문이었다. 어른은 우계를 가리킨다.
이로부터 이산해는 성혼과 정철을 항상 의심하며, 반드시 중상모략하려 하였다.

다스린 것이 인심을 만족시키지 못하였다." 등의 말을 옳다고 여겼다.[105]
정홍명은 성문준이 곧 다른 마음을 먹고 지적하여 헐뜯는 것이 거리낌
없었다고 말하였다. 이들 두 아버지의 의도가 본래 이와 같았기 때문에
두 집안 자손이 서로 책임을 전가하였으니, 은미한 것보다 더 분명하게
드러나는 것은 없다고 할 만하다.

윤선거가 말하였다. "기축년 옥사가 사류(士類) 가운데 억울한 옥사입니
까, 간당(奸黨) 중의 옥사입니까? 만약 간당 중의 역옥이라면, 송강이
비록 제대로 공평하게 다스리지 못했더라도 장석지(張釋之)에게 웃음거리
가 되는 것에 불과할 뿐입니다.[106] 과연 사류 가운데 억울한 옥사라면,
송강이 비록 마음을 써서 구원했더라도 사람마다 모두 구할 수 없는
일이었고, 이것이 바로 경중을 조종한 증거가 되니 남곤(南袞)[107]과 이기(李
芑)[108]처럼 배척받는 것을 어찌 면할 수 있겠습니까? 기암(畸庵, 정홍명의
호)의 견해는 이러한 큰 두뇌[頭顱]를 분별하지 못하고, 문익(文翼)[109]과
회재(晦齋)[110]에 비유하기까지 하여 사람들을 통탄하게 만들었습니다."

---

105) 성문준은……여겼다 : 성문준은 윤해평에게 보낸 편지에서 신응구의 상소를 인용하
여 양천경 등은 '문정의 경박한 무리'에, 기축옥사 당시 위관이었던 정철의 잘못된
처사의 결과를 '옥사를 다스린 것이 인심을 만족시키지 못하였다.' 언설로 대신해서
비판하였다.

106) 장석지(張釋之)에게……뿐입니다 : 한나라 문제(文帝) 때 고묘(高廟)에 옥환(玉環)을
훔친 자를 엄중한 벌로 다스리려 하자 장석지가 "어리석은 백성이 장릉(長陵)의
한줌 흙을 훔쳤다면 이것도 중벌에 처해야 하겠습니까?" 반문하여 법의 공평한
적용을 주장하였다.

107) 남곤(南袞) : 1471~1527. 본관은 의령(宜寧), 자 사화(士華), 호 지정(止亭)·지족당(知足
堂)이다. 개국공신 재(在)의 후손이고, 김종직의 문인이다. 1504년 갑자사화 때 유배되
었다가 중종반정으로 풀려났다. 1519년 심정 등과 함께 기묘사화를 일으켜 조광조
등 신진 사림을 제거하고 영의정 등을 역임하였다.

108) 이기(李芑) : 1476~1552. 본관은 덕수(德水), 자 문중(文仲) 호 경재(敬齋)이다. 을사사화
때 윤임·유관 등을 제거하고, 보익공신(保翼功臣)1등에 녹훈되고 풍성부원군(豊城府
院君)에 봉해졌다. 영의정 등을 역임하였다.

109) 문익(文翼) : 정광필(鄭光弼, 1462~1538)의 시호이다. 본관은 동래(東萊), 자 사훈(士勛),
호 수부(守夫)이다. 1515년 장경왕후가 죽자 새로 왕비를 맞아들이게 하였다. 기묘사
화 때 조광조를 구하려다 좌천되었다가 1527년 다시 영의정에 올랐다.

- 송시열에게 보낸 편지111) -

간당과 사류의 지목에 대해서는 후세에 저절로 공정한 논의가 있을 것이니 윤공이 억지로 정할 일이 아니다. 구원했다는 말은 정홍명의 말이 이와 같을 뿐만 아니라 성문준 역시 그 아버지가 정철에게 편지를 보내 여러 사람들의 죽음을 구원하라고 한 것이 한두 번이 아니었다고 말했는데, 지금 윤공이 "구원[伸救]"했다는 두 글자를 군이 숨기려고 한 이유는 무엇 때문인가? 우계가 그 때 또한 나라 일을 논하는 상소를 올렸는데, 옥사를 공평하게 다스리는 도리에 대해서는 한 자도 언급이 없었고, 구원했다는 주장은 단지 성문준의 사사로운 말에서 나온 것이므로, 그 할아버지의 심적(心迹)이 괴이하다는 것을 변명하기에 부족하였다. 때문에 간당 중의 역옥이라는 말을 만들어내어 원통하게 죽은 여러 사람들을 모두 간당이라는 구덩이에 몰아넣어 구원하지 않은 자취를 감추려하였다. 스스로 생각하기를, 이러한 계책으로 후세의 공론을 바꾸기에 충분하다고 여겼으니, 교묘히 속이려다가 도리어 졸렬해졌다고 할 수 있다. 정철이 옥사를 심리(審理)한 것을 우계가 함께 듣지 않은 것이 없었다는 것은 윤공이 이미 스스로 말하였고, 문도들을 끌어들여 자기와 다른 사람들을 공격하게 한 일은 사계 또한 숨기지 않았다. 하물며 또한 전후로 죽음에 이른 자는 모두 공의(公議)로 상호 대립되는 사람이 아님이 없었으니, 어찌 역적을 토벌한다는 이름을 빌어 원한을 품고 원수를 갚으려 했다는 비방을 면할 수 있겠는가? 윤공의 도리로는 마땅히 정홍명의 말과 같이 했어야 했다. 그래야 그 뒤 뒷날 우계를 논하는 자가 아마 조금이라도 용서할 도리가 있었을 것인데, 이러한 계교를 내지 못하였으니 진실로 안타깝다.

---

110) 회재(晦齋) : 이언적(李彦迪, 1491~1553)의 호이다. 본관은 여주, 자 복고(復古), 호 자계옹(紫溪翁)이다. 을사사화(乙巳士禍) 당시 의금부판사에 임명되어 사람들을 죄 주는 일에 참여했지만 곧 관직에서 물러났다. 1547년 양재역 벽서 사건에 연루되어 강계로 유배되었다.

111) 『魯西遺稿·答宋英甫』.

정홍명이 편지에서 말하였다. "정개청이 저술한 '동한절의 진송청담동
이론(東漢節義晋宋淸談同異論)' 가운데 나오는 '절의망인국(節義亡人國)'[112]은
말이 그 집안 문서 중에서 나왔다. 선왕께서 친히 살펴보시고 진노하여
곧 사신(詞臣)[113]에게 명하여 글을 지어 그 내용을 논파하고, 여러 도에
배포하여 널리 알리라고 하였다. 정개청은 귀양 보냈는데, 유배지에서
죽었다.……"

절의를 배척하였다는 말은 이미 정암수의 무고 상소에서 나왔으나,
정홍명의 아비 정철이 국청에서 아뢴 말은 참혹한 것이었다. 이에 선조가
비로소 형추하라고 명하고, 또 사신(詞臣)에게 변파하라고 명하였는데,
이러한 실상을 완전히 무시하고 마치 그 아비가 날조해 무함한 일이
원래 없었던 것처럼 말하였다. 그러나 정철이 아뢴 말이 아직도 남아
있는데, 어찌 감출 수 있겠는가?[114]

---

112) 절의망인국(節義亡人國) : 1658년(효종9) 윤선거가 송준길에게 보낸 답장에서 정개청
    의 논설을 '절의망인국론'으로 규정하였다. 그 논설은 인륜에서 어긋나며 주자의
    뜻을 따르는 것도 아니라고 하였다.(『魯西遺稿·答宋明甫戊戌』) 정암수 등이 이를
    배절의론으로 지목하여 정개청을 옥사에 연루시켜 죽음에 이르게 하였다. 즉 정개청
    이 박순에게서 배웠지만 박순이 영의정에서 파직되자 정여립·이발 등과 친교를
    맺은 사실을 들어 절의를 배반한 혐의를 씌워 옥사에 얽어 넣었다.
113) 사신(詞臣) : 옛날의 문학 시종의 신하를 지칭하는 말이다. 한림(翰林)과 같은 말이다.
114) 정철이 아뢴……있겠는가? : 정철의 계사는 본서 '정개청'조에 보인다.

우계 성혼

成牛溪渾

"임진왜란 당시 임금이 탄 수레가 서쪽으로 파천(播遷)하는데, 우계는 파주 집에 있으면서도 나아가 영접하고 알현하지 않아서 그 뒤 대간이 논계하였다. 기축역변(己丑逆變, 기축옥사)에는 국난에 달려간다는 핑계로 쉽게 도성에 들어갔으면서 임진년 왜구는 기축년에 비할 바가 아닌데, 변란의 소식을 들은 초기에 가까운 지역에 거처하면서도 끝내 들어가 알현하지 않았다.……"

우계의 외손 윤선거가 그 말을 꺼려했으나 달리 해명할 말이 없자 의리의 설을 만들어내어 말하였다. "기축년에는 주상의 마음에 깨달음이 있었고, 또 부르는 명이 있었기 때문에 달려가 문안하였다.115) 하지만 임진년에는 주상께서 싫어하는 마음에 박대하였고, 또 부르는 명이 없었기 때문에 나아가지 않았다." 나아가지 않는 것은 그 외할아버지가 평소에 정해놓은 계책이라 하고, 부르는 명이 있고 없고는 출처의 큰 기준이라고 하면서 심지어 양귀산(楊龜山)116)·윤화정(尹和靖)117)·호문정(胡文定)118), 세 명의 선생이 정강(靖康)119)과 건염(建炎)120) 당시 반드시 부름이 있어서

---

115) 달려가 문안하였다 : 분문(奔問). 난리를 당한 임금에게 달려가서 문후(問候)하는 것을 말한다. 주(周)나라 양왕(襄王)이 난리를 피해 정(鄭)나라 시골 마을인 범(氾)에 머물면서 노(魯)나라에 그 사실을 알리자, 장문중(臧文仲)이 "천자께서 도성 밖의 땅에서 먼지를 뒤집어쓰고 계시니, 어찌 감히 달려가서 관수에게 문후하지 않을 수 있겠습니까.[天子蒙塵于外, 敢不奔問官守.]" 대답한 고사에서 유래한 것이다.(『春秋左氏傳·僖公24年』) 관수(官守)는 왕을 좌우에서 모시는 신하들을 가리키는데, 지존(至尊)인 천왕(天王)을 직접 거론할 수 없으므로 이렇게 말한 것이다.

116) 양귀산(楊龜山) : 귀산은 송나라 학자 양시(楊時, 1053~1135)의 호이다. 자는 중립(中立)이다. 이정자(二程子, 정호·정이)의 도학을 전하여 낙학(洛學)의 대종(大宗)이 되었다.

117) 윤화정(尹和靖) : 화정은 송나라 학자 윤돈(尹焞, 1071~1142)의 호이다. 자 언명(彦明)·덕충(德充)이다. 정이(程頤)의 제자이다.

118) 호문정(胡文定) : 문정은 송나라 학자 호안국(胡安國, 1074~1138)의 시호이다. 자는 강후(康侯)이다. 정이의 제자이다.

나아갔지, 일찍이 부름이 없는데도 나아간 경우는 없다는 것을 끌어다 자기 할아버지가 한결같이 옛 성현을 따랐음을 자처하였다고 운운하였다.

평생에 걸쳐 항상 출사한 사람일지라도 부르지 않는데 스스로 나아가는 자는 없지만, 어찌 군부가 파천[播越]하고 종사가 무너지는데 신하된 자가 산림의 선비로 자처한단 말인가? 주상에게 싫어하는 마음이 있고 또한 당을 낚는다는 지목이 있었다 하더라도, 어찌하여 부르는 명이 없어도 스스로 국난(國難)에 나아간다고 말해놓고 집에서 한가롭게 지낼 수 있단 말인가? 지금 신묘년(1591, 선조24) 일을 보건대, 삼사에서 정철의 죄는 논척하였지만 우계에게는 미치지 않았고, 선조[宣廟] 또한 드러내놓고 싫어하는 기색을 보인 일이 없었다. 단지 우계가 정철의 당여로 자처하다가 정철이 이미 패하자 스스로 군부에 대해 의심하는 마음을 품었을 뿐이었다.

이웃 사이에 어떤 사람이 살고 있는데, 서로 해결하지 못한 사소한 다툼이 있었다고 치자. 그 사람이 홍수와 화재, 도적의 환난을 당하면, 오래된 원한을 흉하게 여기면서도 구해달라고 부르짖기 전에 풀어헤친 머리로 갓끈만 매고 달려가 구해주는 자가 군자인가? 아니면 평일에 싫어한 것을 기억했다가 말하기를, "이 사람이 나를 싫어하며 박대하는 마음이 있고, 또 구해달라고 청한 일도 없는데, 내가 어찌 스스로 가겠는가?" 하고는 수수방관한 채 그 환난을 함께 하려 하지 않는 자가 군자인가? 이는 두말할 필요도 없이 명백하다.

그가 인용한 세 선생의 일에도 할 말이 있다. 중국의 사대부는 우리나라와 같지 않아서 조정에 나아가면 관직이 있고, 물러나면 일반백성과

---

119) 정강(靖康) : 송나라 흠종(欽宗)의 연호(1126~1127)이다. 윤화정의 출처 또한 남달랐다. 정강 원년(1126)에 포의(布衣)로서 부름을 받았지만 병을 이유로 사양하고 조정에 들어가지 않았다. 조정에서는 그를 머물게 할 수 없다는 사실을 알고 처사(處士)를 내려주었다.

120) 건염(建炎) : 송나라 고종(高宗)의 연호(1127~1130)이다. 양귀산이 건염 2년(1128)에 부름을 받아 공부시랑(工部侍郎)에 임명되었으나 늙고 병든 것을 이유로 그만두기를 청하였으니 그때 나이가 이미 80여세였다. 뒤에 여러 차례 도성을 떠나 피난 갔는데 묘(苗)·유(劉)의 난이 발생해서는 함께 떠나지 못하였다고 한다.

다름이 없기 때문에 부르면 나아가고, 부르지 않으면 나아가지 않는
것은 형세 상 마땅히 그러한 것이다. 당시 우계는 바야흐로 실직(實職)이
있었으나, - 그가 대열(大閱, 군대 사열)에 참석하지 못하였다고 상소하여 스스로를
탄핵한 것은 4월이었고, 임금이 서쪽으로 피난 간 것은 같은 달 30일이었다. - 변란의
소식을 들은 처음에 끝내 달려가 문안하지 않았고, 자신이 거처한 곳으로
임금이 탄 수레가 지나가는 데도 나아가 영접하지도 않았다. 이 일과
세 선생의 일이 같은가, 다른가?

김천일 공이 율곡에게 말하였다. "우리나라 사대부들은 다른 나라와
달리 나라로부터 두터운 은혜를 입었다. 사족은 대대로 가업을 전수받아
봉건(封建)의 의리가 있으니 국가와 더불어 안락과 근심을 같이해야 할
것이다.……" 만약 김공이 군신의 의리를 알지 못한다고 하면 그만이지만,
그렇지 않다면 우계가 평소에 정한 출처의 원칙은 결과적으로 군주를
잊은 것과 같지 않은가? 하물며 우계는 포의(布衣)에서 기용되어 군부의
은우(恩遇)를 받았는데 어찌 자잘한 연고는 기억하면서 큰 덕을 잊는
것이 이와 같단 말인가?
    또한 말하였다.[121] "군자가 이 세상에서 장차 도를 행하려고 할 때,
순도(殉道)와 순신(殉身)[122]을 한결같이 의리에 따라 결정해야 한다. 옛사람
들 중에는 참으로 스승의 도를 지킨 이도 있고, 벗의 도리를 지킨 이도
있었다. 비록 후세 사람들로 말하더라도 도를 지키면서 물러나 운둔한
자도 있고 출사하여 군주를 섬긴 이도 있으니, 한 가지의 도리만 구하기는
어렵다. 문로공(文潞公)[123]은 대신으로서 더욱 공손하였고 이천(伊川)은
포의로서 자중자애 하였다.[124]……"

---

121) 『魯西遺稿·牛溪先生年譜後說奉稟愼獨齋』.
122) 순도(殉道)와 순신(殉身) : 때에 따른 출처를 말한다.『맹자』「진심(盡心)장」에 "천하에
    도가 있을 때는 출세하여 도가 내 몸을 따르게 하고 천하에 도가 없을 때는 운둔하여
    내 몸이 도를 따르게 한다.[天下有道, 以道殉身, 天下無道, 以身殉道.]" 나온 말이다.
123) 문로공(文潞公) : 북송대 명신 문언박(文彦博, 1006~1097)이다. 부필(富弼) 등과 영종
    옹립에 공을 세웠다. 조정으로부터 노국공(潞國公)에 봉해졌다.

이 말의 뜻을 살펴보건대 이르기를, "조정의 신하로서 출사하여 임금을 섬기는 자는 의리상 마땅히 군주의 어려움을 따라야 하지만, 우계는 도를 지키며 물러나 있었으니, 의리상 군주를 따르지 않아도 된다."는 것이다. 저것¹²⁵⁾은 문로공이 더욱 공손했던 것에 비유하였고, 이것¹²⁶⁾은 이천의 자중자애 함에 비유하였다. 또 은연중에 우계가 선조[宣廟]에 대해 스승의 도리가 있다고 암시하면서 스스로 경솔히 처신하는 것은 부당하다고 할 뿐이었다. 아! 우계가 실로 선조에 대한 스승의 도리에 있어서 설령 윤공의 말과 같다 하더라도 자사(子思)¹²⁷⁾는 노나라 목공(繆公) 때 도적이 쳐들어왔지만 떠나지 않았고,¹²⁸⁾ 맹자는 제나라 선왕(宣王) 때 군대의 동원령이 있자 감히 떠날 것을 청하지 않았다.¹²⁹⁾ 이들은 모두 자중(自重)하는 도리에 어두운 것인가? 그렇다면 『춘추전(春秋傳)』에서 이른바 "다른 나라에 가 아직 벼슬하지 않은 자는 본국에 환란이 일어나면 돌아와 옛 임금을 위해 죽는다."는 것은 무슨 의리인가?

---

124) 문로공(文潞公)……하였다 : 이천이 강연(講筵)에서 스승으로 자처하자, 어떤 사람이 이천에게 묻기를, "문로공은 예로써 공손히 임금을 섬겼는데, 공은 스스로를 스승으로 높이니 어째서인가?'고 하였다. 이에 이천이 대답하기를, "문로공은 사조(四朝)의 대신으로 어린 임금을 섬기니 그 예가 공손하지 않을 수 없다. 하지만 나는 포의로 나와서 보도(輔導)의 직책을 맡았으니 어찌 자중(自重)하지 않을 수 있겠는가?' 하였다.(『同春堂·經筵日記孝廟嗣服己丑十一月至八年丁酉十二月』)

125) 저것 : 벼슬에 나아가는[出身] 일을 가리킨다.

126) 이것 : 벼슬에서 물러나 은거한[退處] 일을 가리킨다.

127) 자사(子思) : 공자(孔子)의 손자 급(伋)의 자이다. 『중용(中庸)』의 저자이다.

128) 자사(子思)가……떠나지 않았고 : 자사가 위(衛)나라에 있을 때 제(齊)나라의 도적이 침입하자 임금을 지켜야 한다며 피신하지 않았다. 이에 대해 맹자 "증자와 자사는 추구한 가치가 같았다. 다만 증자는 스승으로서 부형(父兄)의 위치에 있었고 자사는 신하로서 미천한 신분이었기 때문에 행적이 달랐던 것이니, 처지가 서로 바뀌었다면 외적의 침입에 대처한 방식도 서로 바뀌었을 것이다.[曾子子思同道, 曾子師也父兄也, 子思臣也微也, 曾子子思易地則皆然.]" 설명하였다. 증자는 노나라의 무성(武城)에 있을 때 월(越)나라의 도적이 침입하자 남들보다 먼저 피신했다가 돌아왔다.(『孟子·離婁 下』)

129) 맹자는……떠나지 않았다 : 맹자는 제나라 왕을 만나보고 떠나려 했지만 계속되는 변란으로 발길을 돌리지 못하였다. 이에 맹자는 제나라에 오래 머물게 된 것은 자신의 뜻이 아니라고 했다.(『孟子·公孫丑 下』)

『하담록(荷潭錄)』130)에서 말했다. "……그 당은 잘못이라 여기지 않고, 심지어 말하기를, '우계는 빈사(賓師)131)의 지위에 있으니 주상이 마땅히 찾아가 봬야 하는 것이지 그가 맞이하여 뵙는 예는 없다.' 하였다. 아! 붕당이 사람의 시비를 몰각한 것이 이에 이르러 극에 달했다."

설령 성혼이 빈사의 지위에 있었다 하더라도 파천(播遷)하는 위급한 상황에 어찌 편안히 앉아서 움직이지 않을 수 있단 말인가? 지금 제자라는 사람이 왜적에 쫓겨서 그 문을 지나가면서도 스승을 위해 달려가 문안하는 예를 올리지 않았다는 것인가? 만약 정말로 빈사로 자처한다면 편안하게 움직이지 않아도 되는데, 또한 어찌하여 늦게나마 행재소까지 달려왔단 말인가?132) 이는 그 마음에 반드시 편치 않은 점이 있었기 때문일 것이다.

군신의 의리는 천지의 떳떳한 도리이니 비록 삼척동자라도 모두 임금을 저버린 것이 죄라는 것을 알고 있는데, 진신의 무리들로 우리 임금에게서 의식을 해결하는 자들이 모두 성혼에게 죄가 없다고 한다. 아! 양자운(楊子雲)133)이 왕망(王莽)134)의 조정을 위해 「극진미신(劇秦美新)」135)이라는 글을

---

130) 하담록(荷潭錄) : 김시양(金時讓, 1581~1643)의 문집 『하담파적록(荷潭破寂錄)』이다. 본관은 안동, 자 자중(子中), 호 하담(荷潭)·언묵(彦默)이다. 호조판서 등을 역임하였다.

131) 빈사(賓師) : 제후나 군주에게 빈객 또는 스승으로서의 대우를 받는 학문 덕행을 갖춘 사람을 이른다.

132) 행재소까지……말인가 : 『동소만록』에 당시 상황을 다음과 같이 기술하였다. 임진 왜란으로 주상이 탄 수레가 피난하여 파주를 지나갈 때 주상은 성혼이 맞이하여 호종(扈從)할 것으로 생각하였으나 끝내 나오지 않자 못마땅하게 생각하였다. 그해 겨울 세자가 빨리 역마를 타고 오라고 하자 성혼은 평안도 성천(成川)의 분사(分司)로 쫓아갔다. 우의정 유홍이 좌의정 윤두수에게 편지를 보내, "성혼은 어진 사람이니 벼슬의 품계를 올려 주어야 할 것입니다." 하였다. 윤두수가 유홍의 말과 같이 아뢰었지만 주상이 결정을 내리지 않았다. 이조에서 곧바로 참찬에 천거하여 자헌대부(資憲大夫)에 오르자 비로소 처자를 거느리고 행재소로 달려가 사은(謝恩)하였다. 이에 전교하기를, "내가 경의 문 앞을 지났지만 경을 볼 수 없었으니 경에게 죄를 얻음이 심한 것 같다." 하였다.

133) 양자운(楊子雲) : 자운은 양웅(揚雄, B.C.53~A.D.18)의 자이다. 전한(前漢)말 유학자로 인간의 본성에는 선과 악이 뒤섞여 있다는 주장을 내놓았다. 왕망(王莽) 정권에 적극 협력한 혐의로 송학(宋學) 이후에 지조가 없는 사람으로 비난받았다.

134) 왕망(王莽) : B.C.45~A.D.23. 전한 원제(元帝)의 황후 원후(元后)의 동생 왕만(王曼)의 차남이다. 기원전 7년 애제(哀帝)가 즉위한 뒤 후사(后嗣) 없이 급사하자 그 손자 평제(平帝)를 옹립하고 권력을 장악하였고, 서기 9년 황제가 되어 신(新)나라를

지었는데, 한문공(韓文公)136)과 사마공(司馬公)137)의 무리들이 모두 양웅(楊雄)에게 도통이 있다고 하는데도 틀렸다고 말하는 사람이 없었다. 우리 주자에 이르러 기록하여 말하기를, "왕망의 대부[莽大夫] 양웅이 죽었다." 한 뒤에야 양웅의 죄가 비로소 드러났으니, 옳고 그름이 백년을 기다리지 않고 정해진다고 하는 것은 거의 맞는 말이 아니다.

처음에 하담(荷潭, 김시양의 호)이 기록한 그 당의 언설에는 결코 이와 같은 말이 없었다. 그런데 지금 윤공의 편지를 보니, 이른바 "이천이 포의로서 자중하였다."는 것은 곧 주상이 나아가 봬야 하고, 성혼이 맞아들여 뵙는 것은 부당하다는 뜻이다.

또 말하였다.138) "신묘년(1591, 선조24) 송강이 귀양 갈 때 임진 나루에 나아가 작별했으니, 이는 인사의 상도(常道)이다. 애초에 비방할 만한 단서가 아니었다.……"

친구에게 나아가 작별하는 것이 과연 인사의 상도라면 군부에게 나아가 작별하는 것은 어찌 신하의 도리에서 벗어나는 일이란 말인가? 사사로운 당여에게는 나아가 작별하면서, 군부에게는 나아가 작별하지 않았다. 의리에 대처하는 것이 이와 같이 근거가 없는데도 어떻게 비방을 날조하였다고 할 수 있는가?

또 말하였다.139) "신묘년(1591)에는 다만 주상이 싫어하고 박대하는 뜻을 보였을 뿐이니, 이것과 을유년(1585) 이조[天府]의 명부에 쓴 것140)과

세웠다.

135) 극진미신(劇秦美新) : 양웅이 왕망에게 아첨하여 지은 글이다. 진나라의 과실을 극론하고, 왕망의 세운 신(新)나라의 미덕을 칭찬하였다.(『文選』)

136) 한문공(韓文公) : 문공은 당나라 한유(韓愈, 768~824)의 시호이다. 자 퇴지(退之)이다. 이부시랑(吏部侍郎) 등을 역임하였다. 문체(文體)개혁을 통해 중국 산문문체의 표준을 확립하였다. 또한 유학 사상을 존중하고 도교·불교를 배격하여 송대 이후 성리학의 선구자가 되었다.

137) 사마공(司馬公) : 송나라 문신 사마광(司馬光, 1019~1086)이다. 좌복야(左僕射) 등을 역임하였다. 편년체(編年體) 역사서 『자치통감(資治通鑑)』을 편찬하였다.

138) 『魯西遺稿·牛溪先生年譜後說奉稟愼獨齋』.

139) 『魯西遺稿·牛溪先生年譜後說奉稟愼獨齋』.

는 비교할 수 없다."

이름이 이조의 명부에 올랐지만 기축년(1589)에 출사하는 데 어려움이 없었고, 신묘년에는 단지 싫어하고 박대하는 뜻만 보였다. 그런데도 임진 년에 나아가지 않는 것을 계책으로 정하였으니, 어찌 시세에 편승했다는 혐의와 임금을 버렸다는 비방을 면할 수 있겠는가?

신독재(愼獨齋) 김집(金集)[141]이 윤공에게 답장을 보내 말하였다. "군자의 진퇴는 오직 의리의 여하에 달린 것이지 부르는 명이 있고 없고는 말할 필요가 없다. 선생의 진퇴가 과연 단지 부르는 명이 있고 없고에 달린 것인가? 광주(廣州)의 신공(申公, 신응구)과 그대는 선생이 임진년과 정유년 의 난리에는 나아가지 않다가 성천(成川, 평안도 소재)[142]의 부름에는 응한 것을 가지고, '불러도 가지 않은 경우는 있었으나 부르는 명이 없는데 도 자발적으로 간 일은 없었다.' 말하면서, 이 두 구절을 가지고 선생의 진퇴를 모두 설명할 수 있다고 생각하지만 이는 의리가 근본이라는 것을 살피지 않고, 단지 부르는 명이 있고 없고 만을 위주로 한 것이다. 이 어찌 어폐[語病]가 크다 하지 않겠으며, 세상 사람들이 괴이하게 여기는 것을 능히 풀어줄 수 있다 하겠는가? 위급하고 어려운 상황에서는 신하로 서 당연히 해야 할 일을 스스로 다 해야지, 어찌 부르는 명을 기다렸다가 나갈 것인가? 지금 선생의 진퇴에 관해서도 단연 의리를 위주로 말해야지 어찌 부르는 명이 있고 없고를 따질 것인가? 만약 부르는 명이 있고

---

140) 을유년(1585)에……쓴 것 : 당시 경연 석상에서 선조가 신하들과 대화하면서 이이와 성혼의 잘못을 인정하고 이를 사관(史官)에게 기록하게 한 일을 가리킨다. 즉 대간이 심의겸(沈義謙)을 붕당을 만든 죄로 탄핵하면서 그 당여의 이름을 나열하였는데, 여기에 성혼의 이름이 올라 있었던 일을 가리킨다.(『宣祖修正實錄』 18년 9월 1일)
141) 김집(金集) : 1574~1656. 본관은 광산, 자 사강(士剛), 호 신독재(愼獨齋)이다. 장생의 아들로서, 이조판서·좌참찬 등을 역임하였다. 부친과 함께 예학의 기본체계를 완비 하였으며, 송시열에게 학문을 전하여 기호학파(畿湖學派) 형성에 중요한 역할을 하였다. 저서로는 『신독재유고(愼獨齋遺稿)』 등이 있다.
142) 성천(成川) : 임진왜란 당시 세자였던 광해군이 이끌던 분조(分朝)가 있었다. 분조는 임금이 도성을 떠나 오랫동안 다른 곳에 머물 때 각사(各司)의 관아를 나누어 두 곳에 두고 사무를 보는 일을 가리킨다.

없고 만을 따진다면 마치 군부가 위급한 일을 당했는데도 부르는 명을 기다리려 하는 것과 같으니 가(可)하다고 할 수 있겠는가? 주장을 세울 때는 세심하게 살피지 않을 수 없을 것이다. 선생께서도 이러한 말을 했다고 들은 것 같은데, 그렇다면 그것은 일시적으로 피혐(避嫌)하는 말일 것이다. 어찌 이것을 가지고 선생의 진퇴를 전체적으로 논할 수 있겠는가?"

- 신독재(愼獨齋) 문집에 나온다.143) -

송시열이 보낸 편지에서, "임진왜란 당시 한 가지 일에 대해서는 우리 또한 하나의 의견으로 모아지지 않았다.……" 하였다.

윤공이 답장에서 말하였다. "사계 노선생이 신묘년 파산(坡山)에 가서 뵙고 거취에 대한 일을 강론하여 얻은 것이 어찌 충분히 명백하지 않습니까? 우계가 평소에 결정한 의리의 득실은 실상 미리 헤아려서 행한 것입니다. 난리에 직면하여 만약 부르는 명이 있었다면 어찌 또한 나가지 않겠습니까? 하지만 부르는 명령이 끝내 내려오지 않았으므로 한걸음도 감히 스스로 나갈 수 없었던 것입니다. 고금천하에 만약 부름이 없는데 스스로 나오는 어진이가 있었다면 우계의 행적을 오히려 의논할 수 있을 것입니다. 노선생은 당초 우러러 질의하였던 뜻을 가지고 일찍이 말하기를, '괴이하게 여길 만한 점이 없지 않다.' 하였습니다. 이는 유독 노선생의 견해만 그런 것이 아니라, 우계 문하의 황신과 오윤겸 등 여러 사람들도 모두 의문을 가졌습니다. 오늘에 와서 한결같이 우계의 의리로 단정해서 모든 의혹을 일소하기는 진실로 어려울 것입니다. 그러나 만약 혹시라도 노선생의 의혹으로 인해 마침내 우계의 출처가 착오를 면치 못했다고 한다면 이는 유자(儒者) 진퇴의 큰 제방에 해로울 뿐만 아니라 장차 노선생의 문하에도 죄를 얻게 될 것입니다.……" - 윤선거 문집에 나온다.144) -

청음선생이 말하기를, "처음에 만약 난(亂)에 나아갔다면 필경 논란으로

---

143) 『愼獨齋遺稿·與尹吉甫書己丑四月初九日』.
144) 『魯西遺稿·答宋英甫』.

위태로워지는 단서가 없었을 것이다." 하자, 윤공과 그 문도들이 세 차례에 걸쳐 비문을 고쳐달라고 청하였지만 청음이 끝내 허락하지 않았다. 이 가르침 또한 난리에 나아가지 않은 것은 옳지 않았다는 것이다. -『석실어록』 에 나온다. -

어떤 사람이 묻기를, "송강이 옥사를 심리하는 일에 선생이 어찌하여 굳이 참여하여 한 쪽 편 사람[145]들의 비방을 일거에 야기하셨습니까?" 하니, 윤공이 대답하였다. "선생과 송강은 정분이 이미 두터웠다. 그러니 송강이 묻는데 어찌 대답하지 않겠으며, 선생도 생각이 있는데 또한 어찌 말하지 않을 수 있겠는가? 질문에 답하는 방식으로 경계하는 말을 해주어 송강의 사업이 진실로 볼 만한 것[146]이 많았다."

우계의 다른 일에 대해서 논하지 않더라도 이 한 가지 일만 보아도 어찌 이와 같은 사람이 있단 말인가? 대간이 아뢴 이른바 "성혼의 문인이 형옥을 벌였다." 한 것이 허튼말이 아니었다. 만약 우계의 훈계로 인해 독수에서 벗어났다면 반드시 그런 사람이 있었을 텐데, 우계의 구원으로 살아난 사람이 누구인지 알지 못하겠다. 정철의 사업에서 볼 만한 것은 무슨 일이란 말인가?

우계는 정철을 복심으로 삼아서 옥사를 심리하는 일에 함께 참여하지 않은 적이 없었으며, 머리를 나란히 하고 죽은 자들은 평일 논의할 때 서로 대립했던 사람이 아닌 자가 없었다. 그 문도로 하여금 다른 의견을 가진 사람을 공격하게 하는 것이 곧 권간(權奸)의 모양을 이루었으니 어찌 당간(黨奸)[147]의 지목을 면할 수 있겠는가. 선조가 하교하기를, "정철 이 자행한 일이 이 지경에 이르도록 거리낌이 없게 된 것은 성혼이 주도하였 기 때문이다." 하였으니, 진실로 천고(千古)의 단안(斷案)이었다.

---

145) 한 쪽 편 사람 : 여기서는 동인을 가리킨다.
146) 볼 만한 것 : 정언신 등을 구원한 일을 가리킨다.
147) 당간(黨奸) : 간악한 자에게 편들다.

율곡 이이
李栗谷珥

서인(西人)은 율곡을 대현(大賢)으로 여기고 백정자(伯程子)[148]에 비견하였는데, 동인(東人)은 율곡을 소인으로 간주하고 왕안석(王安石)[149]에 비견하였다. 세상에는 반드시 넓은 안목[大眼目]과 큰 포부[大心胸]가 있은 뒤에야 옳고 그름을 정할 수 있는데, 생각해보면 괴이하지 않은 일이 없어서 아래에 적어둔다.

율곡이 이기설(理氣說)[150]을 논한 편지[151] 아래 스스로 주를 달아 분명히 주자의 "형기(形氣)의 사사로움에서 생기기도 하고 성명(性命)의 바른 데에 근원을 두기도 한다.[或生或原]"[152]는 말로써 호발(互發)[153]의 논의로 삼았

---

148) 백정자(伯程子) : 정호(程顥, 1032~1085)를 가리킨다. 호는 명도(明道), 자 백순(伯淳)이다. 동생 정이(程頤)와 함께 신유학의 체계를 마련하였고, 주자학 형성에 지대한 영향을 끼쳤다.

149) 왕안석(王安石) : 1021~1086. 호는 반산(半山), 자 개보(介甫)이다. 북송(北宋)때 신법(新法)을 추진하였다. 사마광(司馬光)이 이끄는 구법당(舊法黨)의 공세로 좌천되었다가 강녕(江寧)에 은거, 학술 연구에 몰두하였다.

150) 이기설(理氣說) : 신유학에서는 우주 속에 존재하는 모든 현상은 이(理)와 기(氣)로 구성되었으며, 이와 기에 의해 생성 변화된다고 보았다. 이는 모든 사물의 존재와 생성과 관련된 법칙·원리 또는 이치였다. 기는 모든 구체적 사물의 존재와 생성과 관련된 질료(質料)·형질(形質)이었다. 이와 기의 관계는 서로 떠날 수 없으면서[理氣不相離], 동시에 서로 섞일 수 없는[理氣不相雜] 관계에 있었다. 즉 논리적으로 이와 기를 구별하면서도 실질적으로 분리할 수 없다는 것이다. 퇴계는 주리론(主理論)적 관점을, 율곡은 주기론(主氣論)적 관점을 제기하면서 조선 성리학을 형성하는 데 기여하였다.

151) 편지 : 이이가 성혼과 인심도심설에 대해 논쟁을 벌인 편지를 가리킨다.(『栗谷全書·答成浩原』)

152) 형기의……두기도 한다 : 주자가 『중용장구(中庸章句)』 서(序)에서 한 언설이다. '형기의 사사로움에서 생긴 것[或生於形氣之私]'을 인심(人心)으로, '성명의 바름에 근원한 것[或原於性命之正]'을 도심(道心)으로 해석하였다. 즉 인심과 도심은 근원이 서로 다른 것이라고 보았다. 형기는 개별 인간을 구성하는 이목구비와 같은 형체, 형질적인 것이다. 성명은 개별 인간에게 내재된 천리(天理)이다. 반면 율곡은 주자와 달리 도심과 인심을 현상적으로 드러난 결과로서 구체적인 욕구의 성격에 대한 의식상의

다. 그런데 이내 도리어 이르기를, "퇴계의 병통은 오로지 '호발' 두 글자에 있다."154) 하였으니 이는 매우 괴이하다.

또 말하기를, "인심과 도심이라고 이름붙인 것은 성인이 어찌 그렇게 하고 싶어서 하였겠습니까?" 하였고, 혹은 "논리를 세워 사람들을 가르치다 보니 부득이 이렇게 말한 것이다." 하였다. 혹은 "성현의 말씀은 그 뜻이 혹 다른 데 있는 경우가 있는데, 그 뜻을 구하지 않고 한갓 말에만 얽매이면 어찌 도리어 해가 되지 않겠습니까?" 하였다. 혹은 말하였다. "주자가 말한, '형기의 사사로움에서 생기기도 하고 성명의 바른 데에 근원을 두기도 한다.'는 설도 마땅히 그 본의를 구하여 알아야 하고, 그 말에 얽매여서는 안 될 것이다."

대순(大舜)이 인심과 도심을 나누어 말하자, 주자가 "형기의 사사로움에서 생기기도 하고, 성명의 바른 데에 근원을 두기도 한다." 하며, 인심과 도심의 발단된 연유를 나누어 해석하였다.155) 이것은 만세의 학자들을

판단 차이라고 보았다. 즉 도심과 인심을 '본성의 욕구[性之欲]'에서 생겨난 것으로, 외부의 자극에 대한 동일한 본성의 반응으로 간주하였다.

153) 호발(互發) : 본래는 주자학을 수용하여 조선 성리학을 확정하는 과정에서 나타난 퇴계의 학설이었다. 퇴계는 주자의 이기이원론(理氣二元論)에 입각해서 '사단(四端)은 이(理)의 발(發)이고 칠정(七情)은 기(氣)의 발(發)이다.' 하여 이기호발(理氣互發)을 주장하였다. 반면 기대승(奇大升)은 이기불상리(理氣不相離)의 원칙과 '칠정 밖에 사단이 따로 없다'는 설에 입각하여 호발설을 반박하였다. 양자간 논변은 퇴계가 기대승의 주장을 받아들여 '사단은 이가 발함에 기가 따르고[理發而氣隨之] 칠정은 기가 발함에 이가 탄다.[氣發而理乘之]'는 설로 정리되었다. 그 뒤 논쟁은 우계와 율곡 사이에 다시 재연되었다. 우계는 주자의 인심도심설(人心道心說)에서 '혹 형기(形氣)의 사(私)에서 생기고, 혹 성명(性命)의 정(正)에 근원한다.'는 설을 토대로 퇴계의 호발설을 수긍하였다. 반면 율곡은 도심과 인심을 각각 도덕적 이성과 육체적인 욕구의 측면에서 구분해 볼 수 있음을 인정하였다. 그러나 주자의 말처럼 도심은 도덕적 이성에서 나오고 인심은 육체적인 욕구에서 생겨나온다는 뜻은 아니라고 보았다.

154) 그런데……있다 : 율곡은 퇴계의 호발(互發)에 대해서 이와 기가 서로 떨어지지 못하는 묘리[理氣不相離之妙]를 숙고하지 못했다고 보았다. 퇴계는 안에서 나오는 것을 도심이라고 하고 밖에서 감응되는 것을 인심이라고 하였다. 반면 율곡은 인심과 도심이 모두 안에서 나오고 동(動)하는 것은 모두 밖의 감응에서 유래한 것이라고 생각하였다. 이는 기본적으로 '기가 발하면 이가 탄다.[氣發而理乘]'는 원칙에 입각한 것으로 성(性)과 정(情)은 본래 이(理)와 기(氣)가 호발하는 이치가 없다고 보았다.(『栗谷全書·答成浩原』)

위해서 그 힘쓰는 방법을 제시한 것이었는데, 무슨 부득이한 일이 있다는 것인가? 만약 후학들이 성현의 본의를 얻지 못했다면 어찌 분명히 그 본의의 소재를 말하고, 마땅히 구해야 할 방도를 보여주어 학자들로 하여금 잘못된 견해의 해로움에 빠져듦이 없게 하지 않는 것인가? 이는 매우 괴이하다.

또한 스스로 자부하여 혹 말하기를, "선현이 밝히지 못한 것을 밝혔다." 하거나, 혹은 "성인이 다시 나와도 이 말은 바꿀 수 없다." 하고, 혹은 "천지에 세워서 어긋나지 아니하고, 후세의 성현을 기다려도 미혹됨이 없을 것이다." 하였다.156) 이러한 언의(言議)는 흔연히 스스로를 높이려는 뜻에 가까워서 성인이 다시 나타나기를 기다리지 않는다는 것이 아니겠는가? 조성기(趙聖基)157)와 임상덕(林象德)158) 무리들이 율곡의 학술에 대해

---

155) 대순(大舜)이……분석하였다 : 인심도심 문제는 『서경(書經)』「대우모(大禹謨)」편에 "인심은 위태하고 도심은 미묘하나니 정밀히 하고 한결같이 하고서야 진실로 그 중(中)을 잡으리라." 말에서 비롯되었다. 이는 순(舜)이 왕위를 우(禹)에게 넘겨주면서 마음을 조심하고 살피라는 뜻에서 한 것이었다. 주자는 이것을 인성론의 주요 주제로 끌어들였다. 그는 마음의 허령지각(虛靈知覺)은 하나뿐인데 인심과 도심으로 분리되는 것은 형기(形氣)의 사사로움에서 생겨나고, 혹은 성명(性命)의 정(正)에 근본함으로써 그 지각하는 것이 다르기 때문이라고 하였다. 인심은 개인적인 감각적 감성으로 선악이 모두 있을 수 있다. 도심은 천리(天理)로서 보편적 공공적 이성으로 승화된 것으로 순선으로 간주되었다. 이에 대해 퇴계는 인심과 도심을 사단칠정(四端七情)과 이기설(理氣說)의 관점에서 설명했다. 인심은 칠정이요, 도심은 사단으로 보았고, 인심은 기에서 발(發)하는 것이요, 도심은 이에서 발한다고 했다. 반면 율곡은 인심과 도심이 비록 이름은 다르나 그 근원은 한 마음이라고 설명했다. 도심은 성명(性命)의 정(正)에서 근원하고, 인심은 형기(形氣)의 사사로움에서 생긴다고 보았다. 퇴계와 율곡의 차이는 인심도심설 뿐 아니라 사단칠정론(四端七情論)과 이발(理發)·기발(氣發) 문제와 어울려 조선성리학의 양대 분파인 주리파(主理派)와 주기파(主氣派)의 커다란 논쟁점이 되었다.

156) 또한……하였다 : 모두 이이가 성혼에게 보낸 편지에서 인심도심(人心道心)에 대해 논하면서 나오는 말들이다.

157) 조성기(趙聖期) : 1638~1689. 본관은 임천(林川), 자 성경(成卿), 호 졸수재(拙修齋)이다. 임영(林泳)·홍세태(洪世泰)·오도일 등과 교유하였으며, 김창협·김창흡(金昌翕) 형제에게 학문적으로 영향을 주었다. 특히 임영과는 백여 통이 넘는 편지를 주고받았다. 이들은 율곡의 학설을 존숭하면서도 이론에서 발견되는 문제점을 비판하였다. 조성기는 도심과 인심을 의리로부터 발동한 것과 형기로부터 발동한 것으로 명확히 구분하였다. 도심은 어린아이가 우물에 빠지는 것을 보면 측은한 마음이 생기는 것처럼 마음속에 있는 '이가 기를 타고 움직이는 것[理勝氣而動]'이다. 반면 인심은

지적한 것은 다소 이같은 기상(氣像)을 함축하고 있으니, 이는 매우 괴이하다.

또 말하였다. "성현의 설 또한 미진한 곳이 있으니, 단지 '태극이 양의(兩儀)를 낳았다.'[159) 말하고, '음양은 본래부터 존재하는 것이지 어느 때에 처음 생겨난 것이 아니다.'는 것을 말하지 않았다."[160) 진실로 이 말과 같다면 부자(夫子)와 주자(周子)[161)는 어찌하여 율곡이 본 것에 이르지 못하였다는 것인가? 이는 매우 괴이하다.

또 말하였다. "이(理)와 기(氣)는 원래 서로 분리될 수 없으나, 합해서 말해서는 안된다."[162) 이것은 이기일물(理氣一物) 설을 다만 문장을 바꾸어 주장한 것일 뿐이다. 이기(理氣)가 일물(一物)인지 이물(二物)인지에 대한 논의가 바로 유교와 불교가 나뉘는 연유이니, 이는 매우 괴이하다.

또한 심성정도(心性靜圖)[163) 중에는 인간에게 이미 엄연히 갖추어져

인간의 몸 즉 기에서 비롯된 것으로 그 작용을 주도하는 주체는 기이지만 리가 없는 것은 아니다. 이것을 '기가 이를 담고 발동한다[氣寓理而發]' 규정하였다. 저서로는 『졸수재집』 등이 있다.

158) 임상덕(林象德) : 1683~1719. 본관은 나주(羅州), 자 윤보(潤甫)·이호(彝好), 호 노촌(老村)이다. 윤증의 문하에서 수학하였으며, 어릴 때부터 가까운 집안인 임영의 학문의 영향을 받았다. 저서로는 『동사회강(東史會綱)』·『노촌집』 등이 있다.

159) 태극이 양의를 낳는다 : 태극은 형이상(形而上)의 이(理)이다. 양의는 형이하의 기, 즉 음과 양을 말한다.(『周易·繫辭上』 참조)

160) 성현의……것이다 : 이것은 이이가 박순(朴淳)에게 보낸 편지에 보인다.(『栗谷全書·答朴和叔』)

161) 부자(夫子)와 주자(周子) : 부자는 공자(孔子)를, 주자는 주돈이(周敦頤, 1017~1073)를 가리킨다. 주돈이는 『주역』에 정통하여, 무극(無極)과 태극(太極), 이기(理氣), 심성명(心性命) 등의 철학적 범주를 만들었다. 그는 도가와 불교의 주요 인식과 개념들을 수용하여 우주의 원리와 인성에 관한 형이상학적인 신유학(新儒學) 이론을 개척하였다. 이것으로 정호(程顥)·정이(程頤) 형제와 주희(朱熹)를 거쳐 정주학파(程朱學派), 즉 성리학(性理學)이라고 불리는 중국 유학의 중심적 흐름을 형성하였다.

162) 이(理)와 기(氣)는……안 된다 : 이 말은 『율곡전서(栗谷全書)』「기대학소주의의(記大學小註疑義)」에 보인다. 여기에는 "理氣元不相離, 非有合也."로 되어 있다. 저본의 "不可言合"은 조성기의 기록에 보인다.(『拙齋集·記聞』) 이 책의 편자는 아마도 조성기의 이 저술은 보고 기록한 것 같다. 이이가 "합함이 있지 않다"고 말한 것은 진순(陳淳)의 『대학』 장구 '명명덕(明明德)' 소주에 대한 반박에서 나왔다. 즉 진순이 "사람은 나면서 천지의 이(理)를 가지고 또 천지의 기(氣)를 가졌는데, 이가 기와 합하니 이렇게 하여 허영(虛靈)한 것이다." 하였다.

있는 인의예지(仁義禮智)의 본성이 나와 있는데, 율곡은 이것을 빼놓고 기록하지 않아서 성(性)이 허공(虛空)과 같아졌으니, 이는 매우 괴이하다.

또 율곡이 휴암(休菴) 백인걸(白仁傑)164)의 상소를 대신 찬술하였는데, 동서당론의 화를 논하면서 말하였다.165) "전하께서 반드시 신료들 사이에 화해를 도모하고 갈등을 진정시키려고 한다면 반드시 사류 중에 식견이 밝고 마음이 공정하여 사람들이 믿고 복종하는 자를 얻어서 그를 끌어들여 심복으로 삼고, 동인과 서인이라는 명목을 타파해야 합니다.……"

얼마 뒤 율곡이 대간이 되어 상소를 올려 심의겸(沈義謙)166)의 단점을 배척하고 김효원(金孝元)167)의 장점을 칭찬하여 지극히 공평하다는 명목을

---

163) 심성정도(心性靜圖) : 이것은 아마도 이황이 지은 『성학십도(聖學十圖)』를 가리키는 것 같다. 이 책의 편찬자는 이이가 지은 『성학집요(聖學輯要)』가 『성학십도』에 있는 내용을 언급하지 않았다고 비판하는 듯하다.

164) 백인걸(白仁傑) : 1497~1579. 본관은 수원(水原), 자 사위(士偉), 호 휴암(休菴)이다. 조광조의 문인이다. 을사사화 당시 윤임·유관 처벌에 반대하다가 투옥되었다. 1547년 양재역 벽서사건으로 유배되었다.

165) 『栗谷全書·代白參贊仁傑疏』.

166) 심의겸(沈義謙) : 1535~1587. 본관은 청송, 자 방숙(方叔), 호 손암(巽菴)·간암(艮菴)·황재(黃齋)이다. 명종의 비인 인순왕후(仁順王后)의 동생이고, 이황 문인이다. 1555년(명종10) 진사시에 합격하고, 1562년 급제하여 청요직에 임명되었다. 1572년 이조참의 등을 지내는 동안 척신 출신이지만 사림들 간에 명망이 높아 선배 사류들에게 촉망을 받았다. 이때 김종직(金宗直) 계통의 신진세력인 김효원(金孝元)이 이조전랑(吏曹銓郎)으로 천거되었는데, 김효원이 일찍이 명종 때 권신이던 윤원형(尹元衡)의 집에 기거한 사실을 들어 권신에게 아부했다는 이유로 이를 반대하였다. 1574년 결국 김효원은 이조전랑에 발탁되었는데, 이번에는 1575년 그의 아우 충겸(忠謙)이 이조전랑에 추천되자, 김효원이 전랑의 직분이 척신의 사유물이 될 수 없다 하여 반대, 두 사람은 대립하기 시작하였다. 이에 구세력은 그를 중심으로 서인(西人), 신진세력은 김효원을 중심으로 동인(東人)이라 하여 사림이 분당하는 사태가 발생하였다. 1584년 이이가 죽자 이발·백유양 등이 일을 꾸며 동인과 합세하여 공박함으로써 파직 당하였다. 그러나 벼슬이 대사헌에 이르렀고, 청양군(靑陽君)에 봉해졌다.

167) 김효원(金孝元) : 1542~1590. 본관은 선산, 자 인백(仁伯), 호 성암(省菴)이다. 조식·이황의 문인이다. 1564년(명종19) 진사가 되고, 1565년 알성문과에 장원으로 급제해 병조좌랑·정언·지평 등을 역임했다. 명종 말 문정왕후(文定王后)가 죽은 뒤 척신계(戚臣系)의 몰락과 더불어 새로이 등용되기 시작한 사림파의 대표적인 인물로, 1572년 이조전랑에 천거되었으나, 척신 윤원형의 문객이었다는 이유로 이조참의 심의겸이 반대하는 바람에 거부당했다. 그러나 1574년 조정기(趙廷機)의 추천으로 결국 이조전랑이 되었다. 1575년 심의겸의 동생 충겸(忠謙)이 이조전랑으로 추천되자, 전랑의 관직은 척신의 사유물이 될 수 없다는 이유로 이를 반대하고 이발을 추천했다.

구하려 하였다. 그리고 말하지 않는 가운데 은근히 자신을 마음이 공정하고 식견이 밝은 사람이라고 스스로 천거하였으니, 이는 매우 괴이하다.

율곡이 붕당을 타파해야 한다는 논의를 하지 않음이 없었으나, 우계에게 보낸 편지를 보면, 서인은 옳고 동인은 틀렸다는 마음으로써 조제(調劑)하여 화평하게 만들려는 논의로 삼았으니, 이는 매우 괴이하고 의심스럽다.

『일월록』에서 말하였다. "세 명의 대간을 쫓아내 귀양 보낸[168] 뒤 이조판서 율곡이 입시하여 주상에게 아뢰기를, '비유컨대 열 명이 도적질을 하다가 세 명이 잡혀 중죄를 받고, 일곱 명은 편안히 사모(紗帽)를 쓰고 공직을 수행하는 것과 같으니 이것은 왕법[王典]에 비추어 보아 편파적인 일입니다.……' 하였다." 이것이 과연 쫓겨난 세 명을 위해 그 죄를 용서해달라고 청한 것이겠는가? 이미 "세 사람만 유독 중죄를 받은 것은 왕법에 비추어 보아 편파적인 일입니다." 한 것은 한쪽 편 사람을 모두 배척하려는 것이고, 도적질에 비유한 것은 결코 사류의 말투가 아니니, 이는 매우 의심스럽다.

율곡이 올린 상소와 차자 및 『동호문답(東湖問答)』[169]에서 자못 임금에게 강요하면서 자신을 자랑하는 의사를 보였으니, 스스로 재주와 지혜를

이러한 일을 계기로 심의겸과의 반목이 심해지면서, 사림은 동인과 서인으로 나누어지게 되었다.

168) 세 명의……귀양보낸 : 1583년(선조16) 동인의 허봉(許篈)·송응개(宋應漑)·박근원(朴謹元) 등이 병조판서 이이를 탄핵하였다. 이들은 이이가 병권을 마음대로 하고 임금을 업신여기며 파당을 만들어 바른 사람을 배척하므로 왕안석과 같은 간신이라고 하였다. 이후 상호간의 비방이 오가다가 마침내 박근원은 평안도 강계로, 송응개와 허봉은 각각 함경도 회령과 갑산으로 귀양갔다. 이 사건을 '계미삼찬(癸未三竄)'이라고 하였다. 그 뒤 이이는 서인을 대부분 등용했고, 유배된 세 사람의 죄목을 풀어주지 않은 채, 다음 해 1월에 급서하였다. 이로써 동인과 서인의 대립은 더욱 격화되는 결과를 초래하였다.

169) 동호문답(東湖問答) : 1569년(선조2) 이이가 왕도정치에 대한 경륜을 주객의 문답체로 서술해 선조에게 올린 글이다. '논군도(論君道)·논신도(論臣道)·논군신상득지난(論君臣相得之難)·논동방도학불행(論東方道學不行)·논아조고도불복(論我朝古道不復)·논당금지세(論當今之勢)·논무실위수기지요(論務實爲修己之要)·논변간위용현지요(論辯姦爲用賢之要)·논안민지술(論安民之術)·논교인지술(論敎人之術)·논정명위치도지본(論正名爲治道之本)' 등의 11편으로 되어 있다.

믿고 한 번 시행해 보는 데에 급급해서 그런 것이 아닌가? 이는 매우 괴이하다.

『석담일기(石潭日記)』[170]에서 말하기를, "이황은 스스로 자신의 재주와 지혜로는 큰일을 감당하지 못할 것이라 생각하였다." 하였다. 이렇게 퇴계를 얕잡아보고 스스로 허여하는 바는 경제(經濟)[171]를 자기의 책임으로 삼았다. 이는 퇴계를 모를 뿐만 아니라 또한 당시 세상과 자신의 재주·덕행을 헤아리지 못한 것이다.

퇴계가 고봉(高峯) 기대승(奇大升)[172]에게 보낸 편지에서 대략 말하였다. "학문이 지극하지도 못하면서 자처하는 것이 너무 높고, 시의(時宜)도 헤아리지 못하면서 경세(經世)에 용감하니, 이것은 낭패를 초래하는 길이다."

또 말하였다. "배운 것을 실제로 터득하지도 못하였는데 다른 사람이 자신을 대우하는 것은 이미 놀랄 만하니, 성인의 지위로 추대하지는 않으면서 성현의 사업으로 책임지웁니다. 그런데도 만약 두려워할 줄 모르고 그것을 받아서 자처한다면 그 이름과 실상이 부합하지 않는 처지에서 문식(文飾)하고 가려서 자기를 속이고 다른 사람을 속임을 면치 못하는 것이 필연적인 사세입니다. 그 끝의 실패가 어찌 이상하다 하겠습니까?"

지극하도다 그 말이여! 이는 고봉을 위해서 한 말이 아니었다. 율곡의 일에 대해서 마치 촛불로 비추듯, 거북으로 점치듯 명확하였다. 율곡이 몸소 경험한 뒤에도 퇴옹을 얕잡아볼 수 없다는 것을 알지 못했단 말인가? 또한 스스로 경세에 용감했던 것에 대해 후회하였겠는가, 하지 않았겠는

---

170) 석담일기(石潭日記) : 이이가 1565년(명종20)에서부터 1581년(선조14)까지 조정의 시정을 기록한 일기이다. 이 시기 정치적 사건에 대한 율곡의 견해가 잘 드러나 있다.

171) 경제(經濟) : 경국제세(經國濟世). 나라를 경영하고 세상을 구제하다.

172) 기대승(奇大升) : 1527~1572. 본관은 행주(幸州), 자 명언(明彦), 호 고봉(高峰)·존재(存齋)이다. 이황의 문인이다. 병조좌랑·이조정랑·대사성 등을 역임하였다. 이황과 8년에 걸쳐 사단칠정(四端七情)에 관해 논쟁하였다. 이황의 이기이원론(理氣二元論)에 반대하며, 주정설(主情說)을 주장하였다.

가?

　설령 율곡의 재주와 덕이 진정으로 능히 삼대의 다스림을 도주(陶鑄)[173)]
할 수 있어서 세 신하가 율곡을 논척한 것이 곧 아첨하는 소인으로 귀결되는
것을 면치 못한다고 하더라도, 그 시세의 어렵고 쉬움을 알지 못한 채
모두 억지로 요구하여 시도하다가 한 번 패하여 땅에 떨어져서 세도가
궤멸되어도 수습할 수 없게 만든 것은 누구의 잘못인가?

　또 하물며 그 계책과 행동거지[擧措]가 인심을 흡족하게 복종시키지
못하면서 또 어찌 오로지 세 신하의 시샘으로 돌리려 하는가? 선하도다!
택당(澤堂) 이식(李植)[174)]이 한 말이여. "퇴계는 지난 전철을 깊이 경계하며
한결같이 겸손하여 세간의 의논이 더할 바가 없었고, 유풍(儒風)이 변치
않아 국가가 의지할 수 있었다." 이것은 진정으로 퇴계를 알고 한 말이다.

　율곡이 퇴계의 학문을 문장을 통해서 도를 깨달은 것으로 간주하였으니,
이는 바로 한문공(韓文公)에 비견[175)]할 뿐이었다. 이 뿐만 아니라, 삼층설[三
層之說][176)]을 지어 조롱하고 모욕하기를[177)] 이르지 않는 곳이 없었다.

---

173) 도주(陶鑄) : 도공(陶工)처럼 만물을 빚어내는 조화의 솜씨라는 말이다.『장자』소요
　　유(逍遙遊)에 "그분은 먼지와 때 그리고 쭉정이와 겨 같은 것을 가지고도 도공처럼
　　요순을 빚어낼 수 있는 분인데, 무엇 때문에 외물을 일삼으려고 하겠는가.[是其塵垢粃
　　糠, 將猶陶鑄堯舜者也, 孰肯以物爲事.]" 하였다.

174) 이식(李植) : 1584~1647. 본관은 덕수, 자 여고(汝固), 호 택당·남궁외사(南宮外史)이다.
　　이조판서 등을 역임하였다. 문장이 뛰어나 신흠(申欽)·이정구(李廷龜)·장유(張維)와
　　함께 한문 사대가로 꼽혔으며 그의 문하에서 많은 문인과 학자가 배출됐다.

175) 한문공(韓文公)에 비견 : 당송팔대가(唐宋八大家)의 한 사람인 한유(韓愈, 768~824)가
　　도학 보다는 문장에 전념한 사례를 표현할 때 사용하였다. 여기서는 퇴계의 학문을
　　깎아내리는 율곡의 언설로 제시되었다.

176) 삼층설[三層之說] : 율곡은 우계에게 보낸 편지에서 사람의 보는 바에는 세 층이
　　있다고 하였다. 성현의 글을 읽어서 그 명목을 아는 것이 한 층이고, 그 명목의
　　이치를 깨닫고 그 성현의 말이 과연 나를 속이지 않음을 아는 것이 또 한 층이라고
　　하였다. 마지막 최하의 층은 남의 말만 듣고 좇는 자로 규정하였다.(『栗谷全書·答成浩
　　原』)

177) 모욕하기를 : 율곡은 퇴계에 대해서 삼층설 가운데 두 번째에 해당한다고 보았다.
　　즉 주자를 치밀히 공부하여 주자의 뜻에 부합되었지만 통달한 지경에는 이르지
　　못하여 제대로 파악하지 못하거나 틀린 점이 있다고 평가하였다. 특별히 "이기가
　　서로 발하고 이가 발하여 기가 따른다.[理氣互發, 理發氣隨之說.]"는 설을 큰 문제로
　　지적하였다.(『栗谷全書·答成浩原』)

그 의도는 매번 퇴계를 눌러서 스스로 높이려는 것이니, 이는 매우 괴이하고 가소롭다.

동고(東皐)[178] 이상국(李相國)은 우리나라의 한위공(韓魏公)[179]이었다. 세상을 떠날 때 유소(遺疏)를 올려 말하기를, "조정 신하들 사이에 장차 붕당의 조짐이 있습니다." 하였다. 선조가 깜짝 놀라서 신하들에게 묻자, 율곡이 상소하여 지극히 비방하여 말하기를, "이준경(李浚慶)은 머리를 감추고 형체를 숨긴 채 귀신처럼 이야기하고 물여우처럼 말하였습니다." 하였다. 또 말하기를, "이준경의 말은 시기하고 질투하는 효시가 되고 숨어있는 도적들의 깃발이 될 것입니다." 하였다. 또 말하기를, "옛사람은 장차 죽으려 할 때 하는 말이 착하였는데, 요즘 사람은 장차 죽으려 할 때 하는 말이 악독합니다." 하였다. 그 죄를 성토한 것이 거의 더할 것이 없었다. 그러나 동고가 죽은 지 몇 년이 안 되어 조정의 논의가 무너지고 쪼개져서 그 화가 하늘을 뒤덮어 오늘에 이르러 극에 달하였으니, 그 선견지명은 한때 여러 공들이 미칠 수 있는 것이 아니었다.

동고가 일찍이 휴암 백인걸에게 말하기를, "너의 이이가 어찌 그렇게 말을 경솔히 하는가?" 하였다. -『석담일기』-

또 어느날 이른 아침, 동고와 여러 공들이 여름에 거처하는 청사[涼廳]에 나아갔는데, 율곡이 구장(舊章)을 바꾸지 않을 수 없다고 크게 말하였다.[180] 동고가 응대하지 않다가 천천히 말하기를, "그렇다면 후조선(後朝鮮)[181]이

---

178) 동고(東皐) : 이준경(李浚慶, 1499~1572)의 호이다. 본관은 광주(廣州), 자 원길(原吉), 호 남당(南堂)·홍련거사(紅蓮居士)·연방노인(蓮坊老人)이다. 판중추부사 세좌(世佐)의 손자로서, 좌의정·영의정 등을 역임하였다.

179) 한위공(韓魏公) : 송나라 한기(韓琦, 1008~1075)를 가리킨다. 자는 치규(稚圭), 호 공수(贛叟)이다. 범중엄(范仲淹)과 함께 오랫동안 병사의 일을 맡아 명성이 높아 '한범(韓范)'으로 불렸다.

180) 율곡이……말하였다 : 이이가 당시의 현실과 괴리된 각종 제도의 개혁을 주장한 일을 가리킨다.

181) 후조선(後朝鮮) : 본래 기자(箕子)가 세운 조선을 가리킨다. 단군(檀君)이 세운 조선을

될 것이다." 하니, 율곡이 기뻐하지 않았다고 한다. -『기언(記言)』-

　이것으로 보건대, 율곡이 동고를 좋아하지 않았다는 것을 알 수 있다. 그렇지만 어찌 알아주지 않았기 때문에 이렇게 있는 힘을 다해 꾸짖고 배척하는 것인가? 이는 매우 괴이하다.

　율곡이 사계에게 말하기를, "동고가 그 육촌 동생[再從弟] 원경(元慶)으로 하여금 정창서(鄭昌瑞)182)와 왕래하여 사림에 대한 화를 다시금 일으키려 했으나 이루지 못하였다."183) 하였다. 정창서는 선조의 외삼촌[內舅]이었다. 과연 그 말대로라면, 동고가 한 짓이 남곤과 심정(沈貞)184), 이기(李芑)185), 윤원형과 무엇이 다르겠는가? 그러나 후세에 어진 정승이라고 칭찬해도 다른 말이 없었던 것은 어째서인가? 예로부터 또한 언근(言根)과 출처를 낱낱이 열거하여 다른 사람으로부터 신의를 얻는 군자가 있었는가? 이는 매우 괴이하다. - 언근을 낱낱이 열거한 것은 사계가 한 일이다. -

　선조대 나이 많은186) 여러 신하들은 기묘년의 일187)로 깊이 상처받아서

―――――――――

　　전조선(前朝鮮)이라 불렀다. 여기서는 율곡이 주장하는 제도 개혁이 실현되면 이성계가 세운 조선과 다른 나라가 될 것이라고 말하며 반대하는 말이다.
182) 정창서(鄭昌瑞) : 본관은 하동(河東)이다. 정세호(鄭世虎, 1486~1563)의 아들, 선조의 외삼촌이다.
183) 원경……못하였다 :『선조수정실록』4년 7월 1일 기사에 따르면 당시 이원경이 자신이 실직된 것에 불만을 품고 조정에 일이 벌어지기를 깊이 바라고 있었다. 한편 주상의 외삼촌 정창세(鄭昌世) 또한 권세를 잡고자 서로 비밀히 모의하여 박순·이후백(李後白)·오건(吳健) 등 10여 인을 공격하려 하였다.
184) 심정(沈貞) : 1471~1531. 본관은 풍산(豊山), 자 정지(貞之), 호 소요정(逍遙亭)이다. 중종반정에 가담하여 정국공신 3등에 녹훈되고 화천군(花川君)에 책봉되었다. 1518년(중종13) 조광조 등의 사류(士類)에 의해 소인으로 지목되고, 이조판서 안당(安瑭)의 거부로 형조판서에 임명되지 못하였다. 1519년 위훈삭제(僞勳削除)를 빌미로 경빈 박씨(敬嬪朴氏), 남곤(南袞), 홍경주(洪景舟) 등과 모의하여 기묘사화를 일으켜 조광조 일파를 몰아냈다. 1527년 권력을 장악하고 김안로(金安老)를 귀양보내기까지 하였다. 그러나 김근사(金謹思) 등의 탄핵을 받아 귀양갔다가 신묘삼간(辛卯三奸)으로 지목되어 사사(賜死)되었다.
185) 이기(李芑) : 1476~1552. 본관은 덕수(德水), 자 문중(文仲), 호 경재(敬齋)이다. 명종이 즉위해 문정왕후(文定王后)가 수렴청정 하자 윤원형과 손잡고 을사사화를 일으켰다. 이때 윤임·유관 등을 제거하고, 영의정까지 현달하였다.
186) 나이 많은 : 원문은 "耆舊"이다. 기구는 늙은이인 기로(耆老)와 옛 신하인 구신(舊臣)을

어지럽게 경장(更張)을 주장하는 말을 억누르고, 반드시 옛 전장(典章)을 삼가 지키려 하였는데, 율곡은 이들 모두를 유속(流俗)으로 지목하였다. 예전에 왕안석이 한위공을 배척하며 말하기를, "폐하께서 하는 일이 한 번이라도 유속과 합치되면 천하의 형세가 유속으로 돌아설 것입니다." 하였다. 이는 진실로 구신(舊臣)을 이간시키기에 좋은 제목인데, 마치 한 사람의 손에서 나온 것 같았으니, 이는 매우 괴이하다.

퇴계가 회재의 학문에 대해 논평하기를, "정예(精詣)한 견해와 홀로 체득한 묘미는 우리 동방에서 그 짝을 찾기 힘들다." 하였다. 그러나 율곡은 애써 꾸짖고 교묘하게 지적하며 심지어 도학으로 추앙할 수 없다고까지 말하였으니, 경솔하게 선배를 논해서는 안 된다는 가르침과는 다르다. 이는 매우 괴이하다.

『석담일기』를 살펴보면 그 붓 아래 온전한 사람이 없어서, 비록 회재·퇴계와 같은 대현일지라도 오히려 시비를 따져 폄하되는 것을 면치 못하였다. 오직 깊이 허여한 자는 정여립, 정인홍, 이산해, 정철 등 몇몇 사람들이었고, 학봉(鶴峯) 김성일(金誠一)[188]의 경우 괴귀(怪鬼)라고 배척한 것처럼 오로지 자기와 다른 사람은 미워하고 자기와 같은 사람은 좋아하였다. 이것은 성(誠)을 밝히고 마음을 바르게 하는 학문에 이르지 못한 바가 있어서인가? 이는 매우 괴이하다.

임영(林泳)[189] 공이 박세채(朴世采)[190] 공에게 보낸 편지를 보면, 이른바

합쳐 부르는 말이다. 곧 원로(元老)의 노성(老成)한 사람, 혹은 신하를 뜻한다.

187) 기묘년의 일 : 기묘사화(己卯士禍, 1519)를 가리킨다. 조광조를 위시한 다수의 신진 사림들이 훈구파에 의해 제거되었다.

188) 김성일(金誠一) : 1538~1593. 본관은 의성(義城), 자 사순(士純), 호 학봉(鶴峰)이다. 이황의 문인이다. 동인에 가담하여 정여립 옥사 때 옥사한 최영경의 신원을 위해 정철을 규탄하였다. 류성룡·김우옹(金宇顒) 등과 입장을 같이하여 남인이 되었다.

189) 임영(林泳) : 1649~1696. 본관은 나주(羅州), 자 덕함(德涵), 호 창계(滄溪)이다. 이단상(李端相)·박세채(朴世采)의 문인으로, 송시열과 송준길에게도 사사한 기호학파(畿湖學派) 학자였다. 그는 이기(理氣) 성정(性情)은 일물(一物)이고 이기(理氣)는 양발(兩發)한다고 주장하였다. 즉 존재론적으로는 이기일물설(理氣一物說)을 주장한 율곡의 학설을 수용하면서 용사(用使)와 발용(發用)은 퇴계의 이기호발설(理氣互發說)의 입장을 추구했다.

"율곡 별집"191) 가운데 어떤 사람과 문답한 편지에서 이치를 해치고 의리를 어긴 곳을 산삭하여 개정하고 첨가하여 보충하지 않은 것이 없어서 완성된 문자는 그 본의를 완전히 변화시킨 것을 지금 하나하나 모두 기록하기 어렵다. 그 중에서도 "태극은 유행하지 않는다."거나, "이기(理氣) 는 한 물건이다." 한 것은 율곡 학술의 핵심이 담겨 있고, 본집(本集)의 사단 칠정(四端七情)192)을 논한 편지 가운데서 이미 말한 것인데, 지금은 별도로 다른 사람에게 보낸 편지로 개작하여 "율곡 별집"이라고 말하면서 현란하게 과시하는 근거로 삼았으니, 이는 매우 괴이하다.

 임영의 문집에서 율곡이 입산(入山)한 일에 대해 다음과 같이 논하였 다.193) "변고에 잘 대처했다거나, 권도에 능했다고 한다면 불가하다. 다만 그 성심으로 슬퍼하고, 감동하여 깨달았다는 의미에 가까우니, 백세 를 두고 질정하더라도 또한 '허물을 보면 그 인(仁)을 알 수 있다.'194) 할 수 있다. 선(禪)을 배운 일 역시 인애에서 나와서 절실하고 지극한데

---

190) 박세채(朴世采) : 1631~1695. 본관은 반남(潘南), 자 화숙(和叔), 호 현석(玄石)·남계(南溪)이다. 동량(東亮)의 손자로서, 좌의정 등을 역임하였다. 송시열·송준길 등과 교유하였으며, 노론과 소론으로 분립되자 윤증·최석정·남구만 등과 소론의 영수가 되었다. 환국이 반복되는 숙종대 정국에서 그 수습책으로서 탕평론(蕩平論)을 적극 개진하였다.
191) 율곡 별집 : 율곡 이이의 문집에는 원집(原集) 외에도 속집(續集), 외집(外集), 별집(別集) 등이 있다. 그 가운데 별집은 박세채가 편찬한 것인데, 저자의 저작을 모은 것이 아니고,『이정전서(二程全書)』의 체제를 모방하여 저자의 제자들이 작성한 어록(語錄) 및 여러 문헌에서 저자 관련 기록을 수집하여 편찬한 것이다. 특히 별집은 편찬 당시 이미 논란이 있었는데, 송시열은 지극히 부정적으로 본 것에 반해 윤증은 대단한 역작이라고 평가하여 노론과 소론이 입장 차이를 드러냈다. 본 자료에서는 별집에 대한 남인의 시각을 보여준다는 점이 주목된다.
192) 사단 칠정(四端七情) : 사단은 측은히 여기는 마음[惻隱之心], 잘못을 부끄러워하고 불의를 미워하는 마음[羞惡之心], 사양하는 마음[辭讓之心], 옳고 그름을 분별하는 마음[是非之心]으로 인간의 착한 본성이다. 칠정은 희(喜)·노(怒)·애(哀)·구(懼)·애(愛)·오(惡)·욕(欲)으로, 인간의 감정을 통틀어 일컫는다.
193)『滄溪集·栗谷別集疑義上朴玄江』.
194) 허물을······알 수 있다 : 공자가 "사람의 잘못은 각자 자신이 속한 무리를 따르니, 그 잘못을 보면 인함을 알 수 있다.[仁之過也, 各於其黨, 觀過, 斯知仁.]" 하였다.(『論語·里仁篇』)

이른 것이다." 이것은 부자 사이에 매우 난처한 일이 생겨서 어쩔 수 없이 산에 들어가[195] 그 아비가 감동하여 깨닫기를 바랐다고 말한 것이다.

옛날 효자는 부모에 대해서 그 옳지 못한 것에 개의치 않고, 허물이 있으면 울부짖다가 그대로 따른 사람은 있어도 그 자애로움을 끊고 입산하여 승려가 되었다는 말은 듣지 못하였다. 혹은 "성심껏 슬퍼하는 데서 나왔다." 하거나, 혹은 "인애에서 나와서 절실하고 지극한데 이른 것이다." 하면서 입산한 일의 옳고 그름에 대해서는 논하지 않았으니, 과연 본래의 일과 조금이라도 비슷한 점이 있는가? 이는 매우 괴이하다.

살펴보건대, 윤공이 우계가 달려가 안부를 묻지 않은 것을 본래 정해진 의리라고 하였는데, 지금 윤공은 율곡이 입산하여 승려가 된 것을 "허물을 보면 그 인을 알 수 있다." 하였다. 옛날 성인은 인하면서도 그 부모를 버린 일은 없었으며, 의로우면서도 그 임금을 배신한 적이 없어서 후세에 교훈을 남겼다. 그런데 오늘의 군자는 부모를 버리고 임금을 배신한 것으로써 후세에 교훈으로 삼았으니, 저들이 말하는 의리라는 것이 대개 이와 같았다.

『운암잡록(雲岩雜錄)』[196]에서 말하였다. "이숙헌(李叔獻)은 어려서 어머니를 여의었는데, 아버지 원수(元秀)가 그를 대하는 것이 좋지 못하자, 이이가 화를 내며 집을 떠나 산으로 들어가 승려가 되어 의암(義庵)이라 이름하고, 풍악산(楓岳山)·오대산(五臺山) 등 여러 산을 유람하였다. 성품이 총명하고 민첩하며 시를 잘 지었는데, '전생에서는 분명 김시습(金時習)[197]

---

195) 부자……들어가 : 『족징록(足徵錄)』에 따르면 율곡은 서모(庶母)와 화목하지 못하여 부형과 서모 앞으로 3통의 편지를 써 놓고 외조모가 계신 강릉으로 떠났다. 이때 풍악산(楓嶽山)에서 승려를 만나고, 그와 함께 풍악산에 가게 되었다는 것이다.

196) 운암잡록(雲巖雜錄) : 류성룡의 저술이다. '붕당·기정릉사(記靖陵事)·기기축옥(記己丑獄)·잡기·기건저사(記建儲事)·기염철사(記鹽鐵事)·기이상대조남명사(記李相待southern 南冥事)' 등으로 이루어졌다.

197) 김시습(金時習) : 1435~1493. 본관은 강릉(江陵), 자 열경(悅卿), 호 매월당(梅月堂)·동봉(東峰)·청한자(淸寒子)·벽산(碧山)이다. 수양대군의 왕위찬탈 소식을 듣고, 머리를 깎고 전국을 유랑하였다. 생육신(生六臣) 중 한명이다. 최초의 한문소설 「금오신화(金

이었는데, 이 세상에선 도로 가낭선(賈浪仙)[198]이 되었구나.' 시구가 있다.
　20세가 넘어서 머리를 기르고 집에 돌아와서 사류들 가운데에 유명해졌
다. 갑자년(1564, 명종19)에 생원과에 장원으로 합격하고 문묘에 가서
배알하고자 하니, 성균관 유생들이 이이가 일찍이 승려가 되었다고 하며
거절하며 받아들이지 않았다. 이이는 함께 급제한 사람들과 벽송정(碧松
亭)[199]에 앉아서 해가 저물도록 들어가지 못하였으나, 담소를 나누며
태연자약하여 부끄러워하는 기색이 없었다. 성균관 박사 권문해(權文
海)[200]가 억지로 여러 유생들에게 힘을 써서 풀어주게 하여 마침내 들어가
배알의 예를 거행하고 나왔다." - 서애도 같은 해 생원시에 합격하였다. -

　살펴보건대, 김시습이 나오는 시구는 허균(許筠)[201]의『국조시산(國朝詩
刪)』[202]에 실려 있었는데, 율곡의 무리들은 "허균이 거짓으로 지은 것이
다." 여겨 그 목판을 헐어버렸다. 근래 들어 박태순(朴泰淳)[203]이 광주(廣州)
에서 중간(重刊)하였는데, 대간의 논계가 거세게 일어나서 박태순의 관직을

鰲新話)』를 남겼다.

198) 가낭선(賈浪仙) : 낭선은 당나라 시인 가도(賈島, 779~843)의 자이다. 스님이었다가
　　환속해서 장강주부(長江主簿) 등을 역임하였다.

199) 벽송정(碧松亭) : 성균관 명륜당(明倫堂) 북쪽 북악산 기슭에 위치한 정자이다.

200) 권문해(權文海) : 1534~1591. 본관은 예천(醴泉), 자 호원(灝元), 호 초간(草澗)이다.
　　이황의 문인으로 류성룡·김성일 등과 교유하였다. 저서로는『대동운부군옥(大東韻
　　府群玉)』이 있다.

201) 허균(許筠) : 1569~1618. 본관은 양천(陽川), 자 단보(端甫), 호 교산(蛟山)·학산(鶴山)
　　등이다. 엽(曄)의 아들이다. 성(筬), 봉(篈), 난설헌(蘭雪軒)과 형제이다. 선조대 처신
　　문제로 수차례 탄핵을 받았다. 1613년(광해군5) 계축옥사로 서류출신 서양갑 등이
　　처형당하자 대북(大北)에 참여했다. 1617년 폐모론을 주장하였고, 이듬해 일어난
　　격문 사건에 연루되어 처형되었다.

202) 국조시산(國朝詩刪) : 허균(許筠)이 엮은 시선집(詩選集)이다. 정도전(鄭道傳)에서부터
　　권필(權韠)에 이르는 35가(家)의 시 877수를 수록하고 있다. 이 책은 오랫동안 발간되지
　　못하다가 숙종 때 광주부윤(廣州府尹)이던 박태순이 다시 편집하여 간행하였다.
　　박태순의 서문에는 숙종 21년(1695)의 간기(刊記)가 있다.

203) 박태순(朴泰淳) : 1653~1704. 본관은 반남(潘南), 자 여후(汝厚), 호 동계(東溪)이다.
　　1699년 전라도 관찰사로 재직 중 허균의 문집을 간행하였다가 탄핵을 받고 장단부사
　　(長湍府使)로 좌천된 일이 있었다.

깎아버리고 또 그 목판을 헐어버리라고 청하기까지 하였다.204) 박태순은
곧 시배였지만 이로 인해 불우하게 지내게 되었다고 한다. 지금『운암록』
에 실려 있으니 허균의 위작이 아님을 알 수 있다.

대간(大諫) 송응개(宋應漑)205)가 아뢰었다. "이이는 장삼을 입고 머리를
깎은 일개 승려로서 임금과 어버이의 관계를 끊어버려 인륜에 죄를 얻었습
니다. 모습을 바꾸어 환속(還俗)한 뒤에는 권문(權門, 심의겸)의 보살핌을
받았지만 한 시대의 청류(淸流)가 그를 용서하지 않았습니다. 처음에 상사
(上舍)로 선발되어 알성(謁聖)할 때에 성균관의 많은 선비들이 함께 자리하
는 것을 부끄러워하여 그가 문묘에 가서 배알하는 것을 허락하지 않았습니
다. 그런데 심통원(沈通源)206)이 그의 아들 화(鏵)를 보내어 앞뒤로 분주히
다니면서 설득하여 겨우 거행할 수 있었습니다. 벼슬에 오른 뒤 심의겸의
천거를 받아 청현직(淸顯職)에 진출할 수 있게 되자 그의 심복이 되었습니
다.……"

백사가 찬술한 율곡 비명에서 말하였다. "18세 때에는 구도(求道)할
뜻이 있어 산사(山寺)에 발을 디뎠는데, 우연히 석씨(釋氏)의 글을 펼쳐
보다가 생사(生死)에 관한 설에 감화를 받았다. 또 이른바 돈오법(頓悟法)207)
을 듣고는 이내 말하기를, '큰길이 숫돌처럼 평평하니, 어쩌면 그렇게

---

204) 근래 들어……하였다 : 1700년(숙종26) 3월 16일 전라도 유학(幼學) 오언석(吳言錫)이
    상소하여 율곡의 위작시(僞作詩)를 수록한 허균의『국조시산』판본과 책을 불태울
    것을 건의하면서, 박태순에게 죄를 줄 것을 청하였다.(『承政院日記』肅宗 26年 2月
    27日) 이에 숙종이 예조로 하여금 품처하도록 하자 예조에서 상소문 내용을 수용하라
    고 아뢰었다.
205) 송응개(宋應漑) : 1536~1588. 본관은 은진, 자 공부(公溥)이다. 대사간 등을 역임하였
    다. 동인으로서 박근원·허봉 등과 함께 이이를 탄핵하다가 유배되었다.
206) 심통원(沈通源) : 1499~?. 본관은 청송(靑松), 자 사용(士容), 호 욱재(勗齋)이다. 영의정
    심연원(沈連源)의 동생이므로, 그 손자인 심의겸에게는 재종조가 된다. 우의정 등을
    역임하였다.
207) 돈오법(頓悟法) : 단번에 자신이 지니고 있는 불성(佛性)을 깨달음을 일컫는다. 동진
    (東晉)의 승려 도생(道生)의 돈오성불론(頓悟成佛論)에서 유래되었다. 이후 혜능(慧能)
    에 이르러 선종(禪宗)의 핵심 이론이 되었다.

신속할 수 있을까?' 하였다. 19세에 출가하여 금강산에 들어가서 계정(戒定)208)을 견고히 닦았다.……"

살펴보건대, 백사는 반드시 문도가 찬술한 행장을 근거로 이와 같이 서술하였을 것이다. 지금 그 문도들이 애초 머리를 깎은 일이 없다고 하는데, 만약 머리를 깎지 않았는데 출가하였다고 말하였다면 이는 문도들이 스승을 무함한 것이 될 뿐이다.

사계가 율곡에게 묻기를, "선생이 풍악산(楓岳山)에 계실 때에 일찍이 형상이 변하지209) 않았습니까?" 하자, 율곡이 웃으며 말했다. "이미 산에 들어갔으니 비록 형상이 변하지 않았다 하더라도 그 마음이 이미 빠져버렸는데 무슨 보탬이 되겠는가? 이런 일은 마땅히 묻지 말아야 할 것이다."

윤증이 편지에서 이르기를, "율곡은 진실로 입산한 잘못이 있었다." 하였다.

송시열이 <석천(石川) 임억령(林億齡)210)이 지은 '추천(秋天)' 시 뒤에 쓰다>라는 글을 지었는데, 다음과 같이 말하였다.211) "……율곡이 입산한 것은 바로 갑인년(1554, 명종9)에 있었고, 석천이 강원도 관찰사[東伯]에 임명된 것도 또한 그 해였다. 그가 지은 '추천' 시에서 말하기를, '이 생원[李生]과 함께……' 하였으니, 율곡이 초봄에 금강산에 들어갔다가 그해 가을에 석천과 함께 '추천'을 지었다면, 그 사이 세월이 꼭 반년이 되어, '반년을 머물렀다.'는 시의 구절과 맞아떨어지는데 어느 겨를에 머리를 길러 산에서 나왔다는 것인가? 그 형상이 변하지 않았다는 것은 단지 이것만을 가지고 증명해도 - 이는 윤증의 편지를 논변한 것이다. - 전혀 괴이할 것이 없다. 그런데 오늘날 말하는 자가 반드시 그 머리 깎은

---

208) 계정(戒定) : 불교의 심신 수양법의 하나이다. 몸을 절제하는 것을 계, 마음을 고요히 하는 것을 정이라 한다.

209) 형상이 변하지 : 원문은 "變形"이다. 머리를 깎고 승려가 되었다는 것이다.

210) 임억령(林億齡) : 1496~1568. 본관은 선산(善山), 자 대수(大樹), 호 석천(石川)이다. 강원도 관찰사·담양부사 등을 역임하였다.

211) 『宋子大全·書林石川詠秋天詩後』.

일을 입증하여 사실로 만들려고 하니, 도대체 무슨 심사란 말인가? 참으로 통탄스럽다."

『한구잡록(寒臞雜錄)』에서 말하였다. "심의겸이 일찍이 산에 놀러갔다가 산사(山寺)에서 율곡을 만나서 함께 대화를 나누었다. 그 문재(文才)를 아껴서 환속하여 머리에 관을 쓰기를 권하니, 율곡이 말하기를, '제가 부모를 뵐 면목이 없습니다. 제 어머니의 집이 강릉이니 강릉으로 가고자 합니다.' 하였다. 심의겸이 곧 그를 위해 곧 행장을 갖추어 강릉으로 보내주고, 의관을 갖추고 조정에 나가게 하여, 병아리를 품에 키우듯 공들여 키웠다."

살펴보건대, 서애 류성룡과 대간 송응개 및 성균관의 여러 유생들은 모두 소과(小科)에 같이 합격한 사람으로서, 눈으로 보고 귀로 들은 일이었기 때문에 그 말이 저와 같았던 것이지, 어찌 모두 율곡을 미워하여 그러하였겠는가? 만약 형상이 변하지 않고 반년만 머물렀다가 돌아왔다면 이는 산을 유람하는 객으로서 독서하는 서생(書生)일 뿐인데 성균관 유생들이 어찌하여 문묘에 배알하는 것을 허락하지 않았겠으며, 백사가 어찌 차마 출가한 일을 비문에다가 썼겠는가? 만약 형상이 변하지 않았는데, 출가했다고 말했다면 이는 백사가 율곡을 무고한 것일 뿐이다. 대간 송응개가 논계(論啓)한 것으로부터 을해년(1635, 인조13) 종사(從祀) 관련 상소가 나오기까지 이후 공격하여 배척하는 자들은 반드시 이 일을 거론하며 율곡의 큰 허물로 삼았지만[212] 그 문도들은 형상이 변하지 않았다는 것을 감히 드러내놓고 말하지 못하였다. 근래 송시열의 무리들이 비로소 입산한 일을 어진 사람의 허물이라고 하면서도 또한 형상을 바꾼 일은 없다고 하였다. 일단 형상을 바꿨는지의 여부에 대해서 논하지 않더라도 입산 당시 아버지에게 고(告)하고 간 것인가, 아니면 고하지 않고 떠난

212) 을해년……삼았지만 : 이이를 문묘에 배향하자는 의논은 인조반정(仁祖反正) 다음해인 1624년(인조2)에 서인이 주도한 조정에서 처음으로 건의되었고, 1635년에는 송시형(宋時瑩) 등의 유생들이 성혼과 아울러 양현(兩賢)의 종사를 상소하였다.

것인가? 인간의 상정(常情)으로 생각해 볼 때 허락할 이치가 없을 듯한데, 그렇다면 어찌 "도망쳤다[逃]"는 한 글자를 면할 수 있겠는가?

율곡의 시에 "내가 두목(杜牧)²¹³)이 그 나이에 그랬던 것처럼, 꽃을 보고도 꽃이 안 핀 가지를 편애하였네.²¹⁴) 정녕 그대는 꽃과 한 약속을 기억하여, 봄나들이 너무 늦은 것을 한스러워 말게나." 하였는데, "희증송계(戱贈松溪)"라는 제목을 붙였다. 그에게 측실 소녀가 있었는데, 자못 자태가 고와서 놀이 삼아 지은 것이었다. - 경신년(1560, 명종15) -

율곡이 이기설에 대해 말하면서, "비록 수많은 사람들의 웅변으로도 끝내 내 견해를 변하게 할 수는 없을 것이다." 하였다. 의리는 무궁하기 때문에 비록 공자와 같은 대성(大聖)일지라도 또한 이르기를, "세 명의 사람이 가면 그 중에 반드시 스승이 있다."²¹⁵) 하였다. 율곡이 터득한 것이 이미 어떤 경지에 이르렀는지 알 수 없지만, 자신을 믿고 다른 사람을 거부하는 것이 이와 같이 확고하단 말인가? 만약 그로 하여금 나라의 권력을 오랫동안 잡게 했다면 강도 있게 제 마음대로 하려는 병이 없었겠는가? 이는 매우 괴이하다.

회은(晦隱) 남학명(南鶴鳴)²¹⁶)이 부친 정승 약천(藥泉)²¹⁷) 공의 말을 다음과

---

213) 두목(杜牧) : 803~852. 당나라 문인으로, 자는 목지(牧之), 호 번천(樊川)이다. 작풍이 두보(杜甫)와 비슷해서 '소두(小杜)'라고 불렸다.

214) 내가……편애하였네 : 두목이 일찍이 사모했던 소녀가 세월이 지나 다른 사람과 결혼하여 자녀를 둔 것을 보고 지은 '탄화(歎花)'라는 시에서 나오는 구절이다. "꽃을 너무 늦게 찾아온 것이 한스러워, 그때에는 꽃봉오리 피어나지도 않았는데, 지금은 바람에 날려 꽃잎도 다 흩어진 채, 푸른 잎새 그늘 이루고 가지엔 열매만 가득하네.[自恨尋芳到已遲, 往年曾見未開時, 如今風擺花狼藉, 綠葉成陰子滿枝.]" (『唐詩紀事·杜牧』)

215) 세 명의……있다 : 『논어』 「술이(述而)」에 보인다.

216) 남학명(南鶴鳴) : 1654~1722. 본관은 의령, 자 자문(子聞), 호 회은(晦隱)이다. 구만(九萬)의 아들, 극관(克寬)의 부친이다.

217) 약천(藥泉) : 남구만(南九萬, 1629~1711)의 호이다. 본관은 의령, 자 운로(雲路), 호 미재(美齋)이다. 개국공신 재(在)의 후손으로, 할아버지는 식(垍), 아버지는 현령 일성(一星)이다. 송준길(宋浚吉)의 문인으로, 우의정·영의정 등을 역임하였다. 1694년 갑술환국 이후 영의정으로서, 탕평책을 추진하다가 노론의 공격을 받았다.

같이 기록하였다.218) "내가 벼슬살이 한 것을 점검해 보면 후회되는 일이 세 가지 있다. 그 중 하나가 갑술년(1694, 숙종20) 이후 즉시 우계와 율곡, 두 성현을 문묘에 종사할 때 조금 천천히 하여 신중한 뜻을 보이자고 청하지 못한 것이다. 한쪽 편 사람들이 들어가면 쫓아내고, 다른 한쪽 편 사람들이 들어가면 복향(復享)하는 것219)이 사체에 불경스러웠기 때문이다.……"

이른바 천천히 한다는 것은 어느 때를 기다리려고 했다는 것인가? 논의가 하나로 모일 것을 기다렸다면 문묘에서 축출한 자의 논의는 반드시 복구하려는 자와 서로 합치될 이치가 없었다. 이는 비록 지극히 어리석은 자도 또한 알 것이니 어찌 약천이 알지 못하였겠는가? 그 은미한 뜻의 소재를 알 수 있다. 약천이 회은에게 보낸 편지에서 이르기를,220) "내가 경인년(1650, 효종1)에 문묘에 종사할 것221)을 청하는 상소에 참여했었는데, 오늘날에 이르니 한스럽다." 말한 것에서, 그의 뜻이 어디에 있는지 더욱 분명할 뿐이다.

율곡의 명성이 사류들 사이에 널리 알려지자, 그 자처하는 것이 고봉의 아래에 있지 않았는데도 퇴계 선생이 선비를 천거할 때, 고봉은 천거하면서도 율곡은 천거하지 않은 것은 무엇 때문인가? 선생의 교계(敎戒)를 보면, "마음가짐은 속이지 않는 것을 귀하게 여기고, 조정에 나아가서는

---

218) 『晦隱集·遺事先考遺事』.

219) 한쪽 편 사람들…… 복향(復享)하는 것 : 한쪽 편 사람들은 남인을, 다른 한쪽 편 사람은 서인을 가리킨다. 당시 이이와 성혼의 문묘 종사는 치폐를 거듭하였다. 1635년(인조13) 5월 11일에 성균관 유생 송시형 등 270여 명이 이이와 성혼을 문묘에 종사하자는 내용의 상소를 올린 이래 서인은 꾸준히 이 두 사람의 문묘 종사를 주장하였으나 남인의 반발과 국왕의 암묵적 반대로 실현되지 못하고 있었다. 이후 1680년(숙종6) 경신환국(庚申換局)으로 서인이 남인을 몰아내고 집권한 후 비로소 배향되었다.

220) 『藥泉集·寄兒戊子四月二十日』.

221) 문묘에 종사할 것 : 1649년(효종 즉위년) 11월 성균관 유생 홍위(洪葳) 등이 율곡과 우계의 문묘 종사를 상소하였다. 그러자 이듬해 2월 경상도 진사 유직(柳稷) 등이 반대상소를 올렸다.

일삼기 좋아하는 것을 경계해야 한다.[持心貴在勿欺, 立朝當戒喜事]" 하였다. 율곡의 평생이 이 열두 글자를 벗어나지 못하였으니, 어찌 기꺼이 저 자222)를 버리고 이 자223)를 천거하겠는가? 또한 율곡이 이단의 학문에 빠진 것을 알았고, 그래서 또한 "새로 좋아하게 된 것은 달지 않은 법이고, 오래도록 익힌 것은 잊기 어려운 법이다."224) 말로써 경계하였다. 율곡이 일마다 선생을 비난한 것이 반드시 이것 때문이 아니라고 할 수 없을 것이다.

율곡이 왕명을 받들어 지어 올린 인심도심설(人心道心說)225)에서 말하였다. "오늘날 학자들은 선악이 기(氣)의 청탁(淸濁)에서 비롯됨을 알지 못하고 그 학설을 탐구해도 해득하지 못하였습니다. 때문에 이발(理發)은 선이 되고 기발(氣發)은 악이 된다고 하여 이와 기를 서로 분리하는 잘못을 저질렀으니, 이는 밝지 못한 이론입니다.……"

옛날 주자가 존경함이 오히려 정부자(程夫子)만한 사람이 없었지만 그 말에 혹 어긋난 점이 있으면 반드시 지적하고 세밀히 분석하여 설명하였으니, 비록 사문(斯門)의 학설일지라도 또한 그러하였다. 그러나 후학이 일찍이 이것 때문에 정자와 연평(延平)226)을 낮게 평가하지 않았고, 선현을 헐뜯었다고 주자를 괴이하게 여기지도 않았다. 율곡이 만약 퇴계의 학설이

---

222) 저 자 : 기대승을 가리킨다.
223) 이 자 : 이이를 가리킨다.
224) 새로……법이다 : 새로 좋아하게 된 것은 유학(儒學)을 가리키고, 오래도록 익힌 것은 불교를 가리킨다. 퇴계가 율곡의 학문을 권면하기 위해서 했다는 말이다. (『退溪集·答李叔獻』)
225) 인심도심설(人心道心說) : 1582년 7월에 율곡이 선조에게 올린 논설이다. 율곡의 만년의 생각이 잘 정리되었다.(『栗谷全書·人心道心圖說壬午 奉敎製進』) 주자는 도심과 인심을 천리와 인욕으로 인식하였다. 율곡은 도심과 인심을 각각 도덕적 이성과 육체적 욕구로 구분해 볼 수 있다고 인정하면서도 도심이나 인심 양쪽 모두 그 근원은 이(理)이고 모두 기(氣)의 작용에 의해 발하며, 단지 도덕률을 실천하기 위해 발한 것인지 욕망을 추구하기 위해 발한 것인지에 따라 구분된다고 보았다.
226) 연평(延平) : 남송대 학자 이통(李侗, 1093~1163)의 호이다. 자는 원중(願中)이다. 나종언(羅從彦)에게 정자(程子)의 이학(理學)을 배웠다. 문하에 주희와 나박문(羅博文), 유가(劉嘉) 등이 배출되었다.

가지고 이(理)에 해롭다고 생각하여, 마땅히 "이아무개의 학설은 잘못을 면하지 못하였다." 말하였을 뿐이라면 누가 이것을 불가하다고 하였겠는가? 지금 그렇지 않아서 그 성명을 숨기고, 혹은 "그 학설을 탐구해도 해득하지 못하였다." 하고, 혹은 "밝지 못한 이론이다." 하여 마치 이간질하듯 하였으니, 이는 무슨 의도인가?

일찍이 율곡이 성학도(聖學圖)에 대해 선생에게 질문하니, 선생이 답하기를, "불선(不善)이 있다면 따라서 고치는 것이 비록 많아도 싫증내지 않을 것이다." 하였다.227) 율곡이 과연 이발기발의 학설에 대해 괴이하게 여겨서 만일 이때 우러러 아뢰어 따졌다면 선생은 반드시 자기를 버리고 다른 사람을 따르는 것에 인색하지 않았을 것이다. 그러나 이렇게 하지 않고 물러나서 뒷말이 나온 것은 어째서인가? 아! 선생이 세상을 떠난 뒤, 장례가 채 끝나기도 전에 이미 우계와 함께 사단칠정의 학설을 논하면서228) 사정(邪正)이 이로부터 나뉘게 되었다고 하여, 은연 중에 선생의 학문을 사학(邪學)과 이단으로 귀결시켰다. 지금 또 이 학설을 지어 바치게 된 것은, 반드시 이에 앞서 군부 앞에서 그를 배척하는 말을 하였기 때문에 이같이 지어 바치라는 명이 있어서였을 것이다. 이것이 어찌 무심히 한 것이겠는가?

율곡은 일찍이 회재는 도학으로 추대할 수 없다고 말하였다. 일찍이 갑진년(1604, 선조37)에 성균관에서 오현(五賢)229)을 문묘에 종사(從祀)하라고 상소하자, 선조는 회재를 크게 배척하며 말하기를, "선유의 반열에 함께 놓는 것은 부당하다." 하였고, 그 잘못을 일일이 꼽아서 끊어버리며

---

227) 『退溪集·答李叔獻』.
228) 장례가……논하면서 : 율곡은 1572년부터 우계와 아홉 차례에 걸쳐 편지를 주고받으며 퇴계와 고봉이 논쟁을 벌인 이기와 사단칠정의 관계에 대해 논변을 벌였다. 그 결과 기의 작용을 상대적으로 중시하는 주기론(主氣論)의 관점과 이에 기초한 '기발이승일도설(氣發理乘一途說)'을 제시했다. 퇴계가 사망한 것은 1570년이었으므로, 편찬자는 3년상이 끝나기 이전으로 간주한 것 같다.
229) 오현(五賢) : 김굉필·정여창(鄭汝昌)·조광조·이언적·이황을 가리킨다.

거듭 수백마디 말을 하였다.[230] 그 가운데 이런 말도 있었다. "옳고 그름을 가릴 수 있는 마음은 사람이라면 모두 갖고 있으니, 양지(良知)의 천성을 통해서 스스로 얻을 수 있으므로, 이황의 학설에 현혹될 필요는 없다." 이렇게 선조가 양현에 대해서 불만스럽게 여긴 것은 바로 율곡이 헐뜯은 말이 실행된 것이다. 이는 진실로 무슨 마음인가?

율곡이 지어올린 인심도심설 가운데, "정력이 왕성하면 여자를 생각하는 것"이라는 말이 있는데, 이것은 모두 이(理)라고 결론을 내렸다.[231] 인심을 논하면서 어찌 그 할 말이 없음을 걱정하여 반드시 이같이 더럽고 추한 말을 입에 올려 군부 앞에서 아뢰었단 말인가? 만약 "식욕과 색욕 또한 스스로 그 이(理)가 있다." 한다면 괜찮겠는가? 곧 바로 이(理)라고 말한다면 인욕을 천리라고 인정한 것이 아닌가? 또 그가 논한 바는 성현의 설을 빌려서 자신의 주장이라고 갖다 붙이지 않은 것이 없었다. 자사(子思) 의 설에서는, "중절(中節)" 두 글자를[232] 끌어다가 "이발(已發)한 것을 화(和) 라고 한다." 하였다.[233] 이는 정(精)의 중절(中節)과 부중절(不中節)을 논하지

---

230) 갑진년······하였다 : 1604년(선조37) 3월에 성균관 생원 조명욱(曺明勗) 등이 상소하여 오현의 문묘(文廟) 종사를 청하였다. 오현은 김굉필·정여창(鄭汝昌)·조광조·이언적·이황을 가리킨다. 이때 이언적의 행적을 둘러싸고 논란이 벌어졌다. 특히 선조는 이언적이 명종대 봉성군(鳳城君)의 죄를 청할 때에 참여했다는 데 그 혐의를 두었다. 당시 사관은 선조의 이러한 태도가 율곡이 경연에서 이언적을 부족하다고 했던 발언에 근거한 것이라고 말하였다.(『宣祖實錄』 37年 3月 25日)

231) 인심도심설······내렸다 : 율곡은 도심과 인심을 이기와 연관시켜 설명하면서, 배고플 때 먹으려 하고 추울 때 입으려 하고 힘들 때 쉬고자 하고 정력이 왕성하면 여자를 생각하는 것을 인심이라고 하였다. 이어서 이와 기는 한 덩어리로, 서로 떨어질 수 없다고 하면서 이발(理發)·기발(氣發)이 다름이 없다고 하였다. 이러한 관점에서 보면 인심 역시 이인 것이다.(『栗谷全書·人心道心圖說壬午 奉敎製進』)

232) 자사(子思)의······두 글자를 : 중절은 『중용장구(中庸章句)』 수장(首章)에서 "희로애락이 발하지 않은 것을 중이라 하고, 발하여 모두 중에 맞는 것을 화라고 한다.[喜怒哀樂之未發 謂之中 發而皆中節 謂之和]"에서 나온다. 여기서 자사는 중화(中和)를 논하면서 희·노·애·낙만을 말하고 사단(四端)을 언급하지 않았다.

233) 이발(已發)한······하였다 : 율곡은 사단을 도심에, 칠정을 인심에 비견하는 것에 의구심을 가졌다. 만일 칠정을 인심으로만 돌린다면 이는 절반[인심]만 들고 나머지 절반[도심]은 버린다고 보았다. 이에 자사가 말한, "칠정의 미발(未發)한 것은 중이라 이르고 이발(已發)한 것은 화(和)라 한다."는 구절을 인용하여, 이것은 성정(性情)의 온전한 덕을 논하면서 단지 칠정만을 들어 말하였으니 지나치게 인심만 거론했을

않고 모두 화(和)라고 한 것과 같다. 정자(程子) 설의 경우,234) 그 핵심을 제거하고 말을 바꾸어 단지 "선악은 모두 천리이다." 하였다. 주자 설에 대해서는235) 앞 뒤 말을 잘라내고 외따로 한 구만 남겨두어서 "천리로 인하여 인욕이 있다." 하고, 정자와 주자의 말을 합쳐서 말하기를, "모두 이러한 뜻이다." 하였다.236) 마치 두 선생이 진정으로 선악과 인욕을 천리라고 논한 것처럼 하였으니, 구애받지 않고 거침없이 멋대로 스스로 방자함이 심하다고 할 만하였다. 선악이 기(氣)의 청탁에서 연유한다는 주장에 대해서는 조성기가 상세히 변론하였다.237)

리가 없다고 보았던 것이다.(『栗谷全書·人心道心圖說』)

234) 정자(程子) 설의 경우 : 『주자어류(朱子語類)』 권97에 따르면 다음과 같다. "묻기를 '정자가 「선과 악이 모두 천리이다.」라고 한 것은 무엇 때문입니까?' 하였다. 답하기를 '측은히 여기는 마음은 선이지만 측은히 여겨서는 안 될 곳에 측은히 여긴다면 악이며, 단호히 결단을 내리는 것은 선이지만 단호히 결단을 내려서는 안 되는 곳에 단호히 결단을 내린다면 악이다. 비록 악이지만 원두처에 만일 측은히 여기는 마음이 없다면 어떻게 측은히 여겨서는 안 될 곳에 측은히 여기겠는가. 본래 모두 천리이지만 다만 인욕에 의해 반대로 뒤집히게 되는 것이다. 그러므로 쓰는 것이 불선해서 악이 될 뿐이다.[問 程子曰 天下善惡皆是天理 何也 曰惻隱是善 於不當惻隱處惻隱 卽是惡 剛斷是善 於不當剛斷處剛斷卽是惡 雖是惡 然原頭若無這物事 却如何做得 本皆天理 只是被人欲反了 故用之不善而爲惡耳]"

235) 주자 설에 대해서는 : 주자는 「중용·장구서」에서 '사람이라면 누구나 할 것 없이 형체를 가지고 있으니, 따라서 아무리 상지라도 인심이 없을 수 없다.[人莫不有是形, 故雖上智, 不能無人心.]' 하였다. 율곡이 「인심도심도설」에서 인용하였다.

236) 정자(程子)의……하였다 : 율곡은 사단을 '정(情) 가운데 선한 것'으로 보고, '청명(淸 明)한 기를 타고 천리를 따라 곧장 발출하여 중(中)을 잃지 않은' 것이라고 규정하였다. 이어서 사단이 되지 못한 것을 설명하면서 "정의 불선한 것은 비록 이(理)에 근원하였 으나, 더럽고 탁한 기에 가려져서 그 본체를 잃은 것"이라고 하였다. 그리고 이러한 주장을 뒷받침하기 위해서 정자(程子)와 주자(朱子)의 언설을 인용하였던 것이다. 율곡은 오늘날의 학자들이 선악이 기의 청탁에 연유한 것임을 알지 못하여 "이발(理 發)은 선이 되고 기발(氣發)은 악이 된다." 하여 이와 기가 서로 분리되게 만들었다고 하면서 인심도심설을 작성하게 된 계기를 밝혔다.(『栗谷全書·人心道心圖說』)

237) 조성기가……하였다 : 조성기는 이기가 서로 분리될 수 없다는 관점을 견지하면서 「퇴율양선생사단칠정인도이기설후변(退栗兩先生四端七情人道理氣說後辨)」(1657,효 종8)을 지어 퇴계와 율곡의 학설을 논변하였다. 즉 율곡의 기발이승일도설(氣發理乘 一途說)에 퇴계의 주리(主理)·주기(主氣)의 논의를 가미한 절충적인 입장을 내놓았다. (『拙修齋集·雜著』) 조성기는 '기가 발하고 이가 타는 것[氣發理乘]'을 다시 세분하여 '이가 기를 타고 동하는 것[理乘氣而動者]'이 있고, '기가 이에 붙어서 발하는 것[氣寓理 而發者]'이 있다고 했다. 이는 기발이승의 단일 경로 가운데 이가 주도적인 역할을

『창계집(滄溪集)』에서 말하였다.238) "율곡은 '우계가 이미 이와 기가
한 순간도 서로 떨어질 수 없다는 것을 알면서도 오히려 이와 기가 호발(互
發)한다는 설로 바꾸었다.' 하였다. 나는 이른바 '이와 기가 서로 떨어지지
않는다.'는 것은 어떤 이치를 가리켜 말한 것인지 알지 못하겠다.239)
다만 이와 같다면 이른바 '이(理)'라고 하는 것이 만약 공허하여 주재함이
없는 물건이 아니라면, 즉 이것저것 뒤섞인 골동품과 같은 물건이 되는데,
이것은 성현이 서로 전수해준 순수하고 지극히 선한 이치가 아니다.
이것이 어찌 이와 기의 체용과 두루 미침을 논함에 자세히 살펴 조사한
것이겠는가?"

또 말하였다. "사람들이 이(理)를 따를 수 없어서, 심지어 '모조리 이에서
어긋난 것[一切悖理]'은 또한 어디로부터 기인하여 그러한 것인가? 진실로
기에서 분리된 이를 말할 수 없으므로, 이때는 단지 기의 작용에서만
연유한 것이고 이가 관여한 일이 아니다. 또한 어찌 '모조리 이에서 어긋난
것'을 '일체 이를 따르는 것[一切循理]'과 같이 뒤섞어 말하기를, '기가
발하면 이가 탄다.' 할 수 있겠는가?……"

또 율곡의 학설을 논하며 말하기를, "태극과 음양으로 심(心)과 성(性)이
두 물건이 아니라는 것을 밝힌다면 이와 기는 진정으로 한 물건이다."
하였다.

또 말하였다.240) "태극을 일러 '움직이되 움직이지 않고, 고요하되
고요하지 않다.'241) 한 것은 옳지만, 바로 '움직이지도 않고 고요하지도

___

하여 사단(四端)과 도심(道心)이 되는 경우는 이발이고 기가 주도적인 역할을 하여
인심이 되는 경우는 기발이라는 내용으로 정리될 수 있다. 조성기는 퇴계의 이기이원
적(理氣二元的) 관점에서 이발과 기발을 구분한 뒤 율곡의 기발이승일도설을 수용하
여 양자를 통합하는 체계를 정립하였다.

238) 『滄溪集·日錄甲寅』.
239) 나는……못하겠다 : 임영은 퇴계의 호발설(互發說)을 부정하는 논거였던 이기불상
리(理氣不相離)의 원칙을 재검토함으로써 율곡의 일도설(一途說)은 성립할 수 없고
호발설이 타당함을 주장하였다.
240) 『滄溪集·栗谷別集疑義 上朴玄江』.
241) 움직이되……않다 : 원문은 "動而無動靜而無靜"이다. 주돈이(周敦頤)의 『통서(通書)』
「동정(動靜)」에 나오는 "동(動)하면 정(靜)이 없고 정하면 동이 없는 것은 물(物)이다.

않다.' 한다면 옳지 않다. 태극의 본체는 '움직임과 고요함을 포함하고 있다.' 하면 옳지만 지금 말하기를, '움직이지도 않고 고요하지도 않다.' 하고, 또 '움직임과 고요함을 포함하고 있다.' 하면 이는 태극이 마침내 유행(流行)할 때가 없게 되는 것이니 옳지 않다. 또한 끊임없이 순환하는 것을 오로지 기(氣)라고 하는 것도 또한 미흡한 것 같다."

이경숙(李敬叔)[242]이 말하였다. "율곡이 말한 '이(理)'를 상세히 살펴보면 이것은 쓰임[用]이 없는 물건이고, 쓰임을 위주로 하면 단지 한 개의 기(氣)일 뿐이다. 그 귀결점을 찾아서 보면, 저것[理]이 있어서 이것[氣]이 발(發)하고, 저것이 고요한데 이것은 움직이니, 수미(首尾)와 본말(本末)은 분명히 하나의 일반 사물이다. 그렇다면 이른바 이라고 하는 것은 기가 움직이지 않고 가만히 있는 뿌리에 불과할 뿐이다. 이것이 기를 이라고 인식하는 병폐로서 이단의 학문에 빠진 것이다."[243]

율곡이 말하였다. "기가 명령을 듣고 안 듣고는 모두 기가 하는 것이요, 이는 작용함이 없다."[244] 또 말하였다. "성현의 수많은 말들은 단지 그 기를 검속하라는 것일 뿐이다."

이와 같다면 이른바 "명령을 듣는다."는 것은 어느 곳에서 명령을 듣는다는 것인가? 이른바 "검속한다."는 것은 어떤 물건으로 검속한다는 것인가? 이는 눈에 보이는 대로 사물을 보고, 한 입으로 같은 말을 거듭한 술책이니, 우리 유가(儒家)에 이러한 심법(心法)은 없다.

또 말하기를, "도심은 본연의 기[本然之氣]가 된다." 하였다.

동하되 동하지 않고 정하되 정하지 않는 것은 신(神)이다. 물(物)은 국한되어 통하지 못하지만, 신(神)은 만물 속에서 묘하게 작동한다.[動而無靜, 靜而無動者, 物也, 動而無動, 靜而無靜者神也. 物則不通, 神妙萬物.]"라는 말을 발췌한 것이다.

242) 이경숙(李敬叔) : 경숙은 이식(李栻, 1659~1729)의 자이다. 본관은 연안(延安), 호 외암(畏庵)이다. 퇴계의 학통을 따라 이기이원론(理氣二元論)의 입장을 지지하여 『사칠부설(四七附說)』을 저술하였다.

243) 『愚潭集·答李敬叔別紙庚辰』. 이식은 이기이원론의 관점에서 이(理)에 내재된 만물준칙(萬物準則)의 특성을 부정한 율곡의 견해를 반박한 것이다. 즉 기능적 측면에만 주목함으로써 인사에 적용될 도덕의 근거가 상실되었다는 점에서 이의를 제기한 것이다.

244) 『栗谷全書·答成浩原』.

조성기가 말하였다. "마음의 선악을 단지 기의 청탁에 귀속시킨다면 이 이(理)는 선악에 관여하는 바가 없으니, 이른바 '이'라는 것은 곧 하나의 흐리멍텅한 사물이어서 있어도 되고 없어도 된다.……"245)

또 말하기를, "성(性)은 이와 기의 합이다." 하였으니, 이같은 어구에서 어떻게 선종(禪宗)246)을 감출 수 있겠는가? 주자가 말하기를, "유교는 하나이고, 불교[釋氏]는 둘이다." 하였다. 유자는 성(性)에 대해 말하는데, 그 성은 단지 이(理)일 뿐이다. 불교에서는 이와 기가 합친 것을 성이라고 한다. 사상채(謝上蔡)247)가 말하기를, "석씨가 말하는 성은 유자가 말하는 심과 같다." 하였다.

삼가 살피건대, 율곡의 학문이 한 번 전수되어 김장생에게 이르렀고, 두 번 전수되어 송시열에게 이르렀다. 오늘에 이르러 그 화가 하늘을 뒤덮고 있으니, 학술의 피해가 이 지경에 이르렀단 말인가?

또 살펴보건대, 율곡은 분명 선학(禪學)248)에서 머리와 얼굴을 바꾼 자였다. 그 문도 가운데 그 학문을 조술(祖述)한 자는 점차 노장(老莊)과 불교에 빠져들었으니, 이것은 필연의 이치이다. 수십 년이 지나지 않아 고려에서처럼 불도(佛道)가 크게 횡행할 것이라고 앉아서 점칠 수 있게 되었으니 어찌 한심하지 않겠는가?

---

245) 『拙修齋集·辨退栗兩先生四端七情人道理氣說後辨二十歲作』.

246) 선종(禪宗) : 참선수행을 통해 깨달음을 얻는 불교의 한 종파이다. 신심일여(身心一如)의 입장에서 일상생활 속에 해탈의 생활을 실현시키고자 하는 것이다. 경전을 중시하는 교종(敎宗)에 상반되는 실천적 면모를 지니고 있다.

247) 사상채(謝上蔡) : 상채는 사양좌(謝良佐, 1050~1103)의 호이다. 자는 현도(顯道)이다. 정호·정이 형제에게서 학문을 수학하였다. 유조(游酢)·여대림(呂大臨)·양시(楊時) 등과 사선생(四先生)으로 일컬어졌다.

248) 선학(禪學) : 선종(禪宗)의 가르침을 이론적으로 연구하는 학문이다. 선(禪)을 이론적으로 해명하였다.

김장생
金長生

『사계집(沙溪集)』은 단지 몇 권에 불과하지만 당론이 아닌 것이 없었다. 김계휘(金繼輝)[249]가 부친이고, 율곡이 스승이었으니, 어찌 그렇지 않겠는가? 송시열의 무리가 만들어져 나온 것이 괴이할 것이 없을 뿐이다. 퇴계에 대해서는 오로지 흠을 찾는 것을 일삼아서, "이와 기가 서로 발한다.[理氣互發]"는 것으로써 "태극과 음양이 서로 움직인다고 할 수 없다."[250] 하였으니, 비록 약간의 문리(文理)만 깨우친 자들도 또한 이렇게 말하지 않을 것인데, 퇴계의 말에 대해 이와 같이 말했으니, 그렇다면 주자의 "이가 발(發)하고 기가 발한다."는 주장에 대해서도 또한 이와 같이 볼 것인가?

율곡의 이기설에 대해서 툭 트여서 시원하게 이치를 통달하여 명백하지 않은 것이 없다고 하였으니, 그 의도는 퇴계를 누르고 율곡을 존숭하려는 계책이었다. 그리고 이것은 율곡이 본래 의도한 것이었으므로, 사계는 곧 스승을 계승하였을 뿐이었다.

율곡이 이른바 "기가 이에게서 명령을 듣고 안 듣고는 모두 기가 하는 것이요, 이는 작용함이 없다." 하였다.[251] 그렇다면 이라는 것은 농동(儱侗)[252]하고 쓸모없는 물건에 불과하다. 이른바 "음은 고요하고 양이 움직이는 것은 그 기틀이 저절로 그러한 것이지 시키는 것이 있어서가 아니다."[253]

---

249) 김계휘(金繼輝) : 1526~1582. 본관은 광산, 자 중회(重晦), 호 황강(黃岡)이다. 장생의 부친으로, 공조·형조참판 등을 역임하였다.
250) 태극과……할 수 없다 : 김장생은 '발(發)하는 것은 기(氣)고 발하게 하는 원인은 이(理)다.'고 하는 율곡의 학설에 근거하여 태극과 음양이 호동(互動)할 수 없다고 본 것이다. 즉 태극과 음양이 호동할 수 없는 것이라면, 이와 기가 호발(互發)한다는 것은 잘못이라고 퇴계학설을 변척하였다.
251) 『栗谷全書·答成浩原』.
252) 농동(儱侗) : 확실하지 못하거나, 모호하다는 뜻을 갖는다. 혹은 미숙한 모양 등을 가리킨다.

하였다. 그렇다면 이른바 태극은 없어도 되고 있어도 되는 그런 물사(物事)
인 것이다. 이른바 "인심은 모두 이가 변하고 기가 변하는 가운데서
나온다." 하였다. 그렇다면 성인(聖人)이 배고프면 먹으려 하고 목마르면
마시려 하는 것254)도 이가 변하고 기가 변하는 가운데서 나온 것인가?

이와 같은 것은 모두 다 기록할 수 없는데, 어떤 학설이 툭 트여서
시원하게 이치를 통달하였다는 것인지 알지 못하겠다. 이는 스스로 율곡의
학문을 옳다고 여기는 것인데, 우리 유가의 견해로 본다면 그것이 시원하
게 이치를 통달한 것을 볼 수가 없다. 김장생이 퇴계의 학설에 통달하지
못한 것이 마땅하구나. 그러니 김장생이 이와 기를 안다면 누가 이와
기를 모르겠는가?

퇴계가 예(禮)를 논한 문자는 7, 80조에 불과한데, 의심나는 곳에 띠지를
붙인 곳이 70여 조에 이른다고 한다. 이것은 퇴계의 학설이 모두 잘못되었
다는 것인데, 어찌 그럴 수 있단 말인가? 이른바 『상례비요(喪禮備要)』255)는
신의경(申義慶)256)이 편집한 책이다. 그런데 김장생의 아들 김집과 그의
문도들이 수정하여 장생의 이름으로 서문을 붙이고 간행하였으니 가소롭

---

253) 『栗谷全書·答成浩原』.

254) 배고프면……하는 것 : 『주자어류(朱子語類)』의 한 구절이다. "배고프면 먹으려 하고
목마르면 마시려 하는 것은 인심이요, 마시고 먹는 것을 올바르게 하는 것은 도심이
다. 하나의 마음이 단지 도(道) 위에만 있게 하여 이윽고 저 인심이 스스로 항복해서
보이지 않게 되면, 인심과 도심이 하나가 되어 흡사 저 인심이 없는 것과 같게
될 것이다. 단지 도심이 순일해서 저 인심 위에 도심이 모두 발현되도록 해야만
할 것이다.[飢欲食渴欲飮者人心也, 得飮食之正者道心也. 須是一心只在道上, 少間那人心自
降伏得不見了, 人心與道心爲一, 恰似無了那人心相似. 只是要得道心純一, 道心都發見在那人
心上.]"

255) 상례비요(喪禮備要) : 신의경(申義慶)이 찬술한 상례(喪禮) 관계의 지침서이다. 본래
1권 1책의 분량이었으나 김장생이 1620년(광해군12) 여러 대목을 증보하고, 아울러
시속의 예제도 참고로 첨부하고 서문을 붙였다. 그 뒤 김집이 다시 교정하여 1648년
(인조26) 2권 1책으로 간행하였다.

256) 신의경(申義慶) : 1557~1648. 본관은 평산(平山), 자 효직(孝直), 호 서파(西坡)이다.
김장생과 함께 『주자가례(朱子家禮)』 등을 공부하였고, 예학에 조예가 깊어 김장생이
도움을 많이 받았으며, 사대부의 상(喪)에서 집례(執禮)한 경험을 바탕으로 『상례비
요』를 저술하였다.

다. 이는 율곡별집의 사례와 서로 같을 뿐이다.

사계는 사람들 가운데 우계·율곡과 견해가 같은 자에 대해서는 어질다하고, 우계·율곡과 다른 자는 사특하다고 하였다. 김장생이 정철 행장을 찬술하면서 정성을 다해 혐의를 완전히 벗겨버리려 하였으니, 어찌 이렇게 말할 수 있겠는가? 율곡이 기대하고 인정했던 인물로 정인홍·정여립과 같은 사람이 없었고, 정인홍과 정여립이 율곡을 존모한 것은 세상에 비견할 만한 사람이 없었다. 만약 두 역적으로 하여금 끝내 우계와 율곡을 배신하지 않게 하였다면 비록 뒷날 흉적이 나오더라도 또한 장차 구원하여 혐의를 벗겨서 훼손되지 않는 지경에 둘 수 있겠는가?

사계가 사람들과 더불어 당론의 본말[源委]을 논하면서 퇴계와 남명(南冥)[257], 두 선생을 재앙의 우두머리로 삼았으니 아! 통탄스럽도다. 두 선생은 본래 서로 인정하지 않았다는 말이 있는데, 이는 더욱 근거가 없다. 남명의 학술에 약간의 문제가 없지 않아서 퇴계와 문인들이 점검하는 말이 비록 있었지만, 어찌 이것 때문에 남명을 인정하지 않았겠는가? 남명은 군주를 도울 수 있는 학문이라고 퇴계를 인정하였는데, 이래도 과연 두 선생이 서로 인정하지 않았다고 할 것인가?

구암(龜巖) 이정(李楨)[258]이 하씨(河家) 집안의 음탕한 부인 일로 인해 뜻밖에 역경(逆境)을 만났고,[259] 이에 편지를 써서 변고를 처리하는 방도를

---

257) 남명(南冥) : 조식(曺植, 1502~1572)의 호이다. 본관은 창녕, 자 건중(楗仲)이다. 평생 처사(處事)로 자처하면서 관직에 나아가지 않고 정인홍·최영경·곽재우(郭再祐) 등 후진양성에 힘썼다. 남명학파를 이끌며 다양한 학술조류를 수용하여 새로운 학풍을 조성하였다.

258) 이정(李楨) : 1512~1571. 본관은 사천(泗川), 자 강이(剛而), 호 구암(龜巖)이다. 송인수(宋麟壽)로부터 배우고 성장한 뒤에는 퇴계와 교유하였다. 예조참의 등을 역임하였다.

259) 구암(龜巖)······만났고 : 1569년(선조2) 진주진사 하종악(河宗岳)의 후처(後妻)가 음행을 저지른 사건이 발생하였다. 구암은 후처의 먼 친척으로, 전처(前妻) 딸의 무고라고 상소하였다. 이에 대해 남명은 구암이 은미한 일을 잘 알지 못하였다고 질책하였다. 하종악은 남명의 형 조립의 사위였다. 둘 사이의 갈등은 구암과 교유했던 퇴계로까지 확대되었다. 이 사건은 증거 부족으로 종료되었지만 후일 남명과 퇴계의 사이가 좋지 않았던 사례로 상정되었다.

묻자 퇴계가 스스로 수양하고 변론하지 말라는 뜻으로 답하였다. 구암이
남명에게 그 말을 전하지 않은 것이 틀림없으니, 남명이 만약 퇴계의
편지를 보았다면 남명이 어찌 단지 기고봉(奇高峯)에 대해서만 분노하여
꾸짖고260) 퇴계에 대해서는 끝내 한 마디 말도 없었겠는가?

 이것으로 보건대, 두 선생은 본래 서로 다툴 단서가 없었으니 또 어찌
각각 문파를 나누어 서로 각립하는 일이 있었겠는가? 또 말하기를, "김효원
이 기고봉을 배척하여 남명의 기뻐하는 바가 되어서 김효원이 이조전랑
자리를 얻었다. 동고(東皐, 이준경의 호)는 남명에 대한 시비 때문에 더욱
과격해져 사류를 죄주고자 했다."261) 하였다. 그렇다면 이른바 사류(士類)
는 서인인가, 동인인가? 만약 동고와 성암(省庵, 김효원의 호)이 남명을
편들었고, 성암의 말류(末流)가 대비(大妃)를 폐위하는 극단에 이르렀다고
한다면, 이는 장차 남명 문인이 동인이 되었다는 것인데, 그렇다면 퇴계[退
陶] 문인은 모두 서인이란 말인가? 당색[色目]이 생긴 이래로, 조령(鳥嶺)
이남에는 서인의 명칭이 없었는데, 어찌하여 영남에 동인과 서인이 있다는
논의로써 이것으로 격발하려 하는가? 만약 이 말과 같다면 퇴계의 문인들
은 모두 남명의 당여에 속할 것인데, 도리어 스승을 공격하여 문묘종사를
가로막았단 말인가? 이것은 두 선생을 더럽히는 것에 불과하다. 아울러
동고를 언급하여 심의겸이 권력을 휘둘러서 당여를 심은 것에서 온전히
벗어나게 하고, 또 김효원을 소인이라는 구덩이에 몰아넣을 뿐이었다.
정인홍이 스스로 사나운 기운을 부려 폐모(廢母)의 수괴가 되었는데, 영남
과 무슨 관계가 있다고 온 도를 들어다가 악역(惡逆)의 지경으로 돌리려
하는가? 그 말은 오로지 날조한 데에서 나왔고, 때문에 혹 말하기를,
"점점 더욱 심해져 폐모라는 극단에 이르게 되었다." 하고, 혹 말하기를,

---

260) 남명이……꾸짖고 : 당시 남명은 하종악 후처 옥사에 이구암이 간여했다고 여겨
  그의 집을 부수고 절교하는 편지를 써서 보냈다. 퇴계가 이 사실을 전해 듣고
  남명이 옳지 않다는 편지를 써서 보냈고, 기고봉 등도 남명의 행위를 비난하였다.
  이에 남명이 크게 화를 내며, "기대승이 장차 나를 나포하여 국문하려고 한다."
  하였다.(『沙溪全書·答辛用錫慶晋李玉汝貴』)
261) 『沙溪遺稿·與辛用錫慶晋李玉汝貴兩公欲知當初分黨曲折 故先生以此答之』.

"이준경이 남명에 대한 시비 때문에 젊은 사류를 죄주려고 하였다."
하였다. 그 말이 전혀 분명하지 못하여 억지로 꾸며낸 말이라고 할 수
있는데, 그 궁박함을 알 수 있다. 만약 "젊은 사류를 죄주려 했다." 한다면
율곡은 매번 서인을 선배 사류라고 하고, 동인을 젊은 사류라고 했으니,
그렇다면 동고가 죄주려 한 것은 동인이지 서인이 아니다. 거짓으로
없는 사실을 꾸며냈기 때문에 말마다 저절로 서로 모순되는 것이 이와
같을 뿐이다.

조익262)
趙翼

조익은 정묘호란(1627, 인조5) 당시 바야흐로 개성유수(開城留守)였는데, 적병이 평산(平山, 황해도 소재)에 주둔하였다. 평산에서 개성까지 거리가 1백리가 채 못 되어, 조익이 배를 타고 피난하였다. 만일 오랑캐 기병이 말을 몰아 서울[京城]을 향해 곧장 쳐들어갔다면 본부(本府)는 서울을 향한 길목에 있는 방어하는 진(鎭)인데, 지킬 사람이 없었으니 어찌 한심하지 않겠는가? 오랑캐의 난이 진정된 뒤 비로소 입조(入朝)하였으나 조정에서는 문책하지 않았다. 또 병자호란(1636, 인조14)이 일어났을 때는 예조판서로서 장차 어가(御駕)를 따라서 남한산성으로 들어가야 했는데, 늙은 아버지를 뵙겠다는 핑계로 중도에 도망쳐서 바다 가운데 섬으로 피난 갔다. 조정에서 죄를 논하여 부처(付處)263)하였지만 얼마 뒤 수서(收敍)264)되어 정승[鼎軸]에까지 이르렀고, 그 문도들이 포저(浦渚)선생이라 칭하고 서원을 세워 제사 지냈다. - 송시열이 찬술한 신도비(神道碑)265)에서 또한 이러한 일들을 모두 가리어 숨길 수 없었다. -

우계가 한번 임진왜란 당시 달려가 문안하지 않은 뒤부터, 위험에 닥친 임금을 버리는 것이 곧 자신들만의 의리가 되었다. 정묘호란 당시 사람들이 박지계(朴知誡)266)에게 거취에 대해 묻자, 대답하기를, "나는

---

262) 조익(趙翼) : 1579~1655. 본관은 풍양(豊壤), 자 비경(飛卿), 호 포저(浦渚)·존재(存齋)이다. 중추부첨지사 영중(瑩中)의 아들이고, 어머니는 윤근수의 딸이다. 장현광·윤근수의 문인으로, 우의정·좌의정 등을 역임하였다. 장유(張維)·최명길(崔鳴吉)·이시백(李時白)과 함께 사우(四友)로 불렸다. 저서로『중용곤득(中庸困得)』·『대학곤득(大學困得)』·『논어천설(論語淺說)』·『맹자천설(孟子淺說)』등이 있다.
263) 부처(付處) : 죄인에게 일정한 곳을 지정하여 머물러 있게 하는 처분이다.
264) 수서(收敍) : 죄가 있어서 면관된 사람들을 거두어 모아서 다시 서용하다.
265) 신도비(神道碑) : 왕이나 고관의 무덤 앞 또는 무덤으로 가는 길목에 세워 죽은 이의 사적(事蹟)을 기리는 비석이다. 신도는 죽은 자의 묘로(墓路), 즉 신령의 길이라는 뜻이다. 조선시대에는 2품 이상에 한하여 세우는 것으로 제도화하였다.
266) 박지계(朴知誡) : 1573~1635. 본관은 함양(咸陽), 자 인지(仁之), 호 잠야(潛冶)이다.

우계가 나아가지 않은 것을 배웠다." 하였다. 김자점(金自點)²⁶⁷)은 도원수(都
元帥)로서 미원(彌原, 경기도 소재)으로 피난 갔고, 심지원(沈之源)²⁶⁸)은 이조
참의로서 수풀 사이로 도망쳐서 살아났는데도, 모두 대각(臺閣)에 들어갔
다. 명분과 절의가 무너지고 형장(刑章)이 문란해진 것이 이보다 심한
것은 없었다.

윤휴(尹鑴)²⁶⁹)가 『중용(中庸)』주석²⁷⁰)을 고친 것은 진실로 망령된 일이었
다. 그러나 이것은 상자[篋筒] 속에 넣어둔 사사로운 기록에 불과할 뿐이었
다. 조익의 경우 사서곤득(四書困得)²⁷¹)을 지어 바쳤는데, 그 책의 내용은

과거에 응시하지 않고 오직 학문에만 전념하면서 권시(權諰)·조익(趙翼) 등과 도학을
강론하였다.

267) 김자점(金自點) : 1588~1651. 본관은 안동, 자 성지(成之), 호 낙서(洛西)이며, 성혼의
    문인이다. 1636년 병자호란 때 도원수로서 임진강 이북에서 청군을 저지해야 할
    총책임을 맡았으나 적군의 급속한 남하를 막지 못하여 1년 동안 강화도에 위리안치
    되었다. 이후 인조의 신임 아래 정권을 담당하면서 정치적 입지를 굳혔다. 효종
    즉위 후 김집 등의 공격을 받아 홍천에 유배되자 역관 정명수(鄭命壽), 이형장(李馨長)
    을 시켜 조선의 새 왕이 옛 신하들을 몰아내고 청나라를 치려 한다고 고발하고,
    그 증거로 청나라의 연호를 쓰지 않은 장릉지문(長陵誌文)을 보냈다. 이로 인해
    광양으로 유배되었고, 이후 아들 김익(金釴)이 수어청 군사와 수원의 군대를 동원해
    원두표·김집·송시열·송준길을 제거하고 숭선군(崇善君)을 추대하려 한 역모가 폭로
    되어 아들과 함께 복주되었다.
268) 심지원(沈之源) : 1593~1662. 본관은 청송, 자 원지(源之), 호 만사(晚沙)이다. 좌의정·
    영의정 등을 역임하였다. 아들 익현(益顯)이 효종의 딸인 숙명공주(淑明公主)에게
    장가들어 효종의 두터운 신임을 받았다.
269) 윤휴(尹鑴) : 1617~1680. 본관은 남원(南原), 호 백호(白湖)·하헌(夏軒), 자 희중(希仲)이
    다. 대사헌 효전(孝全)의 아들로, 대사헌·우찬성 등을 역임하였다. 송시열·윤선거
    등 서인계 인사들과 교유하였다. 그러나 현종대 예송(禮訟) 이래 주요 현안을 둘러싸
    고 서인과 대립·갈등을 벌였으며, 그 과정에서 북인계(北人系) 남인으로서 독자적인
    학문관과 사상경향을 드러냈다. 저서로는 『백호전서(白湖全書)』 등이 있다.
270) 『중용』주석 : 윤휴의 『중용』관련 저술로는 〈공자달도달덕구경지도(孔子達道達德
    九經之圖)〉·〈중용지도(中庸之圖)〉와 〈중용장구차제(中庸章句次第)〉·〈분장대지
    (分章大旨)〉·〈중용주자장구보록(中庸朱子章句補錄)〉 등이 전해진다. 이를 통해서
    윤휴는 주자의 『중용장구』의 4대절 33장 체재를 따르지 않고 10장 28절 체재를
    주장하였다. 이로인해 윤휴는 사문난적(斯文亂賊)으로 몰리게 되었다.
271) 사서곤득(四書困得) : 조익이 지은 『중용곤득(中庸困得)』과 『대학곤득(大學困得)』 및
    『논어천설(論語淺說)』과 『맹자천설(孟子淺說)』을 가리킨다.

모두 주자의 집주(集註)에서 나온 것으로, 스스로 자신의 생각대로 주석하고 간간이 주자의 설을 취해서 붙인 것이라고 하였다. 이는 주자의 설이 이치에 가까운데도, 자신의 생각이 옳다고 여겨서 장차 자신의 설로써 온 세상을 바꿔보려는 것이니 어찌 한심하지 않은가? 그런데 윤휴는 송시열의 미움을 받아 형벌을 받고 죽었지만 조익에 대해서는 감히 비난하는 자가 없을 뿐만 아니라, 그 무리들의 존숭함이 비할 데가 없었으니, 또한 세상의 변화를 볼 수 있다.

조공이 상소하여 율곡의 학문을 논하였다. "이통기국(理通氣局)[272]의 논설은 선현이 미처 밝히지 못했던 것을 드러냄이 사람들이 전혀 생각하지 못하는 것을 제시하였으니, 옷깃을 여미고 무릎을 꿇지 않을 수 없습니다."[273] 조공이 능히 율곡의 뜻을 알고서 이렇게 운운한 것인지 알지 못하겠다. 아니면 경서와 앞선 본받을 만한 학설을 보지 못했기 때문에 그 신기함을 기뻐하여 이와 같이 찬탄한 것인가? 율곡이 인물의 성(性)을 크고 작은 병이 모두 비어있는 것에 비유하면서 말하기를, "사람이 인의예지의 성을 갖고 있듯이, 물(物) 또한 같기 때문에 이통(理通)이라고 한 것이다.……" 하였다. 기국(氣局)의 설에 대해 송시열이 해석하기를, "음은 양이 될 수 없고, 양은 음이 될 수 없기 때문에 기국이라고 한 것이다." 하였다. 율곡의 뜻이 만약 여기에서 나왔다고 하면 더욱 가소롭다. 주자가 말하기를, "음양오행이 그 단서를 잃지 않은 것이 이(理)이다." 하였다. 북계(北溪) 진순(陳淳)[274]이 말하기를, "예로부터 지금에 이르기까지 조금도

---

272) 이통기국(理通氣局) : 율곡 이이의 이기(理氣) 관련 논설이다. 사물의 이치로서의 이(理)는 관념적 존재로서 모든 만물에 통하고, 질료로서 기(氣)는 실체적 존재이기 때문에 형상에 구속된다는 것이다. 이는 보편적인 것이지만[理通], 그것이 현상 세계에 실현되는 것은 기에 달려 있기 때문에 실제로는 기에 국한되는 것이다[氣局]. 율곡이 상정한 이는 다만 유위작용(有爲作用)이 없이 기의 주재로서만 존재하는 것이었다. 율곡은 이것을 그릇에 담긴 물에 비유하였다. 이통은 둥근 그릇이나 네모난 그릇에 담긴 물은 형태는 다르지만 물이라는 점에서 같은 것이다. 기국은 형상에 따라 그릇은 둥근 것일 수도 네모난 것일 수 있다는 것이다.

273) 『浦渚集·疏·辨柳櫻欺罔疏』.

망령된 것이 없이 만고토록 항상 이와 같은 것은 모두 진실로 도리가 주재하기 때문이다." 하였다.

　이로써 말하면 이가 기를 주재하기 때문에 음이 양이 될 수 없고, 양이 음이 될 수 없을 뿐이다. 만약 이러한 이가 없다면 천지는 폐해져서 해와 달은 떨어지고, 음과 양의 운행이 어긋나 낮과 밤이 차례를 잃은 지 오래되었을 것이다. 또한 학자로서 말하면 만약 이치를 궁구하고 그 몸을 닦아서 기질을 변화시킨다면 편벽된 자는 변화하여 지극히 온전하게 될 수 있고, 혼탁한 자는 변화하여 아주 맑아질 수 있다. 그런데 과연 기가 한 번 국한되어 정해지면 변하지 않는다고 할 수 있는가? 만약 기국을 평계로 스스로 다스리는 바가 없다면 천하 사람들이 반드시 장차 서로 이끌어 자포자기하게 될 것이다.

　또 말하였다. "만약 칠정 가운데 악한 것을 들어서 사단과 상대되는 개념으로 쓴다면 그것은 가능할 것입니다. 그렇지만 이아무개[이황]가 사단과 칠정을 상대 개념으로 파악해서 논한 것275)은 조금 착오를 면치 못한 것 같습니다."276)

---

274)　진순(陳淳) : 1159~1223. 호는 북계(北溪), 자 안경(安卿)이다. 황간(黃榦)과 함께 주자의 고제(高弟)로 일컬어진다. 평생 육구연(陸九淵)의 심학을 배척하고 주자학을 선양하는 데 힘썼다.

275)　이아무개……논한 것 : 본래 주자는 『주자어류』에서 사단칠정에 대해 "사단은 이가 발한 것이고, 칠정은 기가 발한 것이다." 말하였다. 즉 주자는 사단과 칠정을 각각 이와 기에 분속시켰을 뿐, 서로 상대화시켜 논하지 않았다. 이 문제는 조선시대 들어서 중요한 쟁점으로 확립되었다. 즉 사단이 인간의 본성 속에 내재한 천리에서 발현하는 것이라는 점에는 대체로 동의하였지만, 사단과 칠정의 소종래(所從來)에 있어서는 이견이 있었다. 퇴계는 이기호발설(理氣互發說)에 입각하여 사단과 칠정을 분별하여 상대화시켰다. 사단은 선악이 섞이지 않은 마음의 작용으로, 이가 발현한 것이다. 칠정은 인간 감정의 총칭으로 기가 발현한 것[四端理之發, 七情氣之發.]으로 보았다. 즉 사단은 사람이 말을 타고 나갈 때 사람이 적극적으로 말을 몰아 바른 길로 가는 것과 같으며, 칠정은 말이 가는 데로 맡겨 두는 것으로 때론 길을 벗어날 수 있다고 하였다. 반면 율곡은 '사단을 칠정 중의 선일변(善一邊)'으로 파악하는 '칠포사(七包四)'의 논리를 전개하였다. 인간의 감정은 언제나 대상에 대한 느낌을 통해서 발휘되는 것이기 때문에 인간의 윤리성도 현실의 논리 속에서 찾으려 했던 것이다.

조공은 한갓 칠정 가운데 선도 있고 악도 있다는 것만 알 뿐 칠정 가운데 본래 선하지도 않고 악하지도 않으면서 단지 형기에서만 발하는 것이 있다는 것을 알지 못했기 때문에 그 말이 이와 같았던 것이다. 그렇다면 주자가 어찌하여 "비록 성인이라도 인심이 없을 수 없으니, 배고프면 먹고 싶고 목마르면 마시고 싶은 것이 이것이다. 비록 어리석은 자일지라도 도심이 없을 수 없으니, 측은하게 여기고 부끄럽게 여기는 것이 이것이다." 했겠는가? 어찌 사단과 칠정을 상대 개념으로 말하지 않아서 먹고 싶고, 마시고 싶은 것을 결과적으로 악한 감정으로 만들겠는 가? 이 때문에 퇴계가 또한 말하였다. "칠정은 공정하고 중립적인 물사(物事)이다. 칠정은 이미 사단처럼 이에서 직접 발할 수 없는데, 순선하여 악함이 없다면 단 기쁨, 노여움, 슬픔, 두려움과 같은 종류의 감정은 단지 지각에서 나오는 것이니, 기가 아니면 무엇이겠는가?" 스스로 정밀히 생각하였다고 하지만 아마도 정밀히 생각하지 못하였던 것 같다.

또 말하기를, "사단은 정(情) 가운데에서 선한 것만을 끄집어내어 말한 것이고, 칠정 밖에 또 다른 정은 없다."277) 하였다. 이는 율곡의 설명278)이었 다. 만약 이 설명대로라면 맹자가 어찌하여 "기쁨[喜]은 인의 단서이고, 노여움[怒]은 의의 단서이다." 하지 않고, 반드시 측은지심(惻隱之心)과 수오지심(羞惡之心)을 들어서 인과 의의 단서라고 하였겠는가? 사단 또한

---

276) 『浦渚集·辨柳樑斅罔疏』.
277) 『浦渚集·辨柳樑斅罔疏』.
278) 율곡의 설명 : 율곡은 사단과 칠정의 양쪽 모두 기만이 발동하고 이는 발동함이 없이 기를 타고 있다는 하나의 길만을 인정하여 기발이승일도설(氣發理乘一途說)을 제기하였다. 이는 기대승의 입장을 따른 것으로, 기대승은 사단을 칠정 가운데 선일변(善一邊)으로 파악한[七包四] 견해로서 칠정에 근거하여 사단이 발생한다는 '인설(因說)'로 제시되었다. 기대승은 성은 무불선(無不善), 정은 유선악(有善惡)임을 인정하지만 칠정 외에 사단이 따로 있는 것이 아니기 때문에, 사단은 칠정에 통일시켜 야 한다고 주장했다. 이는 사단과 칠정을 인심(人心)과 도심(道心)처럼 대립적으로 이해해서는 안 된다는, 이기분리(理氣分離)의 입장에 근거한 것이다. 즉 인간의 감정은 언제나 대상에 대한 느낌을 통해서 발휘되는 것인 만큼 인간의 윤리성도 현실 속에서 찾아야 한다는 입장이었다.

정(情)이므로, 만약 칠정과 다르게 두지 않으면 사단이 어떻게 성인으로부
터 어리석은 사람에 이르기까지 순선하여 악함이 없고, 칠정에는 어찌하여
선함과 악함이 있고, 혹 선하지 않은 것과 악하지 않은 것이 있겠는가?
　맹자가 앞선 성인이 발하지 못한 것을 발하였고, 주자가 후학들에게
그 뜻이 크게 절실하다고 감탄하고 찬미하였다. 그런데 지금 율곡의
주장에 가려져서 장차 모두 쓸데없는 공언(空言)이 될 것이니, 통탄스러움
을 견딜 수 있겠는가! 만약 칠정 가운데에서 선한 것만을 끄집어내어
사단이라고 한다면 자사가 말한 "희노애락이 발하여 절도에 맞는 것을
화(和)²⁷⁹⁾라고 한다." 한 구절만으로도 충분한데, 어찌 반드시 군더더기
주장이 필요하겠는가?
　병자호란 당시 조공은 대부도(大阜島, 경기도 안산 소재)로 피난 갔는데,
때마침 정축년(1637, 인조15) 정월 대보름[上元日]을 맞이하여 조공이 약밥
을 만들어 섬에 있던 몇 사람을 불러서 같이 먹자고 청하였다. 약밥을
담은 쟁반이 나왔는데, 한 선비가 끝내 젓가락을 들지 않았다. 조공이
말하기를, "이 밥이 비록 좋지 않지만 난리 중이라 또한 마련하기 쉽지
않은데, 어찌하여 먹지 않는가?" 하니, 선비가 대답하기를, "공은 지금
대포 소리를 들었는가? 군부가 포위된 성 안에 갇혀서 또한 식사를 드시는
지 알 수 없으니, 비록 먹고자 해도 음식이 목으로 넘어가지 않아서
먹지 못하는 것이다." 하면서 눈물을 줄줄 흘리니, 앉아 있던 사람들이
모두 음식을 물리쳤다고 한다. 당시 함께 섬에 있던 집에서 이 일을
자세히 알고 있어서 이와 같이 전하였다.

---

279) 희노애락이……화(和) : 『중용장구』 제1장에 "기뻐하고 노하고 슬퍼하고 즐거워하
　　는 정(情)이 발하지 않은 것을 중이라 하고, 발하여 모두 절도에 맞는 것을 화라고
　　한다.[喜怒哀樂之未發, 謂之中, 發而皆中節, 謂之和.]" 하였다.

윤선거·윤증
尹宣擧·尹拯

윤공(尹公)은 병자년(1636, 인조14) 이전에 포의(布衣)로서 두 번의 상소를 올렸는데 기절이 늠름해서 오랑캐 사신이 무서워 도주하게 하였고,[280] 우리 사신들을 두려워 죽을 지경에 이르게 하였다.[281] 그런데 환난을 당해서는 그가 세운 명예를 모두 잃어버렸으니, 이는 다른 게 아니라 안으로는 실제로 얻은 것이 없으면서 밖으로는 큰소리를 친 것이다. 이름을 팔아 세상을 속인 자로서 낭패를 보지 않은 일이 없었으니, 뒷날 명성과 이익을 걸고 담론하기 좋아하는 자는 이것으로 경계 삼을 뿐이다.

윤공이 강화도에 있을 때 권순장(權順長)[282]·김익겸(金益兼)[283], 두 친구와 죽기로 약속하였으니, 그 자리에서 함께 죽는 것이 마땅하였다. 설혹 죽지 않았더라도 이미 지켜야 할 관직이 있는 사람이 아니니, 또한 죽지 않은 것을 가지고 큰 허물로 삼는 것은 불가하였다. 그러므로 윤공이

---

280) 오랑캐……하였고 : 1636년 용골대(龍骨大)와 마부대(馬夫大)가 사신으로 와서 황제를 자칭하며 청나라를 섬길 것을 요구하려 하자 윤선거가 성균관 유생을 이끌고 상소하여 사신을 참수할 것을 청하였다. 두 오랑캐는 이 사실을 탐지하고 관문(關門)을 박차고 밖으로 나아가 민간에 숨었다가 말을 빼앗아 타고 달아났다.

281) 우리 사신들을……하였다 : 병자년(1636, 인조14) 봄 3월 11일에 춘신사(春信使)로 심양(瀋陽)에 갔던 이확(李廓)과 나덕헌(羅德憲)을 가리킨다. 『동소만록』에 따르면 이들은 후금 태종의 즉위식에 참석하였는데, 하례를 거부하다가 구타당하는 고초를 겪었다.

282) 권순장(權順長) : 1607~1637. 본관은 안동, 자 효원(孝元)이다. 1636년(인조14) 병자호란 때 강화도로 피난하여 윤선거 등 뜻을 함께하는 친우들과 죽음으로 성을 지킬 것을 맹세하였다. 이듬해 정월 성이 함락되자 상신 김상용(金尙容) 등과 함께 화약고에 불을 질러 분사하였다. 강화도의 충렬사(忠烈祠)에 향사되었으며, 시호는 충렬(忠烈)이다.

283) 김익겸(金益兼) : 1615~1637. 본관은 광산(光山), 자 여남(汝南)이다. 김장생의 손자이자 김익희(金益熙)의 아우이다. 병자호란이 일어나자 강화도로 가서 섬을 사수하며 항전을 계속하다 강화유도대장(江華留都大將) 김상용(金尙容)과 함께 자폭하였다. 뒤에 영의정으로 추증되고 광원부원군(光源府院君)에 추봉되었다. 강화도 충렬사에 제향되었으며, 시호는 충정(忠正)이다.

자처(自處)한 도리에서는 삶과 죽음을 염두에 두지 않았으니, 우연히 죽지
않았다고 해서 누가 비난하겠는가? 그러나 지금은 그렇지 않다. 윤공이
진원군(珍原君)의 노복이 되어[284] 그 관복(冠服)을 훼손하고 천예(賤隷)가
되는 것을 감내하면서 포위된 성을 빠져나온 것은 오로지 목숨을 구해
구차하게 살아나는 것만을 생각한 것이었다. 세간에서 명분과 절의에
수치스러운 일이 있었는지는 더 알지 못하지만, 당시 오랑캐 사신을
베어죽이라고 청한 의리는 어디에 있단 말인가? 만약 나덕헌(羅德憲)의
무리[285]들이 이것을 보았다면 어찌 적이 비웃지 않았겠는가? "늙은 부친
을 만나 뵙고 남한산성에서 죽으려 했다." 한 것은 스스로 꾸며낸 말에
불과할 뿐이다.[286] 남한산성에 유독 진원군 같은 사람이 없다는 것인가?
- 반드시 늙은 부친을 뵙고 죽으려 했다면 어찌 멋대로 먼저 친구들과 함께 죽겠다고
약속했단 말인가? -

　　예론(禮論)을 둘러싼 논쟁[287]이 시작될 즈음에 윤증이 그 아버지에게

---

284) 진원군(珍原君)의 노복이 되어 : 진원군은 이세완(李世完, 1603~1655)의 봉호이다.
　　당시 적이 항복을 요구하며 남한산성에 사신을 보내도록 겁박하자 강화도에서
　　분사(分司)를 관장하던 봉림대군이 진원군에게 그 일을 명하여 남한산성으로 들어갔
　　다.(『明齋遺稿·宗室珍原君神道碑銘』) 강화도가 함락된 뒤 섬을 빠져나오려면 오랑캐의
　　전령이 되어야만 가능하였으므로 윤선거 또한 진원군의 노비라고 속이고 오랑캐에
　　게 전령으로서 점검을 받은 뒤 강화도에서 나올 수 있었다고 하였다.
285) 나덕헌(羅德憲)의 무리 : 나덕헌(1573~1640)의 본관은 나주, 자 헌지(憲之), 호 장암(壯
　　巖)이다. 의주부윤 등을 역임하였다. 외교적 수완이 능하여 여러 차례 심양에 사신으
　　로 다녀왔다. 1636년 춘신사(春信使)로서 이확(李廓) 등과 함께 청나라에 입조하였다.
　　이때 태종이 국호를 청(淸)으로 고치고 황제라고 칭하였다. 귀국 길에 청나라 황제의
　　답서를 처소에 그대로 두고 오는 등 저항을 했지만 평안도 관찰사 홍명구(洪命耇)는
　　처음부터 후금 임금의 편지를 물리치지 못하고 중간에 몰래 버렸다는 혐의로
　　죽일 것을 주장하였고, 유생 조복양(趙復陽) 등도 상소를 올려 베어 죽일 것을
　　청하였다.
286) 늙은 부친을……뿐이다 : 이에 대해 소론은 다음의 반론을 주장하였다. 윤선거가
　　숙부 윤전(尹烇)에게 의(義)에 대해서 묻자, 윤전이 "나는 지켜야 할 책임이 있으니
　　마땅히 죽을 것이다. 너는 남한산성으로 돌아가 나의 죽음을 고하라." 하였다.
　　즉 윤전의 충고에 따라 강화도를 빠져나갔다는 것이다.
287) 예론(禮論)을 둘러싼 논쟁 : 1659년 효종의 국상에서 인조의 계비 장렬(莊烈)왕후가
　　입을 상복을 둘러싸고 벌어진 예송(禮訟)을 가리킨다. 서인의 영수 송시열은 기년복

보낸 편지에서 삼년복이 옳다고 하였다. 급기야 송시열이 크게 고함치면서
말하기를, "길보(吉甫, 윤선거의 자)가 희중(希仲, 윤휴의 자)에 대해 옳고
그름을 묻지 않고 반드시 희중의 말을 따른다." 하자, 윤선거 부자가
즉시 예설을 바꾸어 "기년복(朞年服, 1년복)이 옳다." 하면서 송시열에게
붙었다.288) 때문에 희중이 길보의 제문에서 이르기를, "내가 그대를 일러
스스로 주관을 세우지 못하였다 하였다." 한 것이 이것이었다. 그러나
길보의 문집 가운데 또한 기년복을 힘껏 주장한 곳이 없었다. 그 뜻이
비록 어쩔 수 없는 데에서 나온 것이라 할지라도 애초의 견해를 바꾼
것은 또한 옳고 그른지를 알아서 그랬겠는가?

　윤공이 말하였다. "윤선도는 윤의중(尹毅中)289)의 손자이며, 의중은 이발
의 외삼촌이다. 이발의 집안사람으로서 감히 정개청을 신원한 일은 다만
죄지은 집안의 자제가 스스로 꾸며낸 말에 불과하였다.……" 이와 같은
법률은 곧 상앙(商鞅)290)이 만든 것인가, 뛰어난 신하가 만든 것인가?

　이발은 진실로 고산(孤山, 윤선도의 호)과 성이 다른 친척인데, 알 수
없지만, 정개청과 고산이 친척인가 사돈인가? 아니면 정개청이 이발과
연루되어서 죽었다는 것인가? 어찌하여 고산은 정개청의 억울함을 따져
물을 수 없다는 것인가? 그 문장을 억지로 갖다 붙인 것이 대부분 이와
같을 뿐이었다. 윤공이 그 외조부를 신원하려 했다면 마땅히 성문준과

　(朞年服, 1년복)을 주장하였고, 허목과 윤휴 등 남인은 삼년복을 주장하였다. 이것은
　효종의 종법상 지위에 대해, 둘째 아들, 즉 태어난 그대로 둘 것인가 아니면 종통(宗統)
　을 계승한 맏아들로 볼 것인가를 둘러싸고 벌어진 논쟁이었다. 결국 국제(國制)에
　근거하여 기년복으로 결정하였다.
288) 윤공 부자가……붙었다 : 『동소만록』에 이와 관련된 기사가 있다. 기해예론(己亥禮
　論, 1659)이 나오자 윤선거가 허목의 논의를 옹호했는데, 윤증이 송시열의 위세에
　굴복하여 큰 의론(議論)에서 스승과 어긋난다면 장차 불리할 것이라고 하면서 예론을
　고쳤다는 것이다.
289) 윤의중(尹毅中) : 1524~?. 본관은 해남, 자 치원(致遠), 호 낙촌(駱村)이다. 대사헌
　등을 역임하였다. 정여립 옥사로 동인들이 축출될 때 이발의 외삼촌이라는 이유로
　파직되었다.
290) 상앙(商鞅) : ?~B.C.338. 전국시대 법가(法家) 사상가로, 엄정한 법 집행을 통해 진나라
　의 부국강병을 이루었다. 특별히 수사연좌법(收司連坐法)을 제정하여 한 집이 죄를
　지으면 아홉 집에서 고발하고, 고발하지 않으면 열 집 모두를 연좌시켰다.

정홍명의 말처럼 했어야 했다. "아버지가 정철에게 왕복하면서 여러 사람들을 구원하였지만, 힘이 닿지 못하여 옥과 돌이 함께 불타는[291] 탄식을 면치 못하였다."

임진년의 일은 마땅히 월사(月沙, 이정귀의 호) 등 여러 공들의 말처럼 했어야 했다. "변고 소식을 처음 들었을 때 병이 위중하여 나아가 문안할 수 없었고, 임금이 탄 수레가 지나갈 때는 거처가 치우쳐 있어서 나아가 맞이하여 알현하지 못했다." 그랬다면 뒷날 사람들이 두 가지 일에 대해서 비록 괴이함이 있었다 해도 용서하지 않음이 없었을 것이다. 그런데 지금 곧 그렇게 하지 않고, 기축년에 억울하게 죽은 사람들을 모두 역당(逆黨)으로 몰아가고, 임진년 나아가지 않은 일에 대해서는 본래 정해진 의리에서 나온 것이라고 하였다. 그 말이 진실로 이미 상서롭지 않았고, 의리 또한 말이 안 되니 불초함이 심하다고 할 수 있다.

윤공이 병자년에 죽지 않은 죄를 들어 끝내 벼슬에 나아가지 않았고, 때문에 사람들이 의심하면서도 오히려 취할 만한 점이 있다고 여겼다. 그러나 그가 저술한 문자를 보면 오로지 당론을 일삼았으니, 그 참혹함이 신불해(申不害)·한비자(韓非子)[292]와 같아서 끝내 조금도 충후(忠厚)하고 공평한 의사가 없었다. 만약 출사하여 권력을 잡았다면 세도에 끼친 화가 송시열보다 못하지 않았을 것이다.

시배(時輩)들은 해명하기 어려운 일에 대해서는 모두 끝까지 캐어물을 수 없는 곳으로 돌려서 선조[宣廟]의 죄라고 하였다. 정철의 일을 말하면서 건저(建儲)를 세우려다가 죄를 얻었고,[293] 선비를 죽였다는 악명을 더하였

---

291) 옥과 돌이 함께 불타는 : 원문은 "玉石俱焚"이다. 선인과 악인이 모두 함께 재앙을 당한다는 뜻이다. "불이 곤륜산을 태우면 옥과 돌이 다함께 불타고, 임금이 덕을 잃으면 사나운 불보다 더 무섭다.[火炎崑岡, 玉石俱焚, 天使逸德, 烈于猛火.]"(『書經·胤征』)

292) 신불해(申不害)·한비자(韓非子) : 신불해(?~B.C.337)는 법가 사상가로서 한(韓)나라의 소후(昭侯)를 섬겨 15년간 재상을 역임하면서 내치(內治)와 외교(外交)를 닦아 나라를 안정시켰다. 한비자(B.C.280~B.C.233)는 한(韓)나라의 공자(公子)로서 신불해와 같이 법치주의에 입각한 부국강병책을 여러 차례 한왕에게 건의하였다. 하지만 한왕은 이를 받아들이지 않았고 결국 진나라에 의해 멸망당하였다.

다. 설령 선조가 정철에게 죄를 준 것이 실로 그들의 말과 같더라도, 이것이 어찌 신하가 서책에 쓸 수 있었겠는가? 그 무엄함이 심하였다. ─ 사계와 선거의 말이 모두 이와 같았다. ─

또 양천경(梁千頃) 등이 자백한 것을, 직접 학봉(鶴峯) 김성일이 꼬드긴 것[294]으로 돌렸는데, 이는 백이(伯夷)[295]를 음탕한 사람이라고 배척한 것과 무엇이 다른가? 누가 이를 믿겠는가? 이것과 선조가 정철을 죄준 일은 마찬가지이니 누가 보고 누가 전한 것인가? 만약 양천경이 승복한 것[296]을 믿을 수 없다고 한다면 여러 역도들이 사람들을 무고하여 끌어들인 일은 유독 믿을 수 있단 말인가?

『괘일록(掛一錄)』[297]에서 말하였다. "이발 형제가 귀양을 떠난 뒤 정철이 의관(醫官) 조영선(趙永善)을 시켜 선홍복(宣弘福)을 은밀히 꾀어 말하기를, '네가 만약 이발 형제를 끌어들인다면 너는 아무 일이 없을 것이며 또한 좋은 관직을 얻을 수 있을 것이다.' 하였다. 선홍복이 이 말을 믿고 한결같이 꼬드긴 대로 하여, 이발 형제가 다시 잡혀서 죽임을 당했다. 하지만 선홍복 역시 거리에 끌려나와 형벌을 받음을 면치 못하였는데, 이때 선홍복이

---

293) 건저(建儲)……얻었고 : 1591년(선조24) 건저 문제와 관련하여 이산해·류성룡 등과 광해군을 책봉하기로 약속했다. 막상 건의하기로 한 날 이산해는 병을 핑계로 출석하지 않고 류성룡은 아무 말도 하지 않았다. 이에 정철 혼자 주청했다가 선조의 노여움을 받아 파직되었다.

294) 김성일이 꼬드긴 것 : 최영경이 죽은 뒤, 최영경이 길삼봉이라고 한 데는 반드시 사주한 자가 있다고 하면서 홍여순이 양천경 등을 엄하게 국문하였다. 이에 양천경 등이 당시 말을 전한 임예신(任禮臣) 등 10여 명을 증인으로 끌어들였다. 이때 양천경 의 인척 기효증(奇孝曾)이 김성일의 말이라고 하면서 양천경에게 만약 정철을 끌어대 면 살아날 수 있을 것이라고 꾀었다는 것이다.(『宋子大全·松江鄭公神道碑銘幷序』)

295) 백이(伯夷) : 은나라 말 현자이다. 주나라 무왕이 은나라를 정벌하려 할 때 아우 숙제(叔齊)와 함께 간하였으나 받아들여지지 않자 수양산으로 들어가 굶어 죽었다.

296) 양천경이 승복한 것 : 1591년(선조24) 양천경과 강해(姜海) 등을 잡아들여 국문 하니 정철의 간사한 흉계를 사실대로 남김없이 말했다.

297) 괘일록(掛一錄) : 이조민(李肇敏, 1541~?)의 저술이다. 중종대 대윤(大尹)·소윤(小尹) 의 대립으로부터 선조대 동서분당에 이르기까지의 주요 사건들을 다루고 있다. 이조민의 본관은 용인, 호 육물(六勿)이다. 둘째부인은 윤원형의 서녀이다. 윤원형의 집에서 처가살이를 하며 김효원과 함께 기숙하였다.

말하기를, '내 죄는 죽어 마땅하다. 다른 사람의 말을 듣고 죄 없는 사람들을 모함하였다.' 하였다. 이로부터 정철이 조영선을 국사(國士)로 대접하였고, 영선의 교만 방자함이 날로 심해졌다. 정철이 큰 잔치를 베풀었는데 조영선으로 하여금 다른 손님과 술을 주고받는 예를 행하게 하였다. 심충겸(沈忠謙)298)이 말하기를, '내가 비록 노둔하지만 어찌 차마 조영선의 잔을 받아 마실 수 있겠는가?' 하고, 화를 내며 자리에서 일어났다.……" 정홍명이 이것을 허상(許鏛)이 지어낸 것으로 여겼으니 허상이 어찌 말을 지어내는 사람이란 말인가?

정철은 강박하고 편벽된 성품 때문에 이발 형제의 배척을 받고 10년이나 폐기되었으므로 반드시 한 번 보복하려 한 것은 그 형세가 진실로 그러하였다. 하물며 또 조영선과 심충겸의 이름을 들어서 입증하였으니 맹랑한 말은 아닐 것이다. 그렇지만 일이 사리에 어두운 사람과 관련되고, 직접 본 사람이 없으니 단지 믿을 수 없는 지경으로 돌릴 수도 있을 것이다. 하물며 학봉이 양천경의 자백 여부에 대해 무슨 이해(利害)가 있다고 이 같은 간사한 일을 지어낸단 말인가? 이것은 선조를 무고한 일과 똑같은 수법이다.

앞의 단락은 마땅히 "기축옥" 끝에 있어야 한다.

탄옹(炭翁) 권시(權諰)299)가 상소하여 윤선도 공을 구원하며 말하였다. "오늘의 상사(喪事)에서 대왕대비 복제는 당연히 삼년복이어야 함은 반드시 의심의 여지가 없습니다. 지금 비록 의리에서 새로 나온 것300)이지만

---

298) 심충겸(沈忠謙) : 1545~1594. 본관은 청송, 자 공직(公直), 호 사양당(四養堂)이다. 의겸 (義謙)의 동생으로, 병조참판 등을 역임하였다.

299) 권시(權諰) : 1604~1672. 본관은 안동, 자 사성(思誠), 호 탄옹(炭翁)이다. 대사헌 등을 역임하였다. 1660년(현종1) 예송 당시 송시열과 송준길에 대립하여 윤선도를 지지하는 상소를 올렸다가 파직되어 낙향하였다. 저서로는 『탄옹집』이 있다.

300) 의리에서 새로 나온 것 : 원문은 "義起"이다. 『예기』「예운(禮運)」에 "예라는 것은 의의 실질이니, 의에 맞추어서 맞으면 예는 비록 선왕 때에 없던 것일지라도 의로써 새로 만들 수 있다.[禮也者, 義之實也. 協諸義而協, 則禮雖先王未之有, 可以義起.]" 하였다. 예문(禮文)에 없더라도 이치를 참작하여 새로운 예(禮)를 만드는 것을 말한다.

백년을 두고 질정할 수 있습니다." 또 말하기를, "송시열이 이른바 '선왕을 서자(庶子)라 해도 해로울 것 없다.'[301]는 말은 매우 잘못된 것입니다." 하였다.

탄옹은 윤증의 장인이었으므로, 윤증 부자가 겁이 나서 혹시 자신들이 연루될 것을 두려워하였다. 이에 윤증이 유계(兪棨)[302]와 이유태(李惟泰)[303]의 무리들에게 편지를 보내 탄옹의 본심은 그렇지 않다고 드러내면서 오래전부터 사귄 교분을 보전하고자 하였다. 그렇지만 그 실재는 삼년복을 입어야 한다는 학설을 주장하지 않았음을 스스로 밝힌 것이니, 스스로 탄옹에 대해 두 마음을 갖고 있음을 보여주었다. 그래서 탄옹에 대해서 자기 몸을 살펴 소중하게 여김이 없이 혹 말하기를, "간사한 참소의 구덩이에 빠졌다." 하거나, 혹은 "현자를 해치는 효시"라고 극력 비방하였으니, 마음을 써 주차(周遮)[304]하는 모습이 밝게 드러나 가릴 수 없었다.

또 호서유생[湖儒]을 대신하여 지은 예론 관련 상소[305]에서 한결같이 송시열의 예론을 답습하였으니, 이른바 "온갖 계략을 다 부렸다." 할 수 있다. 그래서 직접 탄옹을 배척하여 송시열과의 교우의 도리를 보존할

---

301) 선왕……없다 : 예송의 주요 쟁점은 효종을 둘째아들로 간주할 것인가 아니면 종통을 계승한 맏아들로 볼 것인가이다. 삼년복을 주장하는 입장은 후자로, 기년복과 대립되었다. 이에 권시가 효종을 서자로 간주하는 데 반대했던 것이다. 송시열이 말한 서자는 장자가 아닌 중자(衆子) 일반을 가리킨다.

302) 유계(兪棨) : 1607~1664. 본관은 기계(杞溪), 자 무중(武仲), 호 시남(市南)이다. 김장생의 문하에서 성리학을 수학하였다. 예학과 사학에 정통하였으며, 송시열·송준길·윤선거·이유태 등과 더불어 충청도 유림의 오현(五賢)으로 일컬어졌다.

303) 이유태(李惟泰) : 1607~1684. 본관은 경주, 자 태지(泰之), 호 초려(草廬)이다. 효종대 송시열과 송준길의 천거로 관직에 나아가 공조참의·동부승지 등을 역임하였다. 현종대 예송논쟁 당시 송시열의 기년설(期年說)을 옹호하였으며, 숙종대 다시 예송논쟁에 휘말려 유배되었다.

304) 주차(周遮) : 말이 수다스럽게 많은 모양이다.

305) 호서유생……상소 : 영남유생 유세철(柳世哲)의 상소에 반대하여 올린 충청도 유생 윤택(尹擇) 등의 상소를 가리킨다. 유세철은 서인측 기년설을 반박하는 의례소(議禮疏)를 올렸다. 윤택은 윤명거(尹溟擧)의 셋째 아들이었다. 이에 대해 윤증이 "영남 사람 유세철이 상소하였을 때 호서의 유생이 소장을 올려 조목조목 반박한 일이 있는데 실은 신이 그 상소를 대신 지은 것입니다." 하였다.(『顯宗改修實錄』7年 4月 19日, 『明齋遺稿·辭執義疏』, 『明齋遺稿·代湖西儒生論禮疏』)

수 있었는데, 윤공 부자가 끝내 크게 낭패를 면치 못한 이유는 무엇 때문인가? 송시열이 어찌 탄옹에 대해 노여움을 품지 않았겠는가? 그러나 또한 탄옹의 마음이 변함없이 일정하고 달리 술책을 부리는 것이 없다는 것을 믿었다. 윤공 부자의 경우 그 의도를 굽혀서 아부하여 따르는 것을 기뻐하지 않음이 없었으나, 그 마음속으로 진실로 이미 예론을 뒤바꾼 것을 괴이하게 여겼고, 때문에 또한 윤휴와의 교유를 끊었다는 말을 믿지 않아서306) 끝내 오랑캐에게 항복한 선복(宣卜)307)이라고 꾸짖어 욕하였다.

윤증이 멋대로 심술(心術)을 부려서 그 아버지를 그르치고, 송시열의 충신이 되려고 모의하여 마침내 성취한 것이 과연 어떠했겠는가? 『시경』에서 "물에 잠겨 숨어 있어도 그것 역시 잘 보이기만 한다."308) 하였는데, 이것을 이르는 것인가? 윤증이 탄옹에게 편지를 보내 삼년복의 학설을 번복하려 하였고, 때문에 탄옹이 송시열에게 보낸 편지에서 말하였다. "길보 부자의 수천수만 마디의 말은 단지 나를 '아부[諛]'라는 한 글자로 유도하는 것이고, 또한 나에게 뜻을 굽혀서 비방을 면하라는 것입니다. 어디에서 이 같은 학술을 얻은 것인지 알지 못하겠습니다."309) 이것으로 보건대 저들의 한 평생을 대략 알 수 있다.

탄옹이 윤증에게 보낸 편지에서 말하였다.310) "사람이 행실과 일처리를 함에 있어서 장수와 요절에 의혹을 품지 않고 몸을 닦고 천명을 기다리는

---

306) 윤휴와의……않아서 : 노론계 당론서인『족징록(足徵錄)』에 따르면 송시열이 윤선거에게 윤휴와 절교할 것을 권한 것은 윤휴의 학문이 주자와 배치되었기 때문이라고 주장하였다. 이에 윤선거가 절교하겠다고 했지만 1669년(현종10) 그의 사후 윤선거의「기유의서(己酉擬書)」를 보고 절교하지 않은 것으로 의심하였다.

307) 선복(宣卜) : 노론측 당론서에 나오는 말로서, 병자호란 당시 강화도에 피신한 윤선거는 함락 당시 홀로 살아남아 남한산성으로 부친을 만나기 위해 진원군(珍原君)의 노비라고 속이고 이름을 고쳐 선복이라고 하였다 하고, 오랑캐에게 전령으로서 점검을 받은 뒤 강화도에서 나올 수 있었다는 것이다. 소론측에서는 이것을 송시열이 날조한 말로 보고 조목조목 반박하였다.

308) 『詩經·小雅·正月』.

309) 『炭翁集·與宋英甫丙午四月』.

310) 『炭翁集·答尹仁卿四』.

것이 우리들의 서로 전하는 심법(心法)입니다. 구차하게 소인을 면하기를
바라면서 내렸다 올렸다 하고, 채웠다 줄였다 하면서 군자의 무리가
되기를 바라는 것이 결코 그대답지 않습니다. 그대가 청정함을 지키는
의리가 부족하여 혹시 대가[大方]의 비판을 면치 못할까 늘 두려웠는데,
그대는 오직 당대 군자가 되지 못할까 두려워하고 있습니다."

또 말하였다.[311] "그대가 이전 편지에서 '스스로 다른 바를 찾는다.'
하였는데, 이는 내가 들은 것과 크게 다릅니다. 구차하게 함께하던지
구차하게 다르게 하던 심술을 무너뜨려서 끝내 구제할 수 없습니다."

또 말하였다.[312] "그대가 나를 가르쳐 준 것은 군자가 자신을 반성하는
정성이 없는 것 같습니다. 오로지 이해관계에 의해 움직이고 비방이
따르면 변하여 두려워 쫓기는 듯 하고, 또한 그릇되게 억측하거나 또한
의심하여 꺼리는 듯 하고, 심한 경우 가혹하게 무고하여 죄에 얽어 넣으니,
남의 죄에 얽혀 함께 죄를 받을 형률[313]이 또한 어찌 이 지경에 이르렀단
말입니까? 그대의 명성이 한 시대에 떨치면서도 존부(尊府, 상대방의 부친)
등 여러 사람들과 알력이 있다고 들었는데, 그 이유를 알지 못했었습니다.
지금 보내온 의견을 보고 비로소 그 까닭을 알 수 있었습니다."

신독재 김집이 대윤(大尹, 윤선거)에게 편지[314]를 보내 말했다. "처자를
핍박하여 먼저 죽게 해 놓고서 자신은 구차하게 살아남아서 세상의 꾸짖음
을 받은 지 오래되었다." 송시열이 윤증의 양친을 욕보인 것은 오로지
이것을 도구로 삼았다. 윤증이 어머니의 유사(遺事)를 지어서 말하기를,
"두 여종으로 하여금 목을 매게 하여 절명하였다." 하였다. 그 의도는
그 아버지가 핍박하여 죽게 한 자취를 가리고자 한 것인데, 그럴수록

---

311) 『炭翁集·答尹仁卿丙午』.
312) 『炭翁集·答尹仁卿』.
313) 남의 죄에……형률 : 수사연좌(收司連坐). 열 집[家]을 1조로 하여, 그 중의 한 집이
　　죄가 있을 경우 다른 9집이 고발하게 하여 연대 책임을 지웠다. 만약 규거(糾擧)하지
　　못할 경우 열 집을 모두 연좌시켰다.(『通鑑節要·周紀·顯王』)
314) 신독재(愼獨齋)……편지 : 『신독재유고(愼獨齋遺稿)』「여윤길보서(與尹吉甫書)」에는
　　"다만 아내와 자식은 먼저 죽게 만들어 놓고 자신만 구차하게 살았다.[只爲導妻子先死
　　而身則苟活也]" 구절만 보인다.

더욱 드러난다는 것을 자각하지 못하였다. 그 어머니가 또한 순결을 지키기 위해 목숨을 버렸다면 어찌 스스로 처신하는 방법이 없어서 반드시 두 여종으로 하여금 목을 매게 하여 절명하였겠는가? 노비들이 평일에 진실로 주인을 해치려는 마음이 없었다면 반드시 자신의 손으로 주인을 범하여 눈앞에 쓰러진 시신을 보려고 하지 않았을 것이다. 과연 그렇다면 한 집안에서 역적 노비 하나가 나온 것이니 이는 이미 큰 변고인데 하물며 두 역적 노비에 있어서랴? 이는 반드시 있을 수 없는 이치이다. 이것은 윤선거가 두 노비들을 큰 소리로 위협하여 핍박하여 죽인 것이 분명하다. 또한 윤증이 자식이 되어 차마 붓에 먹물을 묻혀 그 어머니가 순절한 일을 써 내려갔으니, 그 아버지의 그 자식이라고 할 수 있다.

윤증이 송시열에게서 묘갈명을 받았는데315), 그 동생 윤추(尹推)316)는 "그 사람에게 부탁할 수 없다." 하였으니, 형제 사이에 반드시 부탁할 수 없는 이유에 대해 말이 있었기 때문인데 그 말을 듣지 않고 아버지의 비문을 반드시 그 사람에게 부탁한 것은 무엇 때문인가? 당시 오직 자신의 이해관계만 알 뿐이었으니 어찌 그 사람이 어떤지를 따져봤겠는가? 그

---

315) 송시열……받았는데 : 송시열이 지은 윤선거 묘갈명은 노론과 소론이 분기한 회니시비(懷尼是非)의 주요 원인 중 하나였다. 1669년(현종10) 윤선거의 사후, 아들 윤증은 스승이자 부친의 벗이었던 송시열에게 묘갈명을 지어달라고 부탁하였다. 송시열은 이를 허락하였으나 정작 윤선거의 일생을 평가하는 중요한 부분에서는 대부분 박세채가 지은 행장의 내용을 인용하는 것으로 대신하여 윤선거의 생전 행적에 대해 갖고 있던 불만을 간접적으로 드러냈다. 송시열의 이러한 태도를 두고 소론 측에서는 윤증이 송시열에게 부친의 묘갈명을 청하면서 함께 보냈던 「기유의서」 때문에 송시열이 윤선거에게 원한을 품고 묘갈명을 부정적으로 지었다고 보았다. 「기유의서」는 윤선거가 죽기 직전에 송시열에게 보내려 썼던 편지로, 여기에는 송시열의 정치 행태를 비판하는 내용이 다수 담겨 있었다. 송시열로부터 묘갈명을 전해 받은 윤증은 이후 송시열에게 여러 차례 편지를 보내 내용을 수정해 줄 것을 요청하였는데 송시열이 이에 소극적으로 임하자 이 문제는 결국 노소(老少) 간의 갈등으로 불거지게 되었다. 『형감(衡鑑)』에 실린 윤선거의 묘갈명은 윤증의 요청으로 한 차례 수정을 거친 재본이다. 이는 본문 곳곳에 초본과 비교하는 세주가 달려있는 것으로도 알 수 있다.
316) 윤추(尹推) : 1632~1707. 본관은 파평, 자 자서(子恕), 호 농은(農隱)이다. 윤증의 동생으로, 숙종대 송시열을 비롯한 노론이 윤선거·윤증에 대한 정치적 공격을 본격화하자 이에 대항하여 부친과 형을 변론하는 글인 『청송재변록(青松齋辨錄)』을 남겼다.

마음가짐이 이와 같으니 그 끝에 엎어진 것이 어찌 족히 괴이하겠는가?

묘도(墓道) 문자는 오로지 총론(摠論)에 있는데, 근래 백사가 찬한 율곡 비문을 보니, 이르기를, "내 친구 김장생은 스승의 학설을 지켰는데, 그가 말하기를 운운하였다." 하였다. 이는 송시열이 박화숙(朴和叔, 박세채의 자)의 평가를 인용한 것과 무엇이 다른가? 묘도문자를 작성한 사람이 자신의 말로 평가하지 않은 것은 한 가지이다. 그렇다고 율곡 문도가 백사에게 노여워했다는 말은 듣지 못하였는데, 윤증이 송시열을 원망하는 것은 어째서인가?

예송
禮訟

    시배(時輩)들이 국사(國事)에 대해서 제멋대로 억측하여 결정하고 위협하여 거행하였는데, 기해년(1659, 현종 즉위년) 예론(禮論)[317]만큼 심한 것은 없었다. 저 두 송씨[二宋][318]가 어찌 애초부터 갑작스럽게 효종[孝廟]을 폄박(貶薄)할 마음이 있었겠는가? 단지 예를 강론함에 밝지 못하고 사리에 통달하지 못한 것에 관계될 뿐이었다. 공격하고 배척하는 논의가 일어나자 오히려 예론을 잘못 적용한 것을 부끄럽게 여기면서도 기꺼이 선뜻 승복하지 못하였다. 이에 도리어 『예경(禮經)』의 문자를 주워 모아 자기의 의견에 가져다 붙여서, "잘못을 저지르고서도 뉘우침 없이 어물어물 넘기려는"[319] 짓을 계책으로 여겼기 때문에 종종 도리에 어긋나고 잘못된 말이 이르지 않는 곳이 없었다. 이른바 유계와 그 무리들 또한 송시열의 예설이 잘못되었다는 것을 알고 있었으나, 도리어 사람들에게 억지로 권하였고, 혹 예설을 잘못 적용하였다고 말하면 곧 죄를 주어 예론으로써 나라 가운데 함정을 만들었다. 윤선도가 상소를 올리는데[320] 이르러 삼사(三司)가 모두 일어나 상소를 불태울 것을 청하였고, 또 법대로 처벌하라고

---

317) 기해년 예론(禮論) : 기해년(1659, 현종 즉위년) 효종이 죽자 인조 계비 자의대비의 상복을 두고 벌어진 논쟁을 말한다. 효종이 둘째 아들인 점을 고려하여 조씨가 기년복을 입어야 한다는 서인의 주장과 종통을 계승한 적자로 인정하여 3년복을 입어야 한다는 남인의 주장이 맞섰다.

318) 두 송씨[二宋] : 송시열과 송준길(宋浚吉, 1606~1672)을 가리킨다. 송준길의 본관은 은진(恩津), 자 명보(明甫), 호 동춘당(同春堂)이다. 김장생 문인으로, 병조판서 등을 역임하였다. 송시열과 함께 효종대 정국을 주도하다가, 현종대 예송에 참여하여 기년복(朞年服, 1년복)을 관철하였다. 저서로는 『동춘당집』이 있다.

319) 잘못을……넘기려는 : 원문은 "文過遂非"이다. "過"는 모르고 지은 잘못이고, "非"는 알면서도 지은 죄악을 말하는데, 과오를 꾸며서 진짜 죄악을 이룸을 뜻한다.

320) 윤선도가 상소를 올리는데 : 윤선도는 송시열이 종통과 적통을 분리시켜 효종에 대한 상복을 기년복으로 정한 것을 비판하였다. 윤선도 상소는 예론 차원을 넘어서 서인의 예론이 가진 정치적 함의를 지적하여 파장을 일으켰다.(『顯宗實錄』1年 4月 18日)

청하자 인심이 이로 인해 더욱 격화되고 더욱 통분하였다. 기사년(1689, 숙종15)에 이르러 송시열이 끝내 죄를 받아 죽게 되었는데,[321] 사람들은 "남인이 죽었다." 하였지만 실제로는 유계 무리들이 죽인 것이었다. 윤증이 대신 써준 호서유생의 상소[322]는 더욱 옳지 않았으니, 아래와 같이 변론하겠다.

"경전에서 '장자(長子)를 위해 삼년복을 입는다.' 하였는데, 소(疏)[323]에서, '적처(嫡妻) 소생이면 모두 적자라고 명명한다. 첫째 아들이 죽으면 둘째 아들[第二長者]을 세우고 역시 장자라고 명명한다.' 하였습니다. 전(傳)에서, '어찌하여 3년으로 하는가? 위로 종통을 잇는 적장자[正體於上]이거나, 또는 이내 장차 왕위를 계승[傳重[324]]할 수 있기 때문이다.' 하였습니다. 주(註)에서 '선조의 적장자를 중히 여기고, 또 장차 자신을 대신하여 종묘의 주인이 될 것이기 때문이다.' 하였습니다. 소(疏)에서, '비록 왕위를 계승하였더라도 삼년복을 입지 못하는 네 가지 종류[四種]가 있다. 하나는 적장자이지만 왕위를 계승하지 못한 경우[正體不得傳重]인데, 적자가 몹쓸 병이나 다른 연유가 있거나 만약 죽어서 아들이 없어 왕위를 계승할 수 없는 경우를 이른다. 두 번째는 왕위를 계승한 사람이 적장자가 아닌 경우[傳重非正體]이니, 서손(庶孫)을 세워서 뒤를 계승하게 한 것이 이것이다. 세 번째는 아들이지만 적장자가 아닌 경우[體而不正][325]이니, 서자(庶子)를 세워서 뒤를 이은 것이 이것이다. 네 번째는 왕위를 계승하였지만 아들이 아닌

---

321) 기사년……되었는데 : 기사환국(1689, 숙종15)을 가리킨다. 당시 희빈(禧嬪) 장씨(張氏)의 소생을 원자로 정호(定號)하는 문제를 계기로 숙종이 서인을 내치고 남인을 다시 불러들였다. 그 결과 송시열이 사사되었고, 이이명(李頤命)·김만중(金萬重)·김수흥·김수항 등이 복주(伏誅) 또는 유배당하였다.

322) 호서유생의 상소 : 복제에 관한 생원 윤택(尹澤) 등이 올린 상소이다. 기년설을 논박하는 영남 유생 유세철의 주장을 공박하였다.(『顯宗改修實錄』 7年 4月 19日)

323) 소(疏) : 여기서는 『의례주소(儀禮注疏)』를 가리킨다.

324) 전중(傳重) : 상사(喪事)·제사나 종묘(宗廟)의 막중한 임무를 자손에게 전하여 잇게 한다.

325) 아들이……경우[體而不正] : 송시열은 적자인 소현세자가 성년이 되어서 죽었으므로 둘째 아들인 효종은 아들이지만 적자가 아닌 경우[體而不正]에 해당하며, 따라서 자의대비는 효종에게 기년복을 입어야 한다고 주장하였다.

경우[正而不體]이니, 적손(嫡孫)을 세워서 뒤를 계승한 것이 이것이다.' 하였
습니다. 전(傳)에 또 이르기를, '서자는 장자처럼 삼년복을 입어주지 못하니
할아버지[祖]를 계승하지 않았기 때문이다.' 하고, 소기(小記)에 '할아버지
와 아버지[禰]를 계승하지 못하는 것이다.' 하였다. 주(註)에 '서자란 아버지
의 뒤를 계승한 자의 아우이다. 서자라고 한 것은 분명하게 구별하기
위해서이다.' 하였습니다. 소에 '서자는 첩자(妾子)의 호칭이다. 적처에게
서 난 둘째 아들은 중자(衆子)인데, 지금 서자로 같이 부른 것은 장자와
분명하게 구별하기 위해서이다.' 하였습니다. 때문에 첩자와 함께 불러서
서로 다투게 되었으니326) 모두 여기에서 연원하는 것입니다."327)

두 송씨는 사종(四種) 가운데 "아들이지만 적자가 아닌 경우"는 삼년복을
입을 수 없는 서자로서, 서자란 바로 적처 소생의 둘째이하 중자(衆子)의
호칭이지, 첩자를 칭하는 것이 아니라고 하였다.

논의하는 자들은 다음과 같이 말하였다. "소나 주에서 '적처 소생이면
모두 적자라고 부른다. 첫째 아들이 죽으면 둘째 아들을 세우고 또한
장자라고 명명한다.' 하였으니, 그 상복은 이미 참최(斬衰)328) 삼년복 조에
해당되며, 다시 '아들이지만 적자가 아닌 경우'에 두는 것은 부당하다.
비록 승중(承重)329)하였더라도 삼년복을 입을 수 없는 사례는 이른바 서자

---

326) 첩자와⋯⋯되었으니 : 당시 허목은 서자를 첩자(妾子)로 본데 반해 송시열은 적장자
　　를 제외한 적처소생의 중자(衆子)로 보았다. 허목은 사종설(四種說)에서 체이부정(體
　　而不正)의 서자(庶子)는 첩자(妾子)만을 가리킨다고 하여 서자첩자설(庶子妾子說)을
　　주장하였다. 따라서 효종은 체이부정에 해당되지 않는다고 보았다. 그는 효종이
　　본래는 차자(次子)였지만 종통을 계승한 이상 장자(長子)가 되어 정체전중(正體傳重)
　　에 해당하므로,『의례(儀禮)』「자최장(齊衰章)·모위장자조(母爲長子條)」에 의거하여
　　자의대비는 효종에게 자최 삼년복을 입어야 한다고 주장하였다.
327) 경전에서⋯⋯것이다 :『명재유고(明齋遺稿)』「대호서유생논예소(代湖西儒生論禮疏)」
　　를 인용한 것이다. 글자에 약간의 출입이 있지만 내용은 대동소이하다.
328) 참최(斬衰) : 가장 거칠고 굵은 삼베로 만들되 아랫단을 깁지 않는 상복이다.
329) 승중(承重) : 종묘(宗廟)나 가묘(家廟) 혹은 상제(喪祭)를 받들 막중한 책임을 이어받게
　　됨을 나타내는 말로 여기에는 다음과 같은 여러 경우가 있었다. 첫째, 종통(宗統)을
　　승계하여 제사를 받드는 것이다. 이는 보통 적장자(嫡長子) 승계를 원칙으로 하고,
　　적자가 없을 경우 서자(庶子) 혹은 첩자(妾子)가 잇기도 하였다. 둘째, 종법제(宗法制)에
　　따라 대종(大宗)에 후계자가 없을 경우 소종(小宗)의 지자(支子)가 대종의 가계를

를 세워 후사를 이은 것으로, 서자는 적처 소생이 아닌 것이 분명하다."
피차 논쟁한 바가 비록 매우 번잡해졌지만, 그 핵심은 단지 여기에 있을
뿐이었다.

　삼가 살펴보건대, 효종대왕은 인조의 둘째 아들[次嫡]로서 종묘의 제사
를 주관하고 한 나라의 군주가 된지 십년이 되었다. 이것이 바로 소주(疏註)
에서 이른바 "첫째 아들이 죽으면 적처소생 둘째 아들을 세우고 역시
장자" 말하는 장자였다. 상복은 이미 참최 삼년복 조에 있는데 다시
무슨 의심할 만한 것이 있다고 이를 끌어다가 "아들이지만 적자가 아닌
경우"에 두어서 삼년복을 입을 수 없는 반열에 두었는가.
　저 두 송씨는 애초 "참최복을 두 번 입지 않는다.[不貳斬]"330)는 세
글자를 잘못 인식한 것에 불과하였다. 먼저 마음속으로 생각하기를, "소현
세자(昭顯世子)331)의 상례 때 이미 삼년상을 거행하였으니, 또 참최 삼년복
[極服]을 입는 것은 불가하다." 하여 기년복을 날실로 삼아 경솔히 정해
시행하였다. 이에 공격하여 배척하는 논의가 나오자, 사종(四種) 가운데
"아들이지만 적자가 아닌 경우"의 설을 가지고 삼년설의 부당함을 입증하
였다. 논의하는 자들이 또 "아들이지만 적자가 아닌 경우"의 설을 공격하여

잇는 것이다. 셋째, 아버지가 사망하여 손자가 조부를 승계하는 것, 곧 적손승조(嫡孫
承祖)를 말한다.
330) 참최복을……않는다 : 『의례(儀禮)』「상복(喪服)」부장기장(不杖期章)에 "남의 후사가
　　된 자는 그 부모를 위해서 기년복(期年服)으로 보답한다.[爲人後者, 爲其父母報.]"
　　경문(經文)이 나오는데, 이를 해설한 전문(傳文)에 "대종(大宗)의 후계자가 된 사람은
　　어째서 자기 부친에 대하여 기년복을 입어야 하는가? 부친에 대한 참최복(斬衰服)을
　　두 번 입을 수는 없기 때문이다. 어째서 두 번 입을 수 없는가? 대종의 중한 자리를
　　잇는 책임을 맡은 경우, 소종에 대해서는 상복의 등급을 낮춰야 하기 때문이다.[何以期
　　也? 不貳斬也. 何以不貳斬也? 持重於大宗者, 降其小宗也.]" 말이 나온다. 여기에 근거하여
　　송시열과 송준길은 "왕후가 소현세자의 초상 때 이미 장자를 위해 삼년복을 입었으므
　　로, 효종이 비록 대통을 계승했지만 실제로는 둘째 아들이니 기년복을 입어야
　　한다." 하였다.
331) 소현세자(昭顯世子) : 1612~1645. 인조의 맏아들이다. 청나라에 항복한 이후 봉림대
　　군과 함께 인질로 끌려가 심양관에 머물면서 양국간 외교창구 역할을 했다. 1645년(인
　　조23) 귀국했으나 갑작스럽게 죽었다.

이는 첩자를 가리키는 것이라고 하였다. 이에 저들은 또 소주(疏註)에서 "서자는 아버지의 후사가 된 자의 동생"이라는 설을 인용하여 "아들이지만 적자가 아닌 경우"는 첩자가 아님을 입증하였다. 끝없는 갈등이 생겨나서 마침내 그 파탄된 것을 가릴 수 없게 되었다.

서자에 대한 소에서 "서자는 아버지의 뒤를 이은 동생이다. 서(庶)라고 하는 것은 분명하게 구별하기 위해서이다." 말하지 않았는가? 또, "서자는 첩자의 호칭이다. 적처 소생의 둘째 아들은 중자(衆子)인데, 지금 서자라고 똑같이 부른 것은 장자와 분명하게 구별하기 위해서이니, 때문에 첩자와 함께 같이 부른 것이다." 말하지 않았는가?

이것으로 보건대 서자는 첩자의 호칭임이 이미 저절로 분명하니, 적자로서 장자와 분명하게 구별할 별다른 혐의가 없는 사람을 "서자"라 하고, 또한 "아들이지만 적자가 아닌 경우"라 하여 삼년복을 입을 수 없는 서자라고 하였겠는가? 비록 조금 문리를 이해하는 자로 하여금 보게 해도 저기서 이른바 "아들이지만 적자가 아닌 경우"의 서자와 "장자와 분명하게 구별하기 위한" 서자가 같은 것인가, 다른 것인가?

송시열이 저것을 끌어다가 이것을 입증한 것은 이미 매우 옳지 않은 것인데, 윤증이 어찌 두 가지 서자 조목[條款]이 크게 다르다는 것을 알지 못하였겠는가? 그런데 도리어 말하기를, "사종의 서자가 오로지 첩자만을 가리키는 증거는 없다." 하였다. 앞뒤 문장의 뜻이 일관된 데도 첩자만을 지목했다는 것을 알지 못하였다면 정말 모른 것인가, 아니면 알고도 일부러 한 말인가?

적자와 서자는 일찍이 같이 부른 적이 없을 뿐만이 아니었으며, 비록 사종 설을 보아도 적자와 적손에는 반드시 "정(正)"자를 더하였고, 서자와 서손에는 반드시 "부정(不正)"·"비정(非正)" 등의 글자를 더하여 그 적서를 분명히 구별하였다. 만약 이와 같이 엄격하였는데도 오히려 증거가 없다고 하고, 반드시 정체(正體)와 전중(傳重)332), 두 가지 일이 있은 연후에야

332) 정체(正體)와 전중(傳重) : 정체는 "그 조부와 부친이 적자에서 적자로 서로 이었고, 자기가 또 적자로 뒤에 계승된 경우"를 말한다. 전중은 "또 장차 자기를 대신해서

참최 삼년복[極服]을 입는다고 하며, 『예경』에 나와 있는 것이 저와 같이
분명한데 오히려 말하기를, "그 뜻이 오로지 전중에만 있지 않으니, 참최
삼년복을 두 세 번 입어서는 안 된다." 하였다. 송시열을 위해 멋대로
『예경』을 변란(變亂)하였으니, 이것이 차마 할 수 있는 일이겠는가?

○ 이른바 "참최복을 두 번 입지 않는다." 한 것은 시집간 여자가
시아버지를 위해서는 참최복을 입어도 친정아버지를 위해서는 참최복을
입지 않고, 남의 후사가 된 아들이 양부(養父)를 위해서는 참최복을 입어도
생부(生父)를 위해서는 참최복을 입지 않는다는 것을 말한다. 가령 여자가
시집가기 전에 친정아버지를 위해서 참최복을 입었다면, 시집간 뒤에는
시아버지를 위해서 참최복을 입지 않는가? 아버지가 죽고 나서 다른
사람의 후사를 이은 경우, 이미 생부를 위해서 참최복을 입었다면 양부를
위해서는 참최복을 입지 않아도 되는 것인가? 또 승중한 손자가 아버지를
위해서 참최복을 입었다면 그 할아버지를 위해서는 참최복을 입을 수
없단 말인가? 저들이 예설을 끌어다가 말을 만든 것이 대개 모두 이와
같았다.

윤증이 『예경[經禮]』 가운데 "다른 사람의 아들을 길러 후사로 삼은
경우[養他子爲後者] 삼년복을 입지 않는다."[333]는 설을 뽑아서 반드시 "그
다음 적자[次適]에 대해서 삼년복을 입어서는 안 된다."는 것을 방조(傍
照)[334]하고자 했으니, 이것을 알고도 말하였다면 어질지 못한 것이고,
알지 못하고 말하였다면 지혜롭지 못한 것이다. 가령 형제의 아들은
본래 기년복을 입어야 하는데, 양자로 삼아서 또한 장차 전중(傳重)할

<hr>

종묘의 주인이 된 경우'를 가리킨다.

333) 다른 사람의……않는다 : 『예기』「상복소기(喪服小記)」 주(註)에서 "전중하려는 자가
적(適)이 아닐 경우에는, 그에 대한 복을 서자처럼 입는다.[將所傳重者非適, 服之如庶
子.]" 하였는데, 그 소(疏)에서 "비적은 서자로서 전중한 자이거나 다른 아들을
길러 후사로 삼은 자를 말한다.[非適謂以庶子傳重, 及養他子爲後者也.]" 데에서 나온
것이다.

334) 방조(傍照) : 적합한 법문이 없을 때 비슷한 다른 법문을 참조하는 것이다.

것인데도 그 상복이 기년복에 그친다면 이는 후사가 되지 못한 자와 구별이 없는 것이다. 그렇다면 승중하고도 삼년복을 입지 못하는 경우가 되어 오종(五種)이 되어야 하니, 어찌 사종에만 그치겠는가?

이른바 "양자"라고 칭하는 것은 즉 세속에서 하는 말이다. 예소(禮疏)에서 모두 "소후자(所後子)"라고 칭하였지, "양자"라는 글자는 없다. 그런데 윤증이 인용한 다른 사람의 아들을 길러 후사로 삼은 경우는 즉 성이 다른 자식을 지목하거나 혹은 양손(養孫)이 전중한 경우를 가리켜 말한 것이다. 지금 만약 성이 다른 부모에게 이미 양자가 되었는데, 삼년복을 입지 않는다면 이것이 오랑캐나 금수가 그 자식을 사사로이 사랑하는 것과 무엇이 다르겠는가? 그런데 이러한 예설이 곧 시배들이 통행하던 예였으니, 후사를 잇기 위해 들인 양자는 참최 삼년복을 입지 않았다고 한다.

당초 홍문관에서 차자를 올렸다.[335] "설사 '삼년복을 입지 않으면 그 대통은 끊어진 것이다.' 분명히 말하였더라도 그의[336] 말은 진실로 옳습니다. 그러나 소(疏)를 지은 사람들이 나열한 참최를 입지 않는 네 가지 경우라도 제사를 주관하고 왕통을 계승하는 의리가 그 사이에서 실행되었는데, 어찌 일찍이 상복의 낮추었다고 해서 종통이 두 개가 되고 대통이 끊어지는 혐의가 있겠습니까?" 윤증이 이 말을 끌어다가 설을 지어 말하기를, "이 한 대목이 이 설을 가장 분명하게 깨뜨린 것입니다."[337] 하였다.

어떤 사람이 윤고산(尹孤山, 윤선도의 호)에게 물었다. "홍문관의 차자(箚子)에서 '명나라[皇明]의 성조(成祖)[338]와 한나라의 문제(文帝)[339]가 혹은

---

335) 『市南集·玉堂論尹善道權認疏箚』.

336) 그의 : 윤선도를 가리킨다.

337) 『明齋遺稿·代湖西儒生論禮疏』.

338) 성조(成祖) : 1360~1424. 명나라 3대 황제 주체(朱棣)의 묘호이다. 연호를 따라서 영락제(永樂帝)라고도 부른다. 태조 홍무제(洪武帝, 주원장)의 넷째 아들로 연왕(燕王)에 봉해졌다가 적손(嫡孫) 건문제(建文帝)가 즉위하자 군사를 일으켜 제위(帝位)를 찬탈하였다.

339) 문제(文帝) : B.C.202~B.C.157. 한나라 5대 황제 유항(劉恒)의 묘호이다. 고조(高祖)

차적(次嫡)으로 혹은 지서(支庶)의 신분으로 대통을 계승하여 제위(帝位)를
영구히 전하였습니다. 만약 명나라 성조와 한나라 문제의 죽음이 고황제(高
皇帝)³⁴⁰⁾와 한 고조(漢高祖)³⁴¹⁾의 앞에 있었고, 고황제와 한 고조가 상복을
입어 준 것이 기년복에 그쳤다면, 한나라와 명나라의 대통이 마침내
끊어져서 한나라와 명나라가 될 수 없다는 것입니까?' 하였다."

고산이 대답하였다. "아! 한나라 문제를 우리 선왕과 비교한다는 것도
진실로 적합하지 않은데, 더구나 명나라 성조를 어떻게 우리 선왕에
비교할 수 있단 말인가? 성조는 스스로 찬탈하여 즉위해서 적(嫡)을 빼앗고
나라를 소유한 반면에, 우리 선왕은 부왕(父王)의 명을 받들어 선조를
체현하고 전중(傳重)하였는데, 감히 같은 반열에서 비길 수 있겠는가?
우선 이 설에 따라 논해 보건대, 성조와 한 문제의 죽음이 고황제와
한 고조의 앞에 있었다고 하더라도, 고황제와 한 고조가 상복을 입을
때에 스스로 고례(古禮)를 따를 수 없다고 생각하여 기년복에 그쳤다면
괜찮겠지만, 혹시라도 '적자도 아니고 장자도 아니다.' 하여 기년복에
그쳤다면 이것은 그들을 폐기한 것이다. 그렇다면 친소(親疎)가 정해지지
않고, 혐의가 해결되지 않으며, 같고 다름이 구별되지 않고, 옳고 그름이
밝혀지지 않아서 천하의 민심이 안정되지 못하여 왕위[神器]를 엿보는
무리와 부귀를 탐내는 도당이 반드시 줄을 이어 일어났을 것이다. 성조와
한 문제의 자손이 어떻게 왕위를 보유하고 대위(大位)를 편안히 향유할
수 있었겠는가? 그렇다면 한나라와 명나라의 통서(統緖)는 비록 혹 다른
장방(長房)³⁴²⁾에게 돌아가 끊어지지 않았더라도 한 문제와 성조의 계통은

유방(劉邦)의 넷째 아들로 대왕(代王)에 봉해졌다가 여씨(呂氏)의 난이 평정된 뒤
중신(重臣)의 옹립으로 제위에 올랐다.
340) 고황제(高皇帝) : 1368~1398. 명나라 태조(太祖) 주원장(朱元璋)의 시호이다. 연호를
따라서 홍무제(洪武帝)라고도 부른다. 빈농 출신으로, 홍건적(紅巾賊)에 참여하여
원나라를 물리치고 한민족(漢民族) 왕조를 회복하였다. 큰아들이 급사하자 손자[건
문제]에게 제위를 물려주었다. 사후 아들 사이에 권력 쟁투가 벌어졌고, 영락제가
등극하였다.
341) 한 고조(漢高祖) : B.C.256~B.C.195. 한나라를 건국한 유방(劉邦)이다. 진(秦)나라를
멸망시키고 초(楚)나라 항우(項羽)와 자웅을 겨루어 마침내 통일왕조를 개창하였다.

끊어지고 말았을 것이다." 알 수 없지만, 이 설이 깨뜨린 것이 홍문관의 차자에 비해 어떠한가?

윤증이 또 말하였다.[343] "이미 백읍고(伯邑考)[344]를 위하여 삼년복을 입은 뒤에 무왕(武王)을 세웠다면 어떻게 또 무왕을 위하여 삼년복을 입을 수 있겠습니까?" 이것은 송시열이 이른바 "적통이 엄하지 않게 된다.[嫡統不嚴]"[345] 말이니, 그렇다면 문왕의 적통이 백읍고에게 있고 무왕에게는 없단 말인가?

윤증이 또 말하였다.[346] "이미 적통이 옮겨졌는데, 적자를 다시 서자로 부르고 이미 옮겨진 옛 적자를 반드시 다시 적자로 되돌리려는 것이 아니다. 단지 그가 본래 적자가 아니기 때문에 서자로서 적자가 되었다고 말하려는 것일 뿐입니다." 이 말은 지극히 송시열을 위해 분소(分疏)[347]한 것인데, 끝내 말이 되지 않는다는 것을 알 수 있다.

송시열이 어찌 일찍이 적자를 서자라고 부른 적이 없었는가? 어찌 일찍이 이미 옮겨진 옛 적자를 다시 적자로 되돌린 적이 없었는가? 만약 그렇다면 어찌 적통이 엄하지 않다고 하였겠는가? 어찌 효종을 인조의 서자라고 해도 해롭지 않다고 하였겠는가? 어찌 단궁(檀弓)이 문(免)의 복장을 하고[348] 자유(子游)가 최복(衰服) 차림을 한 것[349]에 비유하는 것을

---

342) 장방(長房) : 최장방(最長房), 즉 제사를 지내야 할 항렬에 있는 사람 중 서열이 가장 높은 자를 가리킨다.

343) 『明齋遺稿·代湖西儒生論禮疏』.

344) 백읍고(伯邑考) : 주나라 문왕(文王)의 장자인데, 문왕보다 먼저 죽었다. 이에 문왕은 왕위를 차자(次子)인 무왕에게 물려주었다. 그 뒤 주나라 왕통은 무왕의 후손들에게 세습되었다.(『史記·管蔡世家』)

345) 송시열의……된다 : 1666년(현종7) 영남유생 유세철 등이 송시열의 예론을 비판하는 상소를 올렸다. 여기서 유세철 등은 "둘째 아들을 모두 장자로 부르고 참최복을 입게 되면 적통이 엄격하지 않게 된다.[次嫡皆名長子而服斬, 則嫡統不嚴.]" 한 송시열의 주장을 소개하면서 "이는 효종은 장자도 될 수 없고 적자도 될 수 없고 종묘의 주인도 될 수 없다." 여긴 것으로 간주하였다.(『顯宗實錄』 7年 3月 23日)

346) 『明齋遺稿·代湖西儒生論禮疏』.

347) 분소(分疏) : 어떤 사안에 대해서 변명하기 위해서 올리는 상소이다.

348) 단궁(檀弓)이……하고 : 단궁은 공의중자(公儀仲子)의 상(喪)을 당해서 그가 적손을 세우지 않고 중자(衆子)를 세웠으므로 이를 견책하는 뜻에서 문(免)을 하고 조문하였

삼가지 않아도 된다고 말했겠는가?[350] 대왕대비가 효종을 위해 삼년복을
입으면 적통이 엄하지 않고 기년복을 입어야 적통이 엄해진다면, 어디에
적자를 서자로 부르지 않았다는 것이 있으며, 어디에 옛 적자를 다시
적자로 되돌리려 하지 않았다는 것이 있는가?

효종의 경우를 말하면, 인조대 소현세자가 동궁에 있었고, 효종이 봉저
(鳳邸)[351]에 있었던 것은 오히려 분명하게 구별하기 위해서였는데, 혹은
서자라 하였다. 이미 아버지의 명령을 받들어 종묘를 주관하였지만 장자의
상복을 입지 못하게 하여 오히려 서자로 대우하였다. 그 천리를 거스르고
윤기(倫紀)를 허물어뜨리는 것이 윤증 보다 심한 자가 없었다. 유현으로
자처하면서 유생들의 상소를 대신 써주어서 옳지 않고 편벽된 말을 만들어
냈으니, 차마 이럴 수 있는가?

윤증이 탄옹 권시에게 보낸 편지에서,[352] "단지 조금도 긴요하지 않은
복제(服制) 한 가지 일입니다." 하였다. 아! 이것을 어찌 예법으로 질책할
수 있겠는가? 만약 이와 같다면 예로부터 성현이 어찌 이에 대해 늘
마음속에 잊지 않고 조금이라도 참람되고 어그러짐이 있을까 두려워하였
겠는가? 송시열의 당여가 고산의 상소 가운데 "백성의 뜻을 안정시키고,
함부로 날뛰는 무리들이 넘보는 것을 끊었다."[353] 등의 말을 가지고,
혹 남을 헐뜯는 나쁜 무리[讒賊]라고 하거나, 혹은 고변서[變書]라고 하였다.

다. 문은 한 치 너비의 흰 천을 목에 걸어 앞이마에 매듭을 짓고, 다시 뒤로 돌려
상투를 감는 것이다. 상례를 잘못 치른 사람을 기롱하기 위한 행동이다.

349) 자유(子游)가……한 것 : 자유는 혜자(惠子)의 상을 당해서 그가 적자를 버려두고
서자를 후사로 삼았으므로 이를 견책하는 뜻에서 마최(麻衰) 차림으로 조문하였다
한다. 마최는 길이 여섯 치, 너비 네 치의 삼베 헝겊을 앞가슴에 붙이는 것이다.
상례를 잘못 치른 사람을 기롱하기 위한 행동이다.

350) 어찌……말했겠는가 : 단궁 문(檀弓免)의 비유는 적손을 두고 아들을 세운 것을,
자유 최(子游衰)는 적자를 두고 서자를 세운 것을 조롱하는 고사이다. 남인들은
송시열이 소현세자의 아들에게 적통이 있다고 생각하여 효종의 적통을 부정하는
마음이 있었기 때문에 이러한 비유를 거론한 것으로 간주하였다.

351) 봉저(鳳邸) : 천자가 즉위하기 전의 구거(舊居)를 가리킨다. 잠저(潛邸)라고도 한다.

352) 『明齋遺稿·上炭翁四月』.

353) 『顯宗實錄』 1年 4月 18日.

을묘년(1675, 숙종1)에 이르러 강화도에서 투서의 변고354)가 있었고, 무신년(1728, 영조4) 심유현(沈維賢)355)의 무리들이 옹립하려던 계책은356) 모두 송시열에게 있었고 이른바 적통의 집안357)이었다. 이로써 고산의 말이 정확하고 분명하기가 마치 거북점을 친 것처럼 밝게 비추었다는 것을 알 수 있다. 이때에도 윤증은 또한 복제가 조금도 긴요하지 않다고 말할 것인가?

윤증이 나양좌(羅良佐)358)에게 보낸 편지에서359) 이희조(李喜朝)360)의

---

354) 강화도에서 투서의 변고 : 『동소만록』에 다음의 관련기사가 실려 있다. 송시열의 문도 이유정(李有湞)이 갑인예송(甲寅禮訟)의 결과 경상도 장기(長鬐)에 가서 스승이 갇혀 지내는 모습을 보고 돌아와서 곧 이우(李藕)에게 편지를 보내 성을 쌓는 승군(僧軍)을 동원하여 서울을 침범할 날짜를 약속하였다. 그 편지의 내용 중에 "회천(懷川, 송시열)을 맹주로 하였으며, 단궁의 문과 자유의 최의 설을 효시로 했다." 하였다. 또한 "궁성을 불로 공격한다.", "영의정이하 모두 죽인다." 했으며, '안에서 내응할 자가 있다.' 했다. 일이 발각되어 이유정이 도망쳐 숨자 조정에서 현상금을 걸어 잡아들였다. 이유정의 편지 가운데 뜻을 잃은 서인 무리로서 자주 왕래한 자들의 이름이 적혀있었다. 주상이 즉시 국청을 설치할 것을 명하니 이유정은 자백하고 이우는 맞아 죽었다. 이들은 소현세자의 손자인 임창군(臨昌君) 혼(焜, 1663~1729)을 추대하려 하였다.

355) 심유현(沈維賢) : ?~1728. 본관은 청송(靑松)이다. 경종의 처남으로 단의왕후(端懿王后)의 남동생이다. 영조 즉위 후 이인좌의 난에 가담하여 모의를 주도하다가 사로잡혀 참형 당하였다.

356) 무신년(1728, 영조4)……계책은 : 이인좌(李麟佐, 1695~1728)의 난을 말한다. 영조의 즉위로 소론이 정계에서 배제되자 이인좌는 심유현·정희량(鄭希亮)·이유익(李有翼) 등 소론 과격파와 갑술환국 이후 정계에서 물러난 남인들과 공모하여 밀풍군(密豊君) 탄(坦, 1698~1729)을 추대하고 무력으로 정권쟁탈을 꾀하였다. 한 때 청주성을 장악하는 등 위세를 떨쳤으나 진압군에 패하여 대역죄로 능지처참되었다.

357) 적통의 집안 : 임창군(臨昌君) 혼(焜)과 밀풍군 탄을 가리킨다. 임창군은 소현세자의 손자이고, 밀풍군은 소현세자의 증손이었다. 즉 소현세자의 3남 경안군(慶安君) 회(檜)의 손자였다. 송시열의 논리에 따르면 종통은 적통계인 소현세자의 후손에게 있으므로, 이혼과 이탄은 적통의 집안이라고 한 것이다. 이탄은 1728년 이인좌의 난 당시 왕으로 추대되었다가 반역 괴수로 붙잡혀서 자결을 명받았다.

358) 나양좌(羅良佐) : 1638~1710. 본관은 안정(安定), 자 현도(顯道), 호 명촌(明村)이다. 나만갑(羅萬甲)의 손자이자 김창흡의 외삼촌이다. 윤선거의 문인으로 1687년(숙종13) 스승 윤선거의 억울한 누명을 벗기려고 상소했다가 유배되었다.

359) 『明齋遺稿·與朴泰輔士元八月二日』.

360) 이희조(李喜朝) : 1655~1724. 본관은 연안(延安), 자 동보(同甫), 호 지촌(芝村)이다.

『향동문답(香洞問答)』361)에 대해서 논하여 말하였다. "이 글은 송시열의 뜻에 영합하여 꾸며낸 말이 아닌 것이 없는데, 그 내용 중에 지극히 의도가 교묘하고 치밀한 곳이 있으니 진실로 간사한 아첨꾼이다." 또 말하기를, "이 말로써 상소에 참여하지 않은 책임을 해소하려 했으니, 마음씀씀이가 더욱 아름답지 못하다." 하였다. 이것은 다른 사람을 질책하는 데는 밝고, 자기를 아는 데는 어둡다고 말할 수 있다. 윤증이 쓴 이 상소는 영합하지 않고 그럴듯하게 꾸미지 않은 것인가? 저들은 『향동문답』을 지어 상소에 참여하지 않은 책임을 해소하려 한 것이고, 그는 호서유생의 상소를 지어서 삼년복이 옳다는 죄에서 벗어나려 했던 것이다. 그 마음씀씀이가 아름답지 못하니, 나는 그 차이를 알지 못하겠다.

윤증이 의(義)에 대처한 것은 매우 근거가 없었다. 묘갈명의 일로 인해 이미 부모를 욕되게 하였으니, 윤증의 도리로는 진실로 의리를 따라서 절교를 선언하는 데 겨를이 없어야 했는데 오히려 또한 스승과 제자의

단상(端相)의 아들이며, 송시열의 문인이다. 이조참판·대사헌 등을 역임하였다.

361) 향동문답(香洞問答) : 1683년(숙종9) 서인이 노론과 소론으로 분열될 무렵, 송시열이 박세채·이단하(李端夏) 등과 향동(香洞, 경기도 고양 소재)에서 만나 서로 문답한 내용을 손자 송주석(宋疇錫)이 기록한 것이다. 1680년 경신환국으로 남인들을 몰아내고 서인이 집권한 후에도 김석주(金錫胄)·김익훈(金益勳) 등 훈척 세력은 정탐과 기찰, 그리고 고변 등의 파행적인 방법을 동원하여 남인을 뿌리째 제거하려고 시도하였다. 이에 대해 삼사에 포진한 젊은 관료들이 이들을 비판하여 노론과 소론이라는 명목이 처음 등장하였다. 이때 당시 정계의 원로로서 중망을 모았던 송시열이 김익훈 등 훈척을 지지하여 정치적 갈등이 격화되었다. 이에 송시열은 효종을 불천위 세실(世實)로 할 것과 태조의 시호를 새롭게 추상(追上)하자고 제안하는 등 정치 쟁점을 존주대의(尊周大義)의 의리명분론으로 전환하여 세도를 만회하려 노력하였다. 이에 대해 박세채는 송시열이 제안한 태조 추시에 반대하고, 황극탕평을 주장하여 소모적인 정치적 갈등을 봉합하고 실질적인 제도 개혁에 정치력을 집중할 것을 제안하였다. 송시열이 이러한 박세채와의 견해 차이를 해소하기 위해 제안하여 가진 만남이 향동에서의 모임이며, 이 모임에서의 문답 내용을 기록한 것이 바로 이 『향동문답』이다. 그렇지만 이 모임에서도 송시열과 박세채의 이견은 끝내 해소되지 못하였는데, 이후 노론측에서 박세채가 송시열을 지지한 증거로서 이 문답을 활용하려 한 까닭에 소론의 분노를 샀다. 그런데 『향동문답』의 기록자는 송주석이므로 여기서 이희조라고 말한 것은 착오이다. 이희조가 송시열을 변론하는 상소에 참여하지 않은 것을 만회하기 위해 지은 것은 『향동문답』이 아니라 『송이문답(宋李問答)』이었다.

의리에 얽매어 있었다. 「신유의서(辛酉擬書)」362)를 보낸 뒤에 이르러 저들의 분노는 점차 한층 더 격화되었는데도 오히려 세 차례나 더 편지를 보내 묘갈명을 고쳐 달라고 애걸하면서 옛 정의[舊義]를 다시 보존하려 했다. 설령 송시열이 자신의 뜻을 굽히고 그 뜻을 따라서 찬양하는 말로 고쳤다 해도 이는 불쌍하게 여기면서 무례하게 주는 음식363)을 소리치며 재촉하여 주는 것과 무엇이 다르겠는가? 그런데도 오히려 윤증은 스승과 제자라고 칭하면서 문하에 출입하였으니, 부모를 욕보인 사람을 그 이후에도 뻔뻔스럽게 이전처럼 대할 수 있는가? 또한 하물며 이것을 후세에 전해서 보여주었다면 사람들이 모두 진심으로 찬양하는 데에서 나온 것이 아니라는 것을 알고 침을 뱉으며 꾸짖지 않는 사람이 없었을 것이고, 이것을 새겨 묘에 두어서 그 부모가 알게 되면 장차 반드시 두려워하고 부끄러워했을 것이다. 윤증이 이런 글을 얻어서 장차 어디에 쓰려 했는지 알지 못하겠다. 그 마음은 단지 자기의 이해를 돌아볼 뿐이니, 어느 겨를에 다른 것을 근심할 수 있겠는가?

윤증의 무리들이 송시열 문하에 출입하면서 한결같이 아첨하며 기쁘게

362) 신유의서(辛酉擬書) : 윤증이 신유년(1681, 숙종7)에 송시열에게 쓴 보내지 않은 편지이다. 의서(擬書)란 편지를 써두었지만 여러 가지 사정으로 보내지는 않은 편지를 말한다. 박세채의 만류로 보내지 않았는데, 박세채의 사위 송순석(宋淳錫, 송시열의 손자)이 몰래 베껴서 송시열에게 전하면서 사제 간의 갈등이 확대되었다. 윤증이 「신유의서」를 지은 이유는 흔히 알려져 있듯이 윤선거 묘갈명을 둘러싼 갈등 때문만은 아니었다. 오히려 경신환국(1680) 이후 서인 내부에서 조성된 대남인 강경 기류를 의식하고 나왔다고 보는 것이 보다 사실에 가까워보인다. 서인 내부에서 윤휴를 사사하고 난 이후에도 남인을 도태시키려는 시도가 멈추지 않는 것을 보고 윤증은 부친 윤선거가 「기유의서」에서 표방한 대남인 포용책의 연장선상에서 송시열에게 이의를 제기하기 위해 이 편지를 지은 것이었다. 어쨌든 「기유의서」와 「신유의서」, 두 편지는 윤선거·윤증 부자가 송시열을 비판하는 결정적 내용을 담은 편지가 되었다.
363) 불쌍하게……음식 : 원문은 "嗟來之食"이다. 제(齊)나라에 크게 기근이 들었을 때 검오(黔敖)란 사람이 길에서 밥을 지어 사람들에게 먹였는데, 어떤 굶주린 사람에게 "불쌍하기도 해라, 어서 와서 먹어라.[嗟來食]" 하자, 그가 눈을 부릅뜨고 쳐다보면서 "나는 오직 불쌍하게 여기면서 무례하게 주는 음식을 받아먹지 않았기 때문에 이 지경에 이르렀다.[予唯不食嗟來之食, 以至於斯也.]" 하고는 끝내 굶어 죽었다.(『禮記·檀弓下』)

하여 그 하늘까지 뻗치는 죄악을 성취한 뒤에도 따르고자 하면서 그 득실을 바로잡는 것이 가능하였겠는가? 예론에 대해 애초의 견해를 고쳐서 다시 송시열의 논의에 붙은 것과 같은 일 또한 아부하여 따른 한 가지 일이었다. 선유들이 말하기를, "한 가지 생각의 차이로 일마다 모두 잘못되었다." 하였으니, 이를 두고 말한 듯하다.

「신유의서」에 대해서 그 무리들은 마치 "제(齊)나라 사람의 처첩(妻妾)이 정중(庭中)에서 마주보고 울던 뜻"[364)]으로 여겼다. 첩부(妾婦)의 도로써 윤증을 비유하였으니 진실로 이것이 그들의 본색이었다. 만약 옛사람들이 말한 "범이불교(犯而不較)[365)]"의 가르침으로 말한다면 과연 어떠한가? 윤증의 의도가 만약 그 스승이 잘못된 데로 들어가는 것을 번민하다가 옳은 도리로써 간하려고 했다면 어찌 그 편지를 스승에게 바로 보내지 않았으며, 사사로이 친구에게 그 스승의 심술에 은미한 병이 있다고 논한 것은 어떤 뜻에서 어떻게 나온 것인가? 하물며 이 편지가 오로지 분하고 원통함에서 나와서 그 성심으로 불쌍히 여기고 슬퍼하는 것을 볼 수 없는데, 이와 같은데도 옳은 도리로 간하였다고 할 수 있겠는가?

윤증이 큰 낭패를 본 것은 오로지 박세채의 부추김 때문이었다. 박세채는 겉으로는 중립적 위치에서 화해의 말을 하면서도 속으로는 실제로 두 사람의 문제점을 이용하여 한칼에 꿰뚫는 술수를 폈다. 윤증은 어리석어서 끝내 그 술수에 여러 번 빠지고도 깨닫지 못하였으니 불쌍하도다. 이윽고 「신유의서」가 송시열의 손자[366)]에게 새어나간 것 역시 "허술하게

---

364) 제(齊)나라……울던 뜻 : 제나라 사람이 외출하면 반드시 술과 고기를 실컷 먹고 난 다음에야 돌아왔다. 이에 그의 처가 같이 먹은 자를 물어보면 모두가 부자와 귀인(貴人)이라고 했다. 그 사실을 확인하기 위해 처와 첩이 몰래 그 뒤를 따라가 보니 무덤의 제사지내는 데에 찾아가서 얻어먹고 왔던 것이다. 이에 그 처가 "낭군이란 우러러보고 일생을 맡기는 것인데 이제 이 모양이라." 하면서 정중(庭中)에서 서로 잡고 울었다.(『孟子·離婁下』)

365) 범이불교(犯而不較) : 상대의 잘못에 대해 그 사람의 불쾌해 하는 안색을 아랑곳하지 않고 바른말로 바로잡아 주되 자신과 비교하지 않는 것을 말한다.(『論語·泰伯』)

366) 송시열의 손자 : 송순석(宋淳錫)이다. 박세채의 사위로서 장인 집에서 윤증의 편지를

보관하는 것은 도적질을 가르치는 것."367)이라는 계략에서 나왔으니, 그 마음이 지극히 험하고 지극히 위태롭다고 할 만하다.

탄옹이 송시열에게 보낸 편지에서, "길보 부자는 단지 나를 '아부[諛]'라는 한 글자로 유인했으니, 이러한 학술을 어디서 얻었는지 모르겠다." 하였다.

윤증의 문집을 보면 송시열 앞에서 만일 송시열과 조금 의견이 다른 사람을 보면 반드시 앞장서서 힘껏 공격하였다. 희중(希仲, 윤휴의 자)이 그 아비에 대해서 세상에서는 "두 윤씨는 한 몸이다." 칭하였는데, 윤휴가 송시열과 대립하게 되자, 간특한 괴수라고 지목하였다. 탄옹은 그의 장인이었는데, 상소하여 송시열 예론의 잘못을 논하자, 배척하여 간특한 참소라는 구덩이에 빠트렸다.368) 이는 송시열에게 아첨하여 충성을 다하려는 계책이 아닌 것이 없었지만 마침내 송시열에게 얻은 것은 단지 그 부모를 욕보여서 천고의 웃음거리가 된 것이었으니, 가엽도다.

몰래 베껴 송시열에게 전달하였다. 이로써 사제 간의 갈등이 확대되었다.

367) 허술하게······것 :『주역』「계사전 상(繫辭傳上)」에 "허술하게 보관하는 것은 도적질을 가르치는 것이나 다름없고, 용모를 꾸미는 것은 음심을 갖도록 가르치는 것이나 다름없다.[慢藏誨盜, 冶容誨淫.]" 하였다.

368) 탄옹은······빠트렸다 : 권시의 졸기(卒記)에 따르면, "기해년(1659, 현종 즉위년) 예론이 일어났을 때 양송(兩宋, 송시열과 송준길)과 대립하였고, 소를 올려 윤선도를 구원하다가 당시 사람들의 비위를 거슬려 폐고(廢錮)당한 채 죽었다." 하였다.(『顯宗實錄』13年 1月 24日)

송시열
宋時烈

　송시열의 화(禍)는 오랑캐가 중국[夏]을 침범한 것보다 심하였다. 중국은
대대로 오랑캐의 소란을 면하지 못하였지만 쫓아내고 제거하여 소탕하고
나면 중국의 군신부자의 인륜은 진실로 그대로였다. 그렇지만 송시열의
경우, 세도(世道)에 화를 끼치고 윤리와 기강을 무너뜨린 것이 이제 백여
년이나 되어서 마치 물이 더욱 깊어지고 불이 더욱 뜨거워지듯이 반드시
장차 사람과 나라를 망친 뒤에야 그칠 것이다. 옛날 오호(五胡)[369]가 중국을
어지럽힐 때에도 반드시 이와 같이 심한 적은 없었다. 옛날 진(晉)나라
범녕(范寧)[370]이 왕필(王弼)[371]과 하안(何晏)[372]의 죄가 걸(桀)과 주(紂)[373]보
다 심하다고 논하면서 말하기를, "한 시대의 환난은 가볍지만 역대의
화는 무겁다." 하였는데, 이 말이 진실로 정확한 논의이다.

---

369) 오호(五胡) : 중국 북방의 강력한 5대 이민족으로 흉노족(匈奴族), 선비족(鮮卑族),
　　갈족(羯族), 저족(氐族), 강족(羌族)을 말한다.
370) 범녕(范寧) : 339~401. 동진(東晉)의 학자로, 중서시랑(中書侍郞)을 지냈다. 청담(淸談)
　　이 유행한 당시의 경박한 풍조를 바로잡고자 노력하였다. 또 이와 같은 풍조의
　　근저에는 왕필(王弼)과 하안(何晏)의 영향이 있다고 주장하며 비난하였다. 『춘추곡량
　　전(春秋穀梁傳)』을 깊이 연구하여 집해(集解)를 지었다.(『晉書·范寧列傳』)
371) 왕필(王弼) : 226~249. 위나라 학자로, 하안(何晏)과 함께 위·진(魏晉) 현학(玄學)의
　　시조이다.
372) 하안(何晏) : 193~249. 위나라 학자로, 유교의 도와 성인관(聖人觀)을 노장풍(老莊風)
　　으로 해석했다. 저서에 『논어집해(論語集解)』가 있다.
373) 걸(桀)과 주(紂) : 각각 하(夏)나라와 은(殷)나라 마지막 왕으로서 중국의 대표적인
　　폭군으로 꼽히는 인물들이다.

김집
金集

정승 잠곡(潛谷) 김육(金堉)374)이 경연(經筵)에서 말하였다. "김집은 재주
가 없어서 급제하지 못했으니, 재주와 덕이 있는 자가 아닙니다. 신이
일찍이 함께 이웃 고을 수령이 되었는데, 결코 보통과 다른 행실을 보지
못하였으니 평범한 사람으로 보아야 할 것 같습니다." 김육이 마침내
산인(山人)과 원한을 맺었는데, 두 송씨가 바로 그 문인이었다.375)

이들이 국정을 장악하자 대각(臺閣)을 사주하여 김좌명(金佐明)376)이 그
아버지 장례에 몰래 수도(隧道)377)를 사용한 것을 탄핵하고, 김육의 무덤을
파낼 것을 청하였다. 김좌명의 동생 우명(佑明)378)은 현종[顯廟]의 장인이었
다. 이에 송시열 등이 김집을 위해 보복하려 했지만 전혀 기기(忌器)379)의

---

374) 김육(金堉) : 1580~1658. 본관은 청풍, 자 백후(伯厚), 호 잠곡(潛谷)·회정당(晦靜堂)이
   다. 식(湜)의 3대손으로, 우의정·영의정 등을 역임하였다. 화폐의 주조·유통, 수레의
   제조·보급 및 시헌력(時憲曆)의 제정·시행 등에 노력하였으며, 대동법(大同法) 실시를
   주도하였다.
375) 산인(山人)이⋯⋯되었다 : 산인은 산당(山黨)을 의미한다. 산당은 효종대 김집을 영수
   로 하여 결성된 서인내 정치세력이다. 충청도를 근거지로 김집을 따랐던 송준길·송
   시열, 윤선거, 유계·이유태 등이 산당을 주도하였다. 당대 한당(漢黨) 영수 김육과
   대립하다가 그의 사후 정국을 주도하게 되었다.『동소만록』에 따르면 처음에 김익희
   (金益熙, 김장생의 손자)가 신면(申冕)과 틈이 생기자 송시열과 교유관계를 더욱
   긴밀히 가지며 산당(山黨)이라고 칭하였다. 신묘년(1651, 효종2) 김자점 옥사가 발생
   했는데, 이때 신면이 산당의 모함을 받아 죽었다. 김석주는 신면의 조카였으니
   이 일로 송시열의 무리에게 큰 원한을 갖게 되었다.
376) 김좌명(金佐明) : 1616~1671. 본관은 청풍(淸風), 자 일정(一正), 호 귀계(歸溪)이다.
   김육(金堉)의 아들이자 현종 비 명성왕후(明聖王后)의 큰아버지이다. 아우 우명(佑明)
   이 척족으로 권력을 잡았을 때에도 당쟁에 휘말리지 않아 명망을 얻었다. 청릉부원군
   (淸陵府院君)에 추봉되고, 현종의 묘정(廟庭)에 배향되었다.
377) 수도(隧道) : 무덤으로 통하는 묘도(墓道)로서 신하들은 사용할 수 없는 예법이었다.
378) 김우명(金佑明) : 1619~1675. 본관은 청풍, 자 이정(以定)이다. 육(堉)의 아들이다.
   현종의 장인으로서 청풍부원군(淸風府院君)에 봉해졌다. 민신(閔愼)이 병든 아버지를
   대신해서 상복을 입는[代父服喪] 문제로 같은 서인인 송시열과 대립하여 남인인
   허적에 동조하였다. 숙종대 남인 윤휴·허목 등과 갈등하여 사직하고 은거하였다.
379) 기기(忌器) : 그릇을 깨뜨릴까 염려하여 쥐를 못 잡는다는 뜻이다. 작은 일로 인하여

혐의는 없었으니, 송시열 등이 임금을 해치려는 마음380)이 여기에서
싹텄던 것이다.

큰일을 그르칠까 염려해서 손을 쓰지 못함을 비유하여 이르는 말이다.
380) 임금을 해치려는 마음 :『춘추공양전(春秋公羊傳)』소공(昭公) 원년 조에 "군친(君親)
에 대해서는 어떻게 해보려는 마음을 가져서는 안 된다. 만약 어떻게 해보려는
마음을 지니고 있을 때는 반드시 복주시켜야 한다.[君親無將, 將而必誅焉.]" 말이
나온다.

안방준[381)

安邦俊

안방준은 낙안(樂安, 전라도 소재) 사람이었는데, 시배들이 "우산(牛山)선생"이라고 한 자였다. 오로지 당론으로 권력자에게 아첨하여 백도(白徒)[382)로서 벼슬길에 올라 공조참의가 되었다.

안방준은 포은(圃隱)[383)의 학문은 양촌(陽村) 권근(權近)[384)에 미치지 못한다고 보았고, 야은(治隱) 길재(吉再)[385)를 왕망(王莽) 정권의 대부 양웅(楊雄)[386)에 비견하였다. 오현(五賢)[387)의 학문을 조헌(趙憲)[388)에 미치지 못한다고 하며, 조헌을 동방에서 수천 년 간 가장 뛰어난 사람이라고 하였다. 그 논의가 매우 편파적인 것이 모두 이와 같아서 동인 선배 가운데 그

---

381) 안방준(安邦俊) : 1573~1654. 본관은 죽산(竹山), 자 사언(士彦), 호 은봉(隱峰)·우산(牛山)이다. 성혼의 문인으로, 공조참의 등을 역임하였다. 정몽주와 조헌을 숭상해서 자신의 호를 이들의 호를 한자씩 따서 '은봉'이라 하였다.

382) 백도(白徒) : 과거(科擧)를 보지 않고 벼슬아치가 되는 일이다.

383) 포은(圃隱) : 정몽주(鄭夢周, 1337~1392)의 호이다. 본관은 영일(迎日), 자 달가(達可)이다. 고려 말 신진사대부로서 정도전(鄭道傳)과 함께 문벌귀족의 적폐(積弊)를 일소하려 했다. 조선 왕조 개창에 반대하다가 선죽교(善竹橋)에서 이방원의 문객 조영규(趙英珪) 등에 의해 죽임을 당하였다. 저서로는 『포은집』이 있다.

384) 권근(權近) : 1352~1409. 본관은 안동, 자 가원(可遠)·사숙(思叔), 호 양촌(陽村)·소오자(小烏子)이다. 대사성·의정부 찬성사 등을 역임하였다. 정종때 사병(私兵)제도의 혁파를 단행하였으며, 각종 문교(文敎)정책을 시행하였다. 성리학을 국정교학으로 자리 잡게 만드는 데 공헌하였다.

385) 길재(吉再) : 1353~1419. 본관은 해평(海平), 자 재보(再父), 호 야은(治隱)·금오산인(金鳥山人)이다. 조선 건국 후 태상박사(太常博士)에 임명되었으나 두 임금을 섬기지 않겠다는 뜻을 말하며 거절하였다.

386) 양웅(楊雄) : B.C.53~A.D.18. 전한(前漢)말 유학자로, 자는 자운(子雲)이다. 인간의 본성에는 선과 악이 뒤섞여 있다는 주장을 내놓았다. 왕망(王莽) 정권에 적극 협력한 혐의로 인해 송학(宋學) 이후에 지조가 없는 사람으로 비난받았다.

387) 오현(五賢) : 김굉필·정여창(鄭汝昌)·조광조·이언적·이황을 가리킨다.

388) 조헌(趙憲) : 1544~1592. 본관은 배천(白川), 자 여식(汝式), 호 중봉(重峯)·도원(陶原)·후율(後栗)이다. 사헌부 감찰·공조좌랑 등을 역임하였다. 임진왜란 때 의병을 일으켜 금산(錦山)전투에서 전사하였다.

모함을 받지 않은 자가 없었다.

택당 이식이 사서(史書)를 수찬389)하라는 명을 받들어서 그의 저서에서 가려 뽑아서 사책(史策)에 편입하려 하였는데, 택당이 10에 8, 9를 거둬들였다고 답한 것을 보면 그가 시비(是非)를 문란 시킨 정도를 알 수 있다. 허물을 숨기고 꾸미기를 잘하여 흰 것을 검다 하고, 없는 것을 있다고 하여 시인(時人)들이 기뻐하는 바에 부합함으로써 그들이 사당을 세워 제사지내기까지 하였다.390)

안방준은 안중돈(安重敦)의 아들이었다. 안중돈은 안정(安綎)의 조카였는데, 안정이 자식이 없자 그를 거두어 아들로 삼았다. 그런데 패악한 행실이 많았기 때문에 안정이 양자를 파기하고 오촌 조카[堂姪] 안중묵(安重默)을 양자로 삼았다. 안방준이 그 아버지가 파양된 것을 부끄러워하고, 그 노여움이 안중묵에게 옮겨가 원수처럼 미워해서 두 집안의 자손들이 이로 인해 원한이 생겨났다. 안방준이 향당(鄕黨)과 친척들에게 용납되지 못하였기 때문에 시배들에게 투탁하여 들어갔다고 한다.

안중묵은 곤재(困齋) 정개청(鄭介淸)391)에게 학문을 배웠고 정개청에게 추중(推重)받은 바가 되었다. 그래서 안방준이 사기(私記)를 지어 곤재에게 욕을 더한 것이 이르지 않은 곳이 없었다. 안중묵을 직접 공격한다면 사람들이 반드시 믿지 않을 것이기 때문에 곤재의 기축년의 일을 사실로 만들어서 안중묵에게 미치게 하였으니, 사람을 참소하는 것이 매우 심한

389) 사서(史書)를 수찬 : 이식이 『선조실록』을 수정하여 『선조수정실록』을 편찬한 일을 가리킨다.
390) 사당을……하였다 : 대계서원(大溪書院, 전라도 소재)을 가리킨다. 1657년(효종8) 안방준의 학문과 덕행을 추모하기 위해 창건하여 위패를 모셨다. 하지만 정치의 부침에 따라 훼철과 복설이 거듭되었다. 1691년(숙종17) 남인계 정무서(鄭武瑞) 등의 논척으로 사우(祠宇)가 한때 철거되었다가 1695년에 이르러 복설되었고, 1704년 '대계'라는 사액을 받아 사액서원으로 승격되었다.
391) 정개청(鄭介淸) : 1529~1590. 본관은 고성(固城), 자 의백(義伯), 호 곤재(困齋)이다. 예학(禮學)과 성리학에 밝아 당시 호남지방의 명유(名儒)로 알려졌다. 이산해의 천거로 곡성현감을 지내기도 했다. 1589년(선조22) 정여립 옥사에 연루되어 유배되어 죽었다. 저서로는 『우득록』이 있다.

자라고 할 수 있다.

소현세자 빈(嬪) 강씨(姜氏)392)는 강석기(姜碩期)393)의 딸이었는데, 강석기는 산당(山黨)이었다. 송시열 등이 인조가 원손(元孫)394)을 폐하고 효종을 세운 것은 잘못이라고 여겼고, 때문에 강씨의 억울함을 풀어주는 것을 첫 번째 의리로 삼았다. 또 현종의 장인 김우명과는 혈수(血讐, 피를 흘려야 하는 원수)가 되었으므로, 때문에 반드시 성종(成宗)의 고사(故事)395)를 활용하여 소현세자의 아들에게 왕위를 전하려 했다. 그래서 기해년 예론396)에서 효종을 서자(庶子)로 간주하고 소현세자를 적통으로 삼았다. 또 단궁의 문(免)과 자유의 최(衰)를 인용하여 조롱하였으니 모두 적통을 버리고 서자를 세웠다는 말이었다.

숙종이 즉위하자 그 소행397)을 절통하게 여겨 송시열을 장기(長鬐)로

392) 강씨(姜氏) : 1611~1646. 1645년(인조23) 소현세자의 급서 후, 세자의 지위가 소현세자의 장남이 아닌 봉림대군에게 돌아간 상황에서, 인조는 강씨를 인조의 후궁인 소의(昭儀) 조씨(趙氏)를 저주하고 어선(御膳)에 독약을 넣었다는 죄목으로 후원(後苑)에 유폐(幽廢)하였다. 이때 이미 인조는 강빈이 심양에 있었을 때 내전(內殿)의 칭호를 사용하거나 홍금적의(紅錦翟衣)를 미리 만들어 두었다는 소문을 들어 역위(易位)를 도모한 혐의가 있다고 의심하고 있었던 상황이었다. 이에 확실한 물증이 없는 상황에서 신하들의 반대를 무릅쓰고 1646년 3월 마침내 강씨를 사사하고, 그 소생 석철(石鐵), 석린(石麟), 석견(石堅)을 제주도로 귀양 보내 석철·석린을 죽음에 이르게 하였다.
393) 강석기(姜碩期) : 1580~1643. 본관은 금천(衿川), 자 복이(復而), 호 월당(月塘)·삼당(三塘)이다. 소현세자 빈의 부친으로, 우의정 등을 역임하였다.
394) 원손(元孫) : 소현세자의 장남 경선군(慶善君) 이백(李栢, 1636~1648)을 가리킨다. 아명(兒名)은 석철(石鐵)이다.
395) 성종(成宗)의 고사(故事) : 의경세자(懿敬世子, 세조의 장남)의 둘째아들로 태어나 왕위를 계승한 성종의 즉위과정을 가리킨다. 즉 형인 월산대군(月山大君)과 예종의 아들 제안대군(齊安大君)을 제치고 왕위에 오르게 되었다.
396) 기해년 예론 : 기해년(1659, 현종 즉위년) 효종이 죽자, 자의대비의 입장에서는 아들[효종]이 먼저 죽었기 때문에 어머니로서 입어야 할 복제가 문제로 대두되었다. 즉 맏아들로 대우하여 상복을 입느냐, 아니면 둘째 아들로 대우하여 입느냐의 문제였다. 이로 인해 서인과 남인 간에 대립이 생겼는데, 서인의 승리로 기년복(朞年服, 1년복)을 입었다.
397) 그 소행 : 갑인예송(甲寅禮訟) 당시 송시열이 펼쳤던 논설을 가리킨다. 1674년(현종15) 효종비 인선왕후가 죽자 자의대비의 복상 기간이 다시 문제가 되었다. 서인은

귀양 보냈다. 기미년(1679, 숙종5) 강화도에서 투서의 변고가 일어났는데, 흉서에서 지목한 자는 바로 송시열이 적통이라고 한 사람이었다.398) 이에 현상금을 걸고 역적을 잡았는데, 송시열의 무리 이유정(李維楨)이었다. 그의 노비가 공초하여 말하기를, "이유정이 장기에 40여 일 머물다가 돌아왔다." 하였고, 때문에 사람들이 투서가 송시열의 뜻에서 나온 것으로 의심하였다고 한다.

영릉(寧陵, 효종)399)의 광중(壙中)에 관(棺)을 내리고 흙을 덮을 때, 퇴광(退壙)400) 부분에 물이 침범할 근심이 있었는데 여러 사람들이 본 바였다. 그러나 감독했던 여러 신하들이 가리고 숨겨서 아뢰지도 않다가401) 1년이 못되어 병풍석이 거의 모두 기울고 허물어져 매년 수리하여 바로잡았지만 벌어진 틈이 여기저기 드러났다.402) 그런데 봉심한 신하들은 단지 석회로 그 틈을 발라서 미봉하였다. 종실 영림군(靈林君)403)이라는 자가 상소하여 지금까지 이것을 감추고 숨긴 정황을 말하였다.404) 주상이 진노하여

1차 예송 때의 주장과 같이 '효종비를 둘째 며느리로 다루어 대공 9월'을 주장하고, 남인은 '맏며느리로 예우하여 기년'을 주장하였다. 당시 김석주 등 서인의 일부가 남인을 거들어 기년설에 찬성함으로써 복제는 기년상으로 정해졌다. 그 여파로 숙종이 즉위하면서 송시열 등이 유배되고 서인은 권력에서 밀려났다.

398) 송시열이……사람이었다 : 이유정의 투서에 언급된 사람은 소현세자의 손자인 임창군이었다.

399) 영릉(寧陵) : 효종의 능호이다. 경기도 양주의 건원릉 서쪽에 있던 것을 1673년(현종14)에 여주로 옮겼다.

400) 퇴광(退壙) : 봉릉(封陵)할 때에 현궁(玄宮) 안에 재궁(梓宮)을 모시고 남은 앞쪽, 빈 곳을 가리킨다. 각종 명기(明器)를 넣은 돌함을 그곳에 묻었다.

401) 신하들이……않다가 : 『현종실록』 14년 3월 24일·4월 2일 기사에 따르면 이익수가 종실(宗室) 이정 등의 사주를 받아 영릉의 돌에 틈이 생겼다는 상소를 올려 사화를 일으키려 했다고 한다.

402) 허물어져……드러났다 : 『동소만록』에서는 이 같은 변고는 송시열로부터 비롯되었다고 보았다. 본래 효종의 능은 윤선도의 주장에 따라 수원부(水原府)로 정해졌다. 그러자 수원의 이민(吏民)들이 산릉으로 지정되면 생업을 잃을까 두려워하여 송시열에게 뇌물을 주어 변경하였던 것이다. 이처럼 당론에 따라 국가의 대사가 마음대로 정해졌기 때문에 망극한 변고가 났다고 평가하였다.

403) 영림군(靈林君) : 종실 이익수(李翼秀)를 가리킨다.

404) 종실……말하였다 : 『현종실록』 14년 3월 24일 기사에 보인다.

그 일을 감독했던 여러 신하들을 장차 중죄로 다스리려 했는데, 송시열이 당시 정승405)에게 편지를 보내 말하였다. "온천엔 해마다 행차하면서 산릉(山陵)406)은 한 번도 봉심(奉審)하지 않고, 단지 신하들에게 죄를 돌리려고 하니 어찌 한가할 때에 자가구(子家駒)가 소공(昭公)에게 대답하던 말407)로 아뢰지 않는가?" 대개 군주가 능히 스스로 정성스럽게 효성을 다하지 않고 어찌하여 신하들에게 충성을 다하라고 질책하느냐고 말한 것이다. 예로부터 충성스럽게 간쟁하는 선비 가운데 비록 대면하여 임금의 잘못을 거론하거나 혹 나라를 어지럽혀 망하게 하는 군주에 비유하는 자는 있었지만 어찌 그 사당(私黨)과 더불어 군부를 조롱하며 마치 죄를 들추어 열거하듯 할 수 있단 말인가? 군부를 무시하는 마음이 더욱 드러난 것이었다.

송시열은 효종이 서자이므로 즉위해서는 안 될 임금으로 보았다. 그래서 논자들이 "종통을 둘로 만들어 계통을 끊어버리고 군부를 폄박(貶薄)하였다." 하자, 송시열이 그 자취를 감추려고 효종에게 존주(尊周) 의리408)가 있다면서 세실(世室)로 정하는 일에 급급하였다.409) 그런데 효종만 홀로 거행하면 그 자취가 더욱 드러날 것이므로, 차례로 안배하여 태조에게 위화도(威化島)에서 회군한 거조가 있다 하여 시호를 더 올리려고 하였다.410) 몇 자의 시호를 더하는 것은 태조의 성덕(盛德)과 대업을 더 빛나게

---

405) 당시 정승 : 김수홍을 가리킨다.(『宋子大全·答金起之癸丑五月十日』)

406) 산릉(山陵) : 본래 인산(因山) 전에 아직 이름을 정하지 아니한 능을 가리킨다. 여기서는 효종의 능인 영릉을 가리킨다.

407) 자가구(子家駒)가……말 : 임금의 잘못을 지적하는 말을 가리킨다. 소공(昭公)이 계씨(季氏)를 죽이려 하자 자가구가 계씨는 민심을 얻고 있으므로 안 된다고 말렸다. 그러나 소공은 그 말을 듣지 않고 강행하다가 결국 쫓겨났다(『春秋公羊傳·昭公25年』)

408) 존주(尊周) 의리 : 존주양이(尊周攘夷)의 의리를 말한다. 주나라 왕실을 존숭하고 오랑캐를 물리친다는 뜻이다. 효종대 청나라를 물리쳐서 원수를 갚고 치욕을 씻자는 북벌론을 뒷받침하는 논리였다.

409) 세실(世室)로……급급하였다 : 세실은 대대로 지내는 제향(祭享)의 위패를 모시는 종묘(宗廟)의 신실(神室)이다. 1683년 송시열이 효종의 공덕을 추숭하여 불천(不遷)의 세실로 삼아야 할 것을 주장하자, 김수항(金壽恒) 등 여러 대신들이 동조하였다. (『肅宗實錄』9년 2월 21日)

410) 위화도에서……하였다 : 1683년(숙종9) 송시열은 태조의 묘호를 가상할 것을 요청하였다. 태조대왕은 창업 수통한 임금인데 그 휘호가 도리어 후사(後嗣)한 왕보다도

하기에도 부족한데도, 삼백년간 신도(神道)에 이미 편안하게 안치되어
있는 신령에게 자기 멋대로 신위(神位)를 고쳐 썼다. 조정에 있던 여러
신하들이 모두 그 마음을 알았지만 그 위세를 두려워하여 감히 말하는
자가 없었다.

  제왕의 상례는 정해진 전장(典章)이 있었으므로, 열성(列聖)이 준용(遵用)
하고 혹시라도 변경하는 일이 없었다. 효종 초상을 당하자 대행(大行)411)에
대해서 송시열이 "염을 할 때의 베[斂布]를 견고하게 묶을 수 없다." 하였다.
그런데 당시 날씨가 매우 더워서 옥체가 장대해지자 장생전(長生殿)412)
재궁(梓宮)413)을 사용할 수 없어서 판을 덧대어 사용하였다.414) 비록 민간의
손과 발을 염습하는 상례에서 어찌 판을 덧대어 사용하는 일이 있겠는가?
상례가 제대로 이루어지지 않았다고 할 수 있다.

  못하므로 도리상 미안할 뿐 아니라, 태조의 위화도 회군(威化島回軍)은 실로 존주대의
  (尊周大義)에서 나온 것으로 길이 천하 후세에 전할 만한 것이고 더구나 지금같이
  춘추대의가 막혀 버린 때 이를 표장(表章)해서 대법(大法)을 보존해야 한다고 주장한
  것이다. 태조가 위화도 회군으로 밝힌 대의(大義)를 기려서 '소의정륜(昭義正倫)'이라
  는 시호를 올리자고 주장한 송시열에 대해 박세채가 끈질기게 반대하였고, 갈등
  끝에 추시 문제는 '정의광덕(正義光德)'의 시호를 추상하는 것으로 마무리 되었다.(『肅
  宗實錄』9年 6月 12日 및 『南溪集·請太廟位版改正太字疏』)
411) 대행(大行) : 임금이나 왕비가 죽은 뒤 시호를 아직 올리기 전의 칭호이다.
412) 장생전(長生殿) : 공신(功臣)의 화상(畵像)과 관재(棺材)인 동원 비기(東園秘器)를 보관
     하던 곳이다.
413) 재궁(梓宮) : 왕과 왕후의 관을 가리킨다.
414) 판을……사용하였다 :『동소만록』에 다음의 기사가 있다. 기해년(1659, 현종 즉위년)
     효종의 상례에 송시열이 문예관(問禮官)이 되었다. 소렴(小斂)을 할 때, "옥체가 손상될
     까 두려우니 천으로 묶는 일을 대충해서는 안된다." 하였다. 이에 날씨가 더워져서
     뜻밖의 근심이 생길 것이 두렵다." 하는 대비의 지시가 내려졌고, 일을 살피던
     신하들이 모두 그렇다고 했지만 회천은 멋대로『예경(禮經)』을 인용하며 말했다.
     "군주의 초상에 사용되는 옷은 128벌이며 관제(棺制)는 여유가 있다. 때문에 차라리
     다른 근심이 있을지언정 그렇게 할 수 없다." 뜻을 굽히지 않고 고집을 부렸다.
     애초 정해진 제도에 근거한 재궁(梓宮)의 크기를 알지 못한 채 끝내 한 해 동안
     만든 옷 칠한 널을 쓸 수가 없게 되었고 부득이 재궁에 또 판을 붙여 사용해야
     했으니, 이는 예전엔 없던 변고였다. 이때 국론이 흉흉하여 끊이지 않자 송시열이
     상소하여 말하기를, "당시 여러 대신들이 모두 들어가 살폈으니 사람의 잘못으로
     그렇게 된 것이 아님이 명백합니다.……" 스스로 변명하였다.

송시열의 권세가 온 세상에 진동하자 그에게 맞서는 자는 몸이 가루가 되고, 그에게 덤벼드는 자는 몸이 부서졌다. 그래서 위로는 공경(公卿)으로부터 아래로는 일반 선비[韋布]에 이르기까지 달려가 붙지 않은 자가 없었고, 감히 어기지 못하였다. 그 가운데 혹 관직을 서로 다투거나 논의를 조금이라도 달리하면, 반드시 선대의 결점이나 당사자의 결점을 만들어 내고, 덫과 함정을 설치하여 조종하고 협박하는 바탕으로 삼았다. 그래서 사람들이 그 입을 두려워하여 비록 차마 할 수 없는 말이 부모형제에게 가해지더라도 그 자제된 자는 차라리 부모형제를 배신할지언정 감히 송시열을 배신하지 못하였다. 그 문하에서 복종하고 섬기며 아첨하는 것415)이 더욱 심해져서 고가(故家)와 대족(大族)이라도 풍습이 크게 무너졌다. 이로 인해 세도가 떨어지고, 인심이 어그러진 것이 달마다 달라지고 해마다 같지 않아지니, 오랑캐와 금수가 되지 않은 자가 거의 없을 지경이었다.

송시열이 윤증을 미워하여 그 부모를 비방하고 헐뜯었으니, 정상을 벗어나고 도리에 어긋남이 지극하였다. 이로부터 서인이 나뉘어져 노론(老論)과 소론(少論)이 생겼다. 한나라 안에서 동인과 서인의 두 당(黨)으로 나뉘었으니, 이미 이는 반드시 망할 길이었다. 그런데 오늘날 조각조각 분열되어 노론과 소론이 서로 공격하는 것이 동인과 서인보다 심하여 서로 살육해서 원한이 날이 갈수록 더욱 깊어졌다. 심지어 형제와 숙질까지도 각각 의견이 달라 서로 의심하고 갈라져서 마치 길 가는 사람과 같았다. 세도가 이와 같은데도 나라가 망하지 않은 경우는 없었다. 하늘이 이 송시열을 낳은 것은 실로 시운(時運)과 관련되었으니 말해봤자 무슨 소용 있겠는가?

송시열이 효종으로부터 세상에서 보기 드문 대우를 받았으니, 이것은 마치 제나라 환공(桓公)416)이 관중(管仲)417)을, 소열(昭烈)418)이 공명(孔

---

415) 아첨하는 것 : 원문은 "舐痔"이다. 연옹지치(吮癰舐痔)의 준말이다. 남에게 아첨하기 위하여 등창을 빨아 주고 치질을 핥아 주는 간사한 무리의 행동을 가리킨다.
416) 환공(桓公) : B.C.685~B.C.643. 춘추시대 제(齊)나라 군주이다. 춘추 5패(覇)중 한 사람

明)419)을 대한 것과 같았다. 그런데 그 보답한 것은 대행(大行) 때 재궁을
제대로 사용하지 않았으며, 상제(喪制)를 적통의 예로써 하지 않고 깎아내
려 서자의 상복으로 정하였다. 산릉에는 샘물이 있어서 해마다 무너지는
것을 나라 사람들이 모두 알고 있는데, 이를 좋은 징조로 돌렸다. 예로부터
어진 인재를 얻은 효과가 과연 모두 이와 같았다면 누가 어진 이를 얻는
것을 귀하게 여기겠는가? 우리나라가 한창 떠오르는 오랑캐를 감당할
수 없다는 것은 아녀자들도 아는 바였다. 그런데 송시열이 처음 벼슬길에
나아가서 감히 북벌로써 치욕을 씻어버리자고 큰소리치고는 공공연히
함부로 속였으니 알 만한 자는 이미 그 심술의 무상(無狀)함을 살필 수
있었다.420)

계해년(1623, 인조1) 이후 서인들이 훈척(勳戚)의 신하로서 비록 나라의
권력을 잡았지만, 인조대왕은 총명하고 덕이 높아서 잠저(潛邸) 때부터
당론의 화를 깊이 성찰하였고, 또 남인 가운데421) 사류(士類)가 많음을

이다. 관중(管仲)을 재상으로 기용하여 대내적으로 군사력 강화 및 상업·수공업
육성 등 부국강병책을 실시하였다.
417) 관중(管仲) : B.C.716~B.C.645. 제나라 정치가이다. 포숙아(鮑叔牙)의 천거로 환공을
섬겨 패업(覇業)을 이루는데 크게 공헌하였다.
418) 소열(昭烈) : 촉한(蜀漢)의 선주(先主) 유비(劉備, 161~223)의 시호이다. 한나라 부흥을
위해 제갈량을 초빙하려고 세 번이나 초가집을 방문[三顧草廬]하였다.
419) 공명(孔明) : 제갈량(諸葛亮, 181~234)의 자이다. 후한(後漢) 말 유비를 보좌하여 한나
라 부흥에 힘썼고, 이후 촉한의 승상(丞相)이 되어 중원을 도모하였다.
420) 송시열이……있었다 : 이와 관련하여 『동소만록』에 다음의 일화가 있다. 송시열이
처음 벼슬살이했을 때 궁궐에서 여러 명의 무인들이 나와서 차비문(差備門)으로
들어가는 것을 보고 이상하게 여겼다. 이윽고 주상이 북벌을 염두에 두고 매번
한가할 때마다 무사를 불러놓고 군대 일을 논한다는 사실을 몰래 알게 되었다.
이에 크게 존주양이(尊周攘夷)의 논의를 주창하였고, 이로 말미암아 주상의 총애가
날로 융성하여 정승에 임명되는 데에까지 이르렀다. 특별히 독대(獨對)하는 영광을
내려 두루 북벌의 계획을 물었지만 별도의 기이한 꾀나 특이한 계책은 없었다.
421) 남인 가운데 : 대표적인 인물로 이원익을 들 수 있다. 1623년 인조가 즉위하자마자
이원익을 영의정으로 삼아 민심을 안정시켰다. 이후 정묘호란(1627) 당시 도체찰사
로 세자를 호위하고, 강화도로 와서 왕을 호위하였다. 서울로 돌아와 훈련도감제조
등을 역임하였다.

알고 반정(反正) 초에 이들을 불러 모아 함께 등용하였다. 그래서 초년에
정사와 교화를 청명(淸明)하게 하여 높고 깨끗한 언론이 남인으로부터
많이 나왔다.

을해년(1635)에 이르러 나라에 경과(慶科)[422]가 있었는데, 과거시험을
준비하던 두 집안[423] 사자(士子)들이 성균관[泮中]에 모여 원점(圓點)[424]을
시행하였다. 시배들 가운데 경박한 자가 남인 사자들을 몰아내고 과거
급제를 독점하려고 갑자기 우계와 율곡을 문묘에 종사시키자는 논의를
내어서[425] 서울과 지방의 사자 가운데 다른 의견을 갖고 있던 자에 대해서
는 아울러 모두 벌을 주어 성균관에 발을 붙일 수 없도록 하였다. 때문에
이때 태학사(太學士) 이식이 재임(齋任)에게 편지를 보내, "성균관이 어찌
서인만 독점하는 곳인가?" 하였다. 이에 동인과 서인의 갈등이 더욱
격화되어, 다시 보합(保合)할 희망이 없어졌다.

사계의 문도 송시열·이유태·이상(李翔)[426]의 무리가 학자를 빙자하여
어지럽게 등용되어 입으로는 성명(性命)을 떠들면서 행동은 마치 장사꾼이
물건을 흥정하듯 하였다. 남인은 국외자(局外者)로 자처하면서 그 같은
행동을 몹시 절통해 하였다. 이에 그 도리를 모두 어겨서 혹 허황된
행위를 하거나 혹은 음험한 논의를 만들어내서, 학자를 희롱하고 모욕하는
것을 고상한 운치로 삼고, 시배들을 과격하게 비방하는 것을 기상이
높은 것으로 여겼다. 자제 가운데 학문에 뜻을 둔 자가 있으면 모두
일어나 조롱하며 비웃어서 한 시대의 풍습이 크게 변하였다. 이는 마치

---

422) 경과(慶科) : 왕실이나 국가에 경사가 있을 때 실시한 과거이다.

423) 두 집안 : 서인과 남인을 가리킨다.

424) 원점(圓點) : 성균관과 4부 학당 등의 교육기관에서 유생의 출결사항을 점검하기
위해 학생들이 식당에 들어갈 때 도기에 점을 찍고 서명하게 하여 매기는 점수이다.
일정한 점수를 얻어야만 과거 응시 자격이 주어졌다.

425) 갑자기……내어서 : 1635년(인조13) 성균관 유생 송시형(宋時瑩) 등 270여 명이 율곡
과 우계의 문묘 종사를 건의하였다(『仁祖實錄』 13년 5월 11日) 이후 논란을 거듭하다가
1681년(숙종7) 문묘에 입향(入享)되었으나 1689년 기사환국으로 출향(黜享)되었다가
1694년 갑술환국을 계기로 다시 입향되었다.

426) 이상(李翔) : 1620~1690. 본관은 우봉(牛峯), 자 운거(雲擧)·숙우(叔羽), 호 타우(打愚)이
다. 송시열을 통해 김집의 학통을 이어받았다.

동한(東漢)의 절의(節義)가 한 번 바뀌어 진송(晉宋)의 청담(淸談)이 된 것과
같았다.427)

삼가 살피건대, 맹자가 말하기를, "다섯 패자[五伯]428)는 삼왕(三王)429)의
죄인이고, 오늘날의 제후들은 다섯 패자의 죄인이다."430) 하였으니, 이
말로 서인과 남인의 풍습을 비유할 수 있다. 동인과 서인이 분당된 초기에
율곡이 또한 말하기를, "동인 가운데 학문하는 선비들이 많다." 하였다.
인조와 효종, 두 임금 이래로 서인이 조정의 권력을 장악한 지 오래되었는
데, 그 천거하는 자들이 모두 이름을 팔아서 겉치레를 꾸미는 사람들이었
으므로, 이에 곧 "학문", 두 글자가 기회를 잡는 첩경이 되었다. 이에
남인은 진짜 사대부[眞士大夫]로 자처하면서 그들이 내세우는 이학(理學)을
거짓이라고 배척하였지만, 차츰 헛된 데로 흘러 들어가 의지할 곳이
없게 되었다. 이것으로 논하면 서인은 유문(儒門)의 죄인이고, 남인 또한
서인의 죄인이 되었다. 비유컨대 한·당·송나라가 패도(覇道)를 섞어 사용하
면서도 오히려 유술(儒術)을 빌려서 다스릴 줄 알았기 때문에 소강(小康)431)

---

427) 동한(東漢)의……같았다 : 동한절의설은 동한의 선비들이 절의를 숭상한다는 명목
으로 조정을 더럽게 여기고 천하를 얕잡아보아 멋대로 인물을 평론하고 조정을
헐뜯자 공경을 비롯한 벼슬아치들이 이들의 눈치를 보게 되었고, 마침내 자기는
옳고 남은 그르게 여기도록 하여 임금의 자리까지 노리는 데 이르렀다는 것이다.
진송청담설은 진·송 때 청담을 일삼는 사람들이 빈천을 잊는다 하면서도, 다른
한편으로는 권세를 좇고 재화를 모아 마침내 찬탈의 세력을 일으키게 되었다는
것이다. 이것은 원래 정개청의 「동한진송소상불동설(東漢晉宋所尙不同說)」에서 나온
것이었다. 그런데 서인들은 이것을 배절의론(排節義論)이라고 공격하였다. 본 자료의
편찬자는 남인인데, 인조대 이후 남인들의 처신을 정개청의 논리에 따라서 자가비판
하고 있는 것이 주목된다.
428) 다섯 패자[五伯] : 춘추시대 다섯 명의 패자(覇者)를 가리킨다. 제나라 환공, 진(晉)나라
문공(文公), 초(楚)나라 장왕(莊王), 오(吳)나라 왕 합려(闔閭), 월(越)나라의 왕 구천(勾
踐)이다.
429) 삼왕(三王) : 유학의 성인으로 추앙한 중국 고대의 세 임금으로서, 하(夏)의 우(禹),
은(殷)의 탕(湯), 그리고 주(周)나라 문왕(文王) 또는 무왕(武王)이다.
430) 다섯……죄인이다 : 『孟子·告子下』에 보인다.
431) 소강(小康) : 정치가 잘 행해져 교화가 펼쳐지고 백성이 편안한 생활을 하는 때를
가리킨다. 따뜻하게 입고 배부르게 먹고 사는 온포(溫飽)보다 앞서고 모두가 지극한
선에 머무르게 한다는 대동(大同)사회 이전 단계이다.

을 유지할 수 있었다면, 진(晉)·송(宋) 등 육조(六朝)는 전례(典禮)를 폐기하고,
오로지 청담(淸談)432)을 일삼았기 때문에 난망(亂亡)이 잇따랐던 것이다.
이것은 또한 서인과 남인의 일과 매우 비슷하다.

또 눈치 빠르고 민첩하다고 자임하는 하나의 종류가 있었는데, 오로지
이것으로써 사람을 취하였으므로, 때문에 중후한 자는 쫓겨나고 간교한
자는 등용되었다. 눈치 빠르고 민첩하다는 것은 곧 영리(伶俐)함을 달리
바꾸어 일컬은 것인데, 영리함이 어찌 사대부의 일이겠는가? 이 또한
남인 풍습이 크게 변한 것으로, 그 유래를 추구해보면 허적(許積)433)이
실로 앞장서서 이끌고, 유명현(柳命賢)434)과 민종도(閔宗道)435)가 그 뒤를
이었다. 이 세 사람은 혹 스스로 화를 면하지 못하였고, 또 그 화가 자손에까
지 미쳤으니, 후대 사람들은 마땅히 귀감으로 삼아 경계해야 할 것이다.

기해년(1659) 이후 예를 논한 상소 가운데 미수(眉叟, 허목의 호)만 단지
예론의 득실을 따질 뿐이고,436) 그 나머지는 모두 이겨서 빼앗으려는데
마음에서 벗어나지 못하였다. 이미 국가의 예를 바로 잡았고, 죄인은
모두 쫓겨났으니, 여기서 그쳐야 할 것이다. 그런데 갑인년(1674) 이후에도
6년 간 예론으로 시작과 끝을 삼아서 지리함을 면치 못하였으니, 또한

---

432) 청담(淸談) : 위(魏)·진(晉)시대 지식인 사회에서 현학과 함께 나타난 철학적 담론의
풍조이다. 노장(老莊)사상을 기초로 세속적 가치를 초월한 형이상학적인 사유와
정신적 자유를 중시하였다.

433) 허적(許積) : 1610~1680. 본관은 양천, 자 여차(汝車), 호 묵재(默齋)·휴옹(休翁)이다.
영의정 등을 역임하였다. 숙종대 초반 송시열의 처벌문제를 둘러싸고 청남(淸南)·탁
남(濁南)으로 분열되자, 탁남의 영수가 되어 서로 갈등하였다. 1680년(숙종6) 서자
견(堅)의 모역사건에 휘말려 사사되었다. 1689년 신원되었다.

434) 유명현(柳命賢) : 1643~1703. 본관은 진주, 자 사희(士希), 호 정재(靜齋)이다. 이조·형
조판서 등을 역임하였다. 1701년 장희재와 공모, 인현왕후(仁顯王后)를 해치려 하였다
는 죄로 탄핵받아 다시 귀양가서 죽었다.

435) 민종도(閔宗道) : 1633~?. 본관은 여흥, 자 여증(汝曾)이다. 좌찬성 점(點)의 아들로,
병조참지 등을 역임하였다. 아들 민언량과 인현왕후 모해사건에 연루되어 처형되었
다.

436) 미수(眉叟)……뿐이고 : 당시 허목은 『의례』「자최장(齊衰章)·모위장자조(母爲長子
條)」에 의거하여 자의대비의 복제로 자최 삼년복을 주장하였다. 즉 효종이 본래
둘째 아들이었지만 종통을 계승한 이상 맏아들이 되어 정체전중(正體傳重)에 해당한
다는 것이다.

예론을 가지고 서인을 협박하는 칼자루로 삼은 것과 같았다. 갑인년 뒤 오직 미수가 허적을 배척한 상소 하나가 조금이나마 사람의 마음을 흡족하게 하였다.

"아름다운 병은 나쁜 약만 못하다."는 시제(試題, 과거시험의 글제)는 반드시 의도가 있어서 나온 것은 아니었다.⁴³⁷⁾ 설령 의도가 있었다고 해도 미리 억측하여 시관(試官)의 죄를 논하는 것은 성세(聖世)에 할 일이 아니었다.⁴³⁸⁾ 이에 대해 미수는 준론(峻論)을 주장하는 젊은 무리들에게 속임을 당하는 것을 면하지 못하였을 뿐이었다.

이정(李楨)⁴³⁹⁾·이남(李柟)⁴⁴⁰⁾의 교만과 횡포가 매우 심해서 역적모의를 기다릴 것도 없이 그 죄가 베어죽일 만하였다. 그런데도 한 사람도 그것을 말하는 사람이 없었으니, 이것이 남인의 부끄러운 덕[慙德]⁴⁴¹⁾이었다.

---

437) 아름다운······아니었다 : 1677년(숙종3) 10월 5일 문과(文科)의 증광 회시(增廣會試) 부(賦)의 제목으로 "아름다운 병이 나쁜 약만 못하다.[美疢不如惡石]"는 구절이 출제되었다. 유생들이 글을 지을 수 없다고 거부하여 제목을 바꾸어 시험을 치르게 하였다. 이 구절은 『춘추좌씨전(春秋左氏傳)』 양공(襄公) 23년에 나오는 노나라 계무자(季武子)의 일을 말한다. 계무자는 적자(嫡子)가 없었는데, 큰아들 대신 작은아들을 후계자로 세우는 과정에서 장손(臧孫)이 이를 지지하였고, 이에 계무자가 매우 좋아하였다. 반면 맹손(孟孫)은 장손을 미워하였는데, 맹손이 죽자 장손이 매우 슬피 울면서 말하였다. "계손이 나를 좋아한 것은 병통이 되고, 맹손이 미워한 것은 약석이 되니, 아무리 좋은 병통이라도 나쁜 약석만 못한 것이다.[季孫之愛我, 疾疢也, 孟孫之惡我, 藥石也, 美疢不如惡石.]" 한 말에서 나온 것이다.

438) 미리 예측하여······아니었다 : 1677년 당시 상시관(上試官) 이정영(李正英)이 출제할 수가 없어 여러 시관(試官)에게 미루어 떠맡겼다. 이에 박태보(朴泰輔)가 『좌전(左傳)』 중에서 '아름다운 병은 나쁜 약만 못하다.[美疢不如惡石]'는 말을 집어내어 대충 논의를 거쳐 제목으로 삼았다. 이 일로 인해 박태보와 이정영은 유배형에 처해지는 등 여러 사람이 형벌을 받았다. 당시 허목은 시권(試券)을 살펴서 조사하여 간사함을 적발해서 엄하게 다스려야 한다고 청하였다.(『肅宗實錄』 3年 10月 22日)

439) 이정(李楨) : 1641~1680. 인조의 3남 인평대군(麟坪大君)의 큰아들 복창군(福昌君)이다. 복선군(福善君) 남(柟, 1647~1680), 복평군(福平君) 연(㮒, 1648~1682)이 그 동생들이다. 경신환국(1680, 숙종6) 때 허적(許積)의 서자 허견(許堅)과 아우 복선군 등과 함께 사사되었다.

440) 이남(李柟) : 1647~1680. 인평대군의 둘째 아들 복선군이다. 복창군·복평군과 함께 경신환국에 연루되어 죽임을 당하였다. 당시 김석주는 정원로(鄭元老)를 시켜 허적의 서자 견(堅)이 인평대군의 세 아들과 역적 모의를 도모했다고 무고하였다. 이로써 남인이 몰락하고 서인이 정국을 주도하였다.

441) 부끄러운 덕[慙德] : 탕임금이 하나라를 정벌하고 걸왕(桀王)을 추방하고 난 뒤에

송시열이 북벌을 매개로 스스로 벼슬에 나아가는 계책으로 삼았는데, 윤휴가 북벌이 가능하다고 하였으니, 그 사람의 경박함을 알 수 있다.[442] 윤휴가 고신(告身)[443]을 반납했을 때, 처음에는 동해에 빠져 죽을 것[444]처럼 하였지만 갑인년 이후에는 지위를 탐하면서 물러나지 않아서 자기가 지키던 것을 모두 잃어버리고 말았으니 이와 같다면 어찌 패퇴하지 않을 수 있었겠는가? 그러나 송시열에게 미움을 받아서 그의 죄가 아닌 것으로 죽었기 때문에 사람들이 혹 원통하다고 할 뿐이었다.

기사년에 남인이 권력을 얻은 것[445]은 매우 올바르지 않았고, 반나절 정청(庭請)[446] 또한 책임을 피하기 위해 겉으로 꾸민 일이라는 비난을 면하지 못하였다.[447] 그 가운데 민종도의 경우 어찌 서인에게 화를 입히는

후세에 정벌하는 자들이 자신을 구실로 삼을까 두려워한 것을 말한 것이다. "성탕이 걸왕을 남소에 유폐시키고는 마음속으로 부끄럽게 느끼면서 말하기를 '나는 후세에 나를 구실로 삼아서 신하가 제멋대로 임금을 정벌할까 두렵다.'[成湯放桀于南巢, 惟有慚德, 曰予恐來世, 以台爲口實.]" 하였다.(『書經·仲虺之誥』)

442) 윤휴는……있다 : 이는 남인들이 공통적으로 갖는 견해였다. 『동소만록』에서 윤휴의 북벌사업에 대해 다음과 같이 서술하였다. 윤휴는 북벌을 실제로 추진하고자 병거(兵車)를 제작하며 군졸을 훈련시키고, 체찰부(體察府)를 다시 세우려 했다. 하지만 계획을 세우는데 분분하여 날마다 강론할 뿐 군대 일을 알지 못하였고, 결국 자신의 몸을 해친 뒤에야 그치고 말았다. 당시 사람들이 "크게 어리석은 자가 조금 꾀를 냈을 뿐이다." 말한 것을 총평으로서 수록하였다.

443) 고신(告身) : 관원에게 품계와 관직을 임명할 때 주는 임명장이다. 직첩(職牒)이라고도 한다. 효종대 윤휴가 조정에서 주는 관직을 모두 사양한 일을 가리킨다.

444) 동해에 빠져 죽을 것 : 전국(戰國)시대 제(齊)나라 노중련(魯仲連)이 "동해에 빠져 죽을지언정[蹈東海而死] 포악한 진(秦)나라가 천하의 제왕으로 군림하는 것은 차마 보지 못하겠다."고 선언한 고사가 있다.(『史記·魯仲連傳』) 정축년(1637) 삼전도의 치욕 이후 척화파가 출사를 거부할 때 많이 인용되었다.

445) 기사년에……것 : 기사환국(1689, 숙종15)을 가리킨다. 1689년 희빈 장씨의 소생을 원자로 정호(定號)하는 문제를 둘러싸고 벌어진 남인과 서인 간 정치적 대립이었다. 그 결과 권대운(權大運)·목내선(睦來善)·김덕원(金德遠)·민암(閔黯) 등이 집권하였으며, 송시열은 사사되고, 이이명(李頤命)·김만중(金萬重)·김수흥·김수항 등이 복주(伏誅) 또는 유배당하였다

446) 반나절 정청(庭請) : 1689년(숙종15) 4월에 인현왕후(仁顯王后)를 폐출하라는 명이 내리자 백관들이 명을 환수하라고 정청한 사실을 가리킨다. 『동소만록』에 따르면 당시 영의정 권대운 등은 입시하여 관용과 감화의 도에 힘쓰고, 비망기를 빨리 거두라는 뜻을 거듭 올렸다. 심지어 민암은 울면서 주청하자 주상이 "우는 자는 모두 나가라."고 했지만 신하들이 반복하여 간쟁하는 일을 그치지 않았다.

것을 다행이라고 여기는 마음이 없었다고 하겠는가? 기사년 이래 6년
동안 조정에 공의(公議)라곤 하나도 없었고, 오로지 주상을 가리고 당여를
보호하는 일에만 몰두하였다. 이러한 술책을 가지고 비록 하루도 버틸
수 없는데, 6년간 권력을 장악하였으니 또한 오래 버틴 것이다.

---

447) 기사년에……못하였다 : 이러한 관점은 남하정과는 크게 다르다. 남하정은『동소만
    록』에서 기사년 인현왕후의 폐비 과정에서 정청에 참여하여 만류했던 남인의
    노력을 적극적으로 소개하였다. 당시 남인 가운데 엄한 벌을 받아 쫓겨 난 자가
    한 두 사람이 아니었으며 단지 죽음에 이르지 않았을 뿐이라고 하였다. 이를 통해
    명의죄인(名義罪人)의 혐의에서 벗어나고자 하였다. 갑술환국 이후 서인·노론은
    인현왕후에 대한 남인의 불충(不忠)을 들어 남인들을 정계에서 축출하는 명분으로
    삼았었다.

정시한·김시양[448]

丁時翰·金時讓

우담(愚潭) 정시한(丁時翰)[449]이 경오년(1690, 숙종16)에 올린 한 번의
상소[450]는 "봉명조양(鳳鳴朝陽)"[451]이라고 말할 만하다. 그러나 그의 처남
[妻弟] 유명천(柳命天)[452]이 경연 중에 말하기를, "정시한이 실성한 지 오래
되었습니다." 하자 주상이 정공의 관직을 파하였는데도 구원하는 자가
한 사람도 없었다. 조정에서의 언론이 이와 같은데 남인이 어찌 망하지
않았겠으며, 유명천이 어찌 편안하게 패배할 수 있었겠는가?

정공의 학문은 순수하고 정직하여 거의 퇴계 이후 가장 뛰어난 사람이었
다. 시배가 그의 졸기(卒記)에 쓰기를, "정아무개가 아는 것은 행동하는
것과 같지 않다." 하였다.[453] 이경숙(李敬叔)과 왕복한 편지를 보면, 그
학문이 도달한 경지는 거의 흠잡을 곳이 없었으니, 사신(史臣)의 말은
정공을 모르고 한 것이다.

박태보(朴泰輔)[454]가 왕비를 폐출하라는 명령에 간쟁하다가 형벌을 받았

---

448) 원문에는 편목으로 잡혀 있지 않다. 내용을 고려하여 설정하였다.
449) 정시한(丁時翰) : 1625~1707. 본관은 나주, 자 군익(君翊), 호 우담(愚潭)이다. 이현일·
    이유장 등과 교유하였다. 기사환국(1689, 숙종15) 때 인현왕후를 폐위시킨 일을
    잘못이라고 상소하고, 1696년 희빈 장씨의 강등에 반대하였다.
450) 경오년에……상소 : 1690년 10월에 정시한이 지방에 있으면서 올린 상소이다. 폐서
    인된 인현왕후를 별궁에 살게 하고 늠료(廩料)를 주어야 한다고 주장하였다. 아울러
    환국을 통해 정국의 급변시키는 통치방식도 비판하였다. 실록에는 1691년 1월
    28일자로 수록되어 있다.(『愚潭集·年譜』 및 『肅宗實錄』 17年 1月 28日)
451) 봉명조양(鳳鳴朝陽) : 봉황과 오동나무는 태평 시대에만 나온다는 뜻이다.(『詩經·大
    雅·卷阿』) 태평 시대의 상서로운 조짐을 가리킨다.
452) 유명천(柳命天) : 1633~1705. 본관은 진주, 자 사원(士元), 호 퇴당(退堂)이다. 대사성·
    예조판서를 역임하였다. 1694년 갑술환국 이후 흑산도에 위리안치 되었고, 1701년
    장희재(張希載)와 공모하여 인현왕후를 모해하려 하였다는 혐의를 받고 나주 지도(智
    島)에 안치되었다.
453) 그의……하였다 : 정시한의 졸기는 실록에서 찾을 수 없다.

는데, 위로는 공경으로부터 아래로는 삼사에 이르기 까지 구원하는
자가 한 사람도 없었으니, 하북(河北)에 의기 있는 남자가 없었다고 할
수 있다.

하담(河潭) 김시양(金時讓) 또한 속세의 인물이었다. 성격이 재치 있고
일을 잘 처리하였으며, 말마다 대부분 기이하게 적중하였다.455) 그러나
오로지 공리(功利)의 학문에 전념하였으니, 이택당에게 보낸 편지에서,
"상군(商君)456)의 억울함을 씻어주기 위해 많은 말을 하여 천년 뒤에 기꺼이
상군의 충신이 되겠다." 하였다. 그 설의 해로움이 홍수와 맹수보다 심하였
으니, 지모(智謀) 있는 선비라고 말할 수는 있겠지만 그가 유문(儒門)에
죄를 얻은 것이 심하였다.

허적은 김시양과 같은 동네에서 태어나 자랐는데, 그 사람됨을 우러러
본받으려 하였다. 그 뒤 민종도와 유명현 무리들이 또 허적을 우러러
본받아 어둠침침한 지경에서 그 술수를 사용하였다. 그래서 권모술수
를 자랑하는 것이 한 시대의 도타운 풍습이 되었으니, 남인이 화를
당한 것은 오로지 여기에서 기초하였다. 옛날 진평(陳平)457)이 적국에
비밀스러운 계책을 사용하자 오히려 귀신이 꺼리는 일에는 반드시

454) 박태보(朴泰輔) : 1654~1689. 본관은 반남, 자 사원(士元), 호 정재(定齋)이다. 세당의
    아들로서, 지평·정언 등을 역임하였다. 인현왕후 폐위를 강력히 반대하다가 형벌을
    받고 죽었다.
455) 기이하게 적중하였다 :『동소만록』에 다음의 일화가 있다. 병자호란 전에 김시양만
    이 홀로 오랑캐 군대가 쳐들어올 것을 예견하였다. 당시 오랑캐 사신들이 방문했을
    때 접대를 맡은 조카에게 삼전도(三田渡)에 나아가 있을 것을 명하였다. 과연 그의
    말 대로 사신들이 도착해 있는 것을 보고 크게 놀랐다. 조카가 돌아와 어찌 알았는지
    묻자 김시양이 "오랑캐들이 우리나라에 뜻을 둔지 오래되었다. 그들은 말을 씻긴다
    는 핑계로 서울 근처의 방어체계와 지형을 알아보려 한 것이다." 하였다.
456) 상군(商君) : 상앙(商鞅, ?~B.C.338)을 가리킨다. 전국시대 법가 사상가로서, 엄정한
    법 집행을 통해 진나라의 부국강병을 이루었다.
457) 진평(陳平) : ?~B.C.178. 유방을 도와 통일을 이룬 뒤 수성(守成)의 공을 세웠다.
    특히 뇌물을 사용하여 항우와 범증(范增) 사이를 이간시켰고, 한신(韓信)을 생포하는
    과정에서 많은 계책을 내었다.

자기도 모르게 화를 당할 것이라는 말이 있었으니, 본조(本朝)에서 이것을
이용하는 자가 어찌 자손이 죽임을 당하여 후사가 끊어지는 화를 면할
수 있었겠는가?

남구만·윤지완[458]
南九萬·尹趾完

　　남구만(南九萬)[459]공이 상소와 차자를 통해서 정밀하게 옳고 그름을
살펴서 간곡하게 정리(情理)를 다하였다.[460] 또한 논의가 굳고 곧아 굽히지
않아서 시종 한결같아 일찍이 때에 따라 변한 적이 없었다. 만약 선조[宣廟]
대 살았다면 정승으로서 남긴 탁월한 업적이 여러 공들의 아래에 있지
않을 듯 싶다. 갑술년 초에 만약 남정승이 정국을 주도하지 않았다면
남인들은 거의 없어졌을 것이니,[461] 국가가 어떻게 안정될 수 있었겠는가?
옛날 대신 가운데 사직(社稷)이 기뻐하며 반길 사람은 남공이라고 말할
수 있다.

　　정승 동강(東岡) 윤지완(尹趾完)[462]은 문장과 경술(經術)이 남약천(南藥泉)
에 비해 조금 부족한 듯 하지만 덕량(德量)이 크고 두터우며, 수립함이

---

458) 원문에는 편목으로 잡혀 있지 않다. 내용을 고려하여 설정하였다.

459) 남구만(南九萬) : 1629~1711. 본관은 의령, 자 운로(雲路), 호 약천(藥泉)·미재(美齋)이
　　다. 개국공신 재(在)의 후손으로, 할아버지는 식(栻), 아버지는 현령 일성(一星)이다.
　　송준길(宋浚吉)의 문인으로, 우의정·영의정 등을 역임하였다. 1694년 갑술환국 이후
　　탕평책을 추진하다가 노론의 반발을 받고 부처(付處)·파직 등 파란을 겪었다. 1707년
　　관직에서 물러나 봉조하(奉朝賀)가 되었다가 기로소에 들어갔다.

460) 남구만(南九萬)……다하였다 : 남인계 당론서에서 일반적으로 남구만에 대한 평가
　　는 호의적이다. 남하정은 특히 기사환국 당시 남인에게 덧붙여진 명의죄인의 명목을
　　벗어나는 확실한 근거로 1695년(숙종21)에 남구만이 올린 상소와 임금의 비답을
　　『동소만록』에 소개하였다.

461) 남인들은……것이니 : 남하정은 특별히 동궁[경종]을 위해 희빈 장씨(禧嬪張氏)와
　　장희재(張希載)를 구원한 점을 높이 평가하였다. 즉 남구만이 사람들의 비방을
　　무릅쓰면서까지 살리려 했던 것은 장희재가 죽으면 희빈이 위험해지고, 희빈이
　　위험해지면 동궁이 불안해지기 때문이라고 보았다. 그리고 남인에 대한 처벌을
　　완화해야 한다고 끈질기게 주장하였다.

462) 윤지완(尹趾完) : 1635~1718. 본관은 파평, 자 숙린(叔麟), 호 동산(東山)이다. 지선(趾
　　善)의 동생으로, 우의정 등을 역임하였다. 1717년(숙종43) 좌의정 이이명이 숙종과
　　독대한 뒤 세자[경종] 대리청정의 어명이 있자 반대하였다.

확고한 것은 남약천보다 나아서 진정한 동국의 위인이었지만, 애석하게도 병들어 일찍 물러나서 그 사업을 끝까지 추진하지 못하였다.

남구만과 윤지완, 두 정승도 또한 색목(色目)에 속한463) 인물이었지만, 당론을 일삼지 않은 것이 정승 백사(白沙) 공과 같았다. 그러나 백사는 당론이 심하지 않은 시절을 살았지만, 두 공이 활동할 때는 신료들이 삼분오열된 때였으므로 처신이 백사보다 더욱 어려웠다. 그런데도 일찍이 시세(時勢)를 관망하면서 이에 좌우된 적이 없었다.

정승 유상운(柳尙運)464)은 삼대[麻] 밭에서 난 쑥465)이로구나.

정승 민진장(閔鎭長)466)은 집에 있을 때는 지극히 효성스러웠고, 조정에 나아가서는 당론을 일삼지 않았으며, 그 나머지 선조의 덕업을 받들고 친족과 우애하는 일에서는 사람들이 미치지 못하는 바가 많았다. 남정승이 나라에 고한 것으로부터 조정에 공론이 없어진 것이 거의 50년이나 되었다.467)

서인 학문은 율곡을 종주로 삼았기 때문에 모두 총령(葱嶺)의 기미468)를

---

463) 색목(色目)에 참여한 : 소론의 당론을 견지했음을 말한다.

464) 유상운(柳尙運) : 1636~1707. 본관은 문화(文化), 자 유구(悠久), 호 약재(約齋)이다. 영의정 등을 역임하였다. 노·소론이 분기할 때 윤증·박세채 등과 함께 김석주의 전횡을 탄핵하였다. 숙종대 소론으로서 희빈 장씨 보호에 힘쓰다가 노론의 탄핵을 받아 남구만과 함께 파직되었다.

465) 삼대 밭에서 난 쑥 : 원문은 "蓬生麻中"이다. 『순자』 「권학(勸學)」에 "쑥이 삼대 속에 나면 붙잡아 주지 않아도 곧다.[蓬生麻中, 不扶而直.]" 하였다. 좋은 사람과 사귀면 저절로 바른 사람이 된다는 뜻이다.

466) 민진장(閔鎭長) : 1649~1700. 본관은 여흥(驪興), 자 치구(稚久). 좌의정 민정중(閔鼎重)의 아들, 송시열의 문인이다. 우의정 등을 역임하였다.

467) 남정승이……되었다 : 이 문장은 의미가 앞 문장과 연결되지 않는다. 아마도 그 앞에 빠진 내용이 있는 것 같다.

468) 총령(葱嶺)의 기미 : 총령은 중국과 인도의 국경 근처에 있는 파미르 고원 일대를 말한다. 이곳은 불교가 인도에서 중국으로 들어온 길목이었다. 총령의 기미란 불교적 색채를 의미한다. 율곡이 젊어서 입산하여 승려가 된 일을 가리킨다.

띠고 있었다. 오직 임영(林泳) 공의 숙질(叔侄)만이 문로(門路)가 조금 공평하
고 정직하였다.

임천(臨川) 오징(吳澄)469)의 태극설(太極說)은 육학(陸學)470)이 분명하니,
이에 권이진(權以鎭)471)이 공격하여 배척한 것472)은 옳다. 윤증 공이 답장을
보내 오징의 설이 틀린 것이 아니라고 하였으니, 그 학문이 어디에서
나왔는지를 알 수 있다. 이택당이 노장(老莊)·불교·육학·왕학(王學)473) 등
이단의 학문을 논하면서 그 정수를 감히 피하지 않았으니, 어찌 율곡만이
홀로 그 잘못 된 것을 알지 못하였겠는가? 숨겼을 뿐이다. 그러나 스스로
옳다고 여기고 도학자로 자처하였는데, 간간이 선학(禪學)을 섞어서 말하는
것을 보면 아마도 또한 가리키는 바가 있을 뿐인 듯하다.

이발과 정철이 어떤 곳에서 만났는데, 술에 취해 이발이 정철의 수염을
잡아당겼다. 정철이 태연히 웃으며 읊조리기를, "몇 가닥 허연 수염을
군(君)이 뽑아내니 노부(老夫)의 풍채가 다시 쓸쓸하구나." 하였다.

---

469) 오징(吳澄) : 1249~1333. 임천(臨川) 오씨(吳氏)로 많이 알려져 있다. 허형(許衡)·유인
(劉因)과 더불어 원나라를 대표하는 학자이다. 주자(朱子)의 사전제자(四傳弟子)로,
이학(理學)을 위주로 하면서 심학(心學)도 아울러 취하여 주륙이가(朱陸二家)의 사상
을 조화시켰다.

470) 육학(陸學) : 육상산(陸象山)의 학문을 가리킨다.

471) 권이진(權以鎭) : 1668~1734. 본관은 안동, 자 자정(子定), 호 유회당(有懷堂)·만수당(漫
收堂)이다. 권시(權諰)의 손자이자 송시열의 외손이다. 윤증의 문인으로, 호조판서
등을 역임하였다.

472) 배척한 것 : 오징이 "태극은 동정(動靜)이 없으니, 동정하는 것은 기기(氣機)이다.
기(氣)가 동하면 태극 또한 동하고, 기가 정하면 태극 또한 정한다." 하였다. 이에
대해 권이진이 다음과 같이 논박하였다. 태극도 움직이면 양이 되고, 가만히 있으면
음이 있기 때문에 "동정은 탄 바의 기(機)이다.[動靜者所乘之機也]" 했다. 양을 타면
음을 낳고, 음을 타면 양을 낳으니, 기함(氣緘)이 있어서 그칠 수 없는 것이다.
예를 들어 사람이 말을 타고 출입할 때 움직이거나 가만히 있음은 말에 달려
있는 것과 같다고 했다. 따라서 문리(文理)를 보면 "태극이 동하여 양을 낳는다."
한 것이 분명하다고 보았다. 오징의 말과 같다면 양은 태극이 움직이는 까닭[所以]이
라고 해야 한다고 주장하였다.(『明齋遺稿·答權子定乙酉一月二日』)

473) 왕학(王學) : 왕양명(王陽明)의 학문을 가리킨다.

옛날 어조은(魚朝恩)474)이 태학(太學)으로 가서 "솥의 발이 부러지면 담긴 음식을 엎지른다.[鼎折足覆餗]"475) 강론하여 재상을 조롱하였다. 재상 왕진(王縉)476)은 노여워하였으나, 원재(元載)477)는 태연하였다. 어조은이 말하기를, "노여워하는 자가 정상이고, 웃는 자는 그 마음을 헤아릴 수 없다." 하였다. 그 뒤 과연 어조은은 원재에게 죽임을 당하였다. 정철의 일은 사실 이런 유형의 일이니, 이공이 어찌 기축년의 재앙을 면할 수 있었겠는가?

처음 동인과 서인으로 분당될 때, 어진 자와 간사한 자를 나누는 경계선이 분명하지 않았던 것이 마치 낙당(洛黨)·촉당(蜀黨)478)과 같아서 각 당 가운데 모두 어진 자와 간사한 자가 있었다. 따라서 오늘날 동인은 옳고 서인은 틀리다고 하는 것은 잘못이지만, 서인은 옳고 동인은 틀리다는 것 또한 잘못이다. 근래 시인(時人)479)의 문집을 보면 온전히 같은 당색의 사람들은 모두 군자라 하고, 의견이 다른 사람은 모두 소인이라고 하였는데, 이것이 어찌 후세의 공론이 될 수 있겠는가? 그 중에서도 윤선거 부자의 논의가 더욱 편벽되었으니, 명색이 학자인데 언론이 이와 같이 공평하지 않은 것은 그 학문과 심법에 유래가 있기 때문에 그렇다.

---

474) 어조은(魚朝恩) : 당나라 현종대 환관으로 교활한 성품으로 유명하였다.
475) 솥발이……엎지른다 : 『주역』 정괘(鼎卦)에, "솥의 발이 부러져 담긴 음식을 엎지른다.[鼎折足覆餗]" 하였는데, 이것은 사람의 힘으로 감당할 수 없는 것을 맡으면 실패한다는 뜻이다.
476) 왕진(王縉) : 당나라 대종(代宗)대 정승을 지냈다.
477) 원재(元載) : 당나라 대종(代宗)대 중서시랑(中書侍郎)을 역임하였다.
478) 낙당(洛黨)·촉당(蜀黨) : 송나라 철종(哲宗)대 왕안석(王安石)의 신법(新法)을 반대하는 수구파(守舊派) 조신(朝臣) 중, 정이(程頤)를 영수로 하는 낙당(洛黨)과 소식(蘇軾)을 영수로 하는 촉당(蜀黨)을 가리킨다. 양측은 학문에 기초한 치열한 논쟁을 벌였다. 여기에서는 당시를 동인(東人)과 서인(西人)의 대립 상황에 비유하였다.
479) 시인(時人) : 당시 정국을 주도하는 세력이나 당파를 가리킨다. 이 자료가 편찬될 때는 영조대이므로, 노론으로 보아야겠지만, 편찬자가 남인인 것을 고려하면 노론과 소론 모두를 지칭한 것으로도 볼 수 있다.

황정욱[480)
黃廷彧

임진왜란(1592, 선조25) 당시 황정욱(黃廷彧)[481)과 그 아들 황혁(黃赫)[482)
이 왕자 순화군(順和君)[483)을 받들어 모시고 북도(北道, 함경도)로 들어갔다
가 적장(賊將) 가등청정(加藤淸正)[484)에게 사로잡혔다.[485) 계사년(1593) 도
성에 들어와서 장계(狀啓)를 올려 화친을 청한 일이 있었다. -『징비록』
5권 장계 가운데 자세한 내용이 들어 있다. -

살피건대 황공이 스스로 해명하였으니 첫째, 장계(狀啓)[486) 가운데 "관백
전하(關伯殿下)"라 하였는데,[487) 단지 저 왜적이 말한 것을 따른 것이라고

---

480) 원문에는 편목으로 잡혀 있지 않다. 내용을 고려하여 설정하였다.
481) 황정욱(黃廷彧) : 1532~1607. 본관은 장수(長水), 자 경문(景文), 호 지천(芝川)이다.
    영의정 희(喜)의 후손으로, 예조·병조판서 등을 역임하였다.
482) 황혁(黃赫) : 1551~1612. 본관은 장수, 자 회지(晦之), 호 독석(獨石)이다. 정욱(廷彧)의
    아들로서, 우승지·형조판서 등을 역임하였다. 임진왜란 당시 항복 권유문을 썼다고
    탄핵을 받아 유배되었다. 1612년 이이첨(李爾瞻)을 시로써 풍자한 일 때문에 미움을
    받아, 순화군의 아들 진릉군(晉陵君)을 왕으로 추대하려 한다는 무고를 받고 투옥되어
    옥사하였다.
483) 순화군(順和君) : 선조의 6남으로, 순빈 김씨(順嬪金氏)의 아들이다. 부인은 승지 황혁
    의 딸이다. 임진왜란 당시 함경도로 피신했다가 임해군과 함께 포로가 되었다.
484) 가등청정(加藤淸正) : 1562~1611. 일본의 무장으로, 임진왜란 당시 동군을 이끌고
    함경도까지 진격하여 임해군 등을 사로잡았다. 명나라와 일본의 화의교섭에 반대하
    여 전쟁을 계속하자는 강경 주장을 펼쳤다.
485) 임진왜란……사로잡았다 : 회령의 변고[會寧之變]를 가리킨다. 1592년 왜적이 북상
    할 때, 황정욱과 그 아들 황혁이 임해군과 순화군 두 왕자를 모시고 회령으로
    피신하였다. 그러나 토착민인 국경인(鞠景仁)에게 사로잡혀 일본군에 보내졌다.
    당시 이곳은 아직 왜적이 점령하지 못하였다. 그런데 왜적이 회령으로 온다는
    소식을 들은 회령 사람들이 반란을 일으켜 임해군과 순화군 및 여러 신하를 사로잡아
    왜적에게 항복하였던 것이다.
486) 장계(狀啓) : 왜적에게 사로잡혀 쓴 장계를 가리킨다. 당시 가등청정은 황정욱에게
    자신의 의도대로 선조에게 장계를 쓰도록 하였다. 그가 쓰지 않겠다고 하자 손자와
    왕자를 죽이겠다고 위협하였고, 아들 황혁이 대신 쓰게 되었다. 이후 이 장계는
    그 내용 때문에 동인과 서인 사이의 갈등을 초래하였다. 문제가 되었던 점은 왜적의
    말에 따라 글을 작성한 것이고, 왜적에게 '관백전하(關伯殿下)'라고 호칭한 것 등이었
    다.

핑계대면서 변명하였다. 둘째, 장계 가운데 "신(臣)" 자를 쓰지 않았는데,488) 왜적으로 하여금 우리나라의 식례(式例)를 알지 못하게 하기 위해서였다고 핑계 댔다. 또 서계(書契, 외교문서)에서 "관백전하"라고 칭한 사례를 끌어다가 자신이 빠져나갈 계책으로 삼았다. 또 말하기를, "신(臣)이라 하지 않고 성(姓)을 쓰지 않은 것은 격례(格例)가 아니며, 큰 글씨로 어지럽게 쓴 것이어서 장계가 아니다." 하였는데, 이것은 모두 가짜 장계(假狀)가 진실되지 않다는 것을 보이려는 계책에서 나온 것으로서, 별도의 언문으로 쓴 진짜 장계(眞狀)가 있다고 하였다. 이 몇 가지 말들은 모두 군색하게 빠져 나가려는 것을 면치 못하였다.

우리나라 서계에서 "관백전하"라고 칭하는 것은 비록 듣고 기록한 것의 오류에서 나온 것이지만, 이는 신숙주(申叔舟)489)가 『해외기문(海外記聞)』 가운데 있어서 선대왕들이 이미 이웃나라의 임금으로 대우하였고. 때문에 어쩔 수 없이 "전하"라고 칭한 것은 형세상 그러하였던 것이다. 그런데 우리나라의 신하가 우리 임금에게 올리는 장계에서도 또한 "관백전하"라고 칭한 것은 과연 어떤 의도에서 나온 것인가? 만약 "적장이 보고 있어서 부득이 하게 이와 같이 쓴 것이다." 했다면 오히려 말할 만하지만, 반드시 서계의 용례를 원용하여 말하는 것은 더욱 근거가 없는 것이다.

---

487) "관백전하(關伯殿下)"라 하였는데 : 황혁의 묘지명에 따르면 다음과 같다. 장계 첫머리에 가등청정이 "대명(大明)은 화친을 허락하였는데 귀국(貴國)만이 화친을 허락하지 않으니, 관백전하가 앞으로 바다를 건너올 것이다." 한 말이 소개되었다. '전하'란 바로 왜적이 제 주인을 지칭하는 말이므로 자신은 다만 그의 어휘에 의해 써서 조정에 아뢰었을 뿐이라는 것이다.(『宋子大全·芝川黃公墓誌銘幷序』)

488) "신(臣)" 자를 쓰지 않았는데 : 황혁의 묘지명에 따르면 다음과 같다. 왜적이 신(臣) 자를 사용하는 데는 피아(彼我)의 구분이 없지만, 만약 우리가 "신"자를 사용하면 왜적이 그들의 풍속과 같게 하라고 위협할 것이고, 화를 초래할 것 같아서 전후의 가짜 장계에는 모두 "신"자를 쓰지 않았다는 것이다.(『宋子大全·芝川黃公墓誌銘幷序』)

489) 신숙주(申叔舟) : 1417~1475. 본관은 고령(高靈), 자 범옹(泛翁), 호 희현당(希賢堂)·보한재(保閑齋)이다. 1455년 세조가 즉위한 뒤 중용되어 좌의정 등을 역임하였다. 『해동제국기(海東諸國記)』를 지어 일본의 정치세력들의 강약, 병력의 다소, 영역의 원근, 풍속의 이동(異同), 사선(私船) 내왕의 절차, 우리측 관궤(館餽, 객사로 보내는 음식)의 형식 등을 모두 기록하여 일본과의 교빙(交聘)에 도움이 되도록 하였다.

그 장계에서 말하였다. "일본장군 가등청정이 말하기를, '명나라는 화친을 허락하였는데, 귀국만 홀로 화친을 허락하지 않았다. 만약 우리와 함께 서로 화친하지 않는다면 관백전하가 장차 군대를 거느리고 바다를 건너올 것이고, 두 나라는 전쟁의 재앙으로 어육(魚肉)이 될 것이다.' 하였습니다." 의심스러운 말로 위협하고 거짓말로 공갈을 쳐서 이와 같이 우리나라를 업신여겼는데, 저 세 신하490)가 연이어 관함(官啣)을 적고 서명하여 치계(馳啓)하였다. 겉에는 행재소(行在所)491)라고 썼지만 "신(臣)"이라는 한 글자도 없이 큰 글씨로 어지럽게 써져있었다.492) 이는 적장의 격서(檄書)인데 세 신하가 교체하며 서명을 행한 것이다. 장계의 식례가 아니라고 한 것은 진실로 옳다. 그렇지만 군신의 구분은 하늘과 땅과 같아서 다른 일도 오히려 거짓으로 행할 수 없는데, 하물며 "신"자를 쓰지 않고서 적을 속이기 위한 계책이라고 말해도 괜찮은가? 당시 성주(聖主)가 보고 애통해 하였고, 조신(朝臣)들도 이를 보고 놀랐다. 비록 수백 개의 진짜 장계가 있었다 해도 임금을 위협하고 화친을 요구한 죄는 진정으로 해소될 수 없었다.

또한 하물며 윤공의 수서(壽序)493)에서, "왜적이 신이라고 칭하는 것은 단지 이른바 천황에 대해서 뿐이다." 하였다. 온 나라 사람들이 이미 풍신수길(豊臣秀吉)494)에 대해 "신"이라고 칭하지 않았는데, 하물며 왜적

---

490) 세 신하 : 사로잡힌 세 신하[三擄臣]로 황정욱과 황혁, 이영(李瑛, ?~1593)을 가리킨다.
491) 행재소(行在所) : 임금이 멀리 거둥할 때 머무르는 임시 거처를 가리킨다. 임진왜란 당시 의주(義州)에 두었다.
492) 저 세 신하……써져있었다 : 류성룡이 올린 장계에 당시 상황이 잘 묘사되었다. "이른바 왕자가 쓴 장계 한 통을 그대로 올려 보냅니다. 사로잡힌 세 신하의 서신은 겉봉에 '행재소에서 펴 보시라'고 썼으며, 서신 안팎에 모두 '신(臣)'이라는 글자가 없고, 단지 '장계군(長溪君)·남병사(南兵使)·행호군(行護軍)'이라고 칭하여 각자 서명하였으며, 해괴한 말이 많습니다. 이는 반드시 적장이 협박하여 시킨 일이니, 매우 원통합니다. 그러므로 원래의 글은 감히 올리지 못하지만, 그 사이 사정에 대해서 조정이 몰라서는 안 되겠기에 그대로 베껴 올려 보냅니다. 언문으로 된 서신은 오지 않았으므로 이문으로 물어보았습니다."(『西厓年譜』)
493) 윤공(尹公)의 수서(壽序) : 윤공은 윤근수(尹根壽)를 가리킨다. 수서는 장수한 어른에게 생신을 축하하는 글이다.
494) 풍신수길(豊臣秀吉) : 1536~1598. 오다 노부나가[織田信長]의 뒤를 이어 일본통일의

가등청정[淸賊]에게 그렇게 하였겠는가? 그래서 황공(黃公) 부자가 왜적 가등청정에게 "신"이라고 칭하지 않은 것을 밝히기 위해서라고 하는데, 만약 이 말과 같다면 장계에 "신"이라고 쓰는 것을 더욱 꺼릴 것이 없었다. 그런데도 왜적으로 하여금 우리나라의 식례를 알지 못하게 하기 위해서였다고 핑계 대는 것이 과연 말이 되는가?

왜노(倭奴)는 오히려 거짓 황제[僞皇]495)에 대해서 "신"이라고 칭할 수 있지만, 우리나라 사람은 우리 임금에게 "신"이라고 칭하면서 배신하지 못하는 것은 진실로 이른바 "이적(夷狄)에 임금이 있어도 중국의 없는 것만 같지 못하다."496)는 말과 같다. 그 당시 황정욱의 나이는 62세였고, 지위가 일품(一品)497)에 이르렀는데, 왜적에게 몰리어 양 진영 사이를 분주히 다니면서 화친을 청하였다. - 창의사(倡義使)498)의 보장(報狀)499)에서 보인다. - 그리고 이러한 행위를 모두 왕자의 탈출을 도모하기 위한 것으로 돌려서 스스로 정영(程嬰)이 고아를 보존한 일500)에 비유하였으니, 인간으로서 수치스러운 일이 무엇인지 알지 못한다고 할 것이다.

또 살펴보건대, 황공의 자손501)이 원통함을 풀어주기를 바라며 올린 상소502)에서 이르기를, "진짜 장계를 없애버리고 가짜 장계만을 끄집어내

대업을 완수하고, 조선을 침략하여 임진왜란을 일으켰다.

495) 거짓 황제[僞皇] : 천황(天皇)을 폄하해서 지칭한 말이다.

496) 이적에……같지 않다 : 오랑캐에 임금이 있어도 예의가 없으니, 임금이 없어도 예의가 있는 중국만 못하다고 한 것이다.(『論語·八佾』)

497) 지위가 일품(一品) : 당시 황정욱은 판중추부사(判中樞府事)에 재직 중이었다. 판중추부사는 중추부에 둔 종일품(從一品) 관직이다.

498) 창의사(倡義使) : 임진왜란 때 의병(義兵)을 일으킨 사람에게 주던 임시 벼슬이다.

499) 보장(報狀) : 어떤 사실을 상관에게 알려 바치는 공문이다.

500) 정영(程嬰)이……보존한 일 : 춘추시대 정영이 죽은 조삭(趙朔)의 아들을 돌본 일을 가리킨다. 진(晉)나라 경공(景公) 3년에 도안가(屠岸賈)가 조삭을 죽이고 집안을 멸족시키려 하였다. 이때 문객 공손저구(公孫杵臼)와 친구 정영(程嬰)이 조삭의 아들을 구하려다가 공손저구는 죽고 정영이 몰래 키웠다. 15년 뒤 한궐(韓闕)의 주선으로 그 아들이 조씨의 후계자가 되자 정영이 먼저 죽은 공손저구와의 의리를 지키기 위해 자살하였다.(『史記·趙世家』)

501) 황공의 자손 : 황이징(黃爾徵)·황부(黃裒)를 가리킨다.

502) 『仁祖實錄』 2年 7月 12日.

어 베껴 쓴 뒤 죄주기를 청한 것503)은 진위(眞僞)를 어지럽히는 일이었습니다." 하였다. 의금부에서 회계(回啓)하기를, "상달(上達)한 본 장계와 왕자의 장계[書]는 본래 별건(別件)이 있었으나 다 상달하지 않았습니다."504) 하였다. 지금 풍원(豊原, 류성룡의 봉호)의 서장(書狀)을 살펴보면, "처음 장계에서 창의사 김아무개가 상송(上送)한 것이라고 하였고, 사로잡힌 세 신하가 연명한 장계, 왕자의 장계 한 통을 상송하였으나,505) 언문 장계는 도착하지 않았기 때문에 이문(移文)하여 추문(推問)하였습니다.……" 하였다.

또한 같은 날 봉한 서장에서 말하였다. "어제 신시(申時, 오후 4시 전후) 주사장(舟師將) 김천일이 또 왕자의 장계 두 통, 별록(別錄) 한 장을 감봉(監封)506)하여 올려 보냈습니다. 별록은 황혁이 쓴 듯합니다.……" 또한 스스로 탄핵한 장계에서 말하였다. "적진에서 나온 왕자의 장계 가운데 '사로잡힌 신하들[擄臣]'과 '적추(賊酋, 풍신수길)'라는 문자를 신 또한 보았는데, 이는 진실로 몹시 통탄스럽고 뼈아픈 일이었습니다. 신과 도원수 김명원이 반복해서 상세히 논의하였기에 아뢰지 않을 수 없었습니다.……" 이외에 또 이른바 "진짜 장계"라는 것이 있었는지 알지 못하겠다.

당시 진짜 장계의 유무를 아는 것은 창의사 김천일과 도원수 김명원만한

---

503) 진짜 장계를……청하는 것 : 이와 관련된 서인측 주장은 다음과 같다. 황혁은 가등청정의 강요에 따라 장계를 쓸 때마다 왜적의 사정을 알리기 위해 장계를 두 장씩 작성하여 가짜 장계로는 왜적을 속였다. 마침 창의사(倡義使) 김천일(金千鎰)이 왕자의 안부를 묻는다는 핑계로 그 막하(幕下, 이신충)를 보내오자, 황혁이 두 장의 장계를 써서 막하에게 주었고, 이를 전해 받은 김천일은 체찰사(體察使, 류성룡)에게 전하였다. 하지만 체찰사는 가짜 장계만을 전달하여 전례를 어겼다고 탄핵되었고, 이로 인해 유배되었다.(『宋子大全·芝川黃公墓誌銘幷序』)

504) 『仁祖實錄』 2年 7月 12日.

505) 김아무개가……상송하였다 : 김아무개는 김천일(金千鎰, 1537~1593)을 가리킨다. 당시 김천일의 군중에 이신충이라는 자가 서울에 들어가서 적정을 탐지하다가 두 왕자 및 황정욱 등을 만나보고 돌아왔다. 이때 받아온 왕자의 편지와 황정욱 등의 장계를 내놓았다. 장계는 두 본으로, 진짜 장계에서는 적중의 사정이 자세히 쓰여 있었다. 가짜 장계에는 적이 말하는 대로 썼는데 그 중에는 '관백전하'라는 말도 있으며 또 '신(臣)' 자를 쓰지 않았다. 이는 임시방편으로 적을 속이려는 의사에서 나온 것이었다. 김천일은 이를 체찰사(體察使, 류성룡)에게 보냈는데, 체찰사는 가짜 장계 한 건만을 등록하여 행재소에 계달하였다고 한다.

506) 감봉(監封) : 내용을 감사(監査)하여 봉하고 도장을 찍다.

자는 없었으니, 만약 과연 있었는데도 아뢰지 않았다면 반드시 두 공을
끌어다가 증인으로 삼았어야 했다. 황혁이 그 아버지 행장에서 말했다.
"창의사 막하(幕下, 이신충(李藎忠))에게 주었고, 그로 하여금 가짜 장계는
던져 버리게 하고 진짜 장계를 전달하라 하면서 간곡하게 조심하라고
당부하였는데, 마침 비가 내리고 밤이 어두워 창졸간에 전달하는 일을
잊어버렸다." 또 말하였다. "창의사 김공이 체찰사(體察使, 류성룡)에게
전달하였는데, 체찰사가 왕자의 여러 장계를 없애버리고 아뢰지 않고,
단지 이른바 가짜 장계를 베껴 써서 전하여 올리고는 죄를 청하였다.
이윽고 김공이 깨닫고서 얼마 안 있어 군문(軍門)에 전보(轉報)하였다."
이미 "창졸간에 전달하는 일을 잊어버렸다." 하거나, 또한 "김공이 전달하
였는데 아뢰지 않았다." 하는 것은 무슨 장계인가? "깨달았다[得覺]"는
것은 무슨 일이며, "얼마 안 있어[無幾]"란 무슨 말인가?

창의사 김천일이 전보한 문자는 이미 저 도원수 김명원이 처음부터
끝까지 동참한 것이 또한 이와 같기 때문에 이에 대해 감히 명백히 말하지
않고 우물쭈물하며 얼버무린 것이다. 그 말이 말 같지 않으니 참으로
가엾도다. 진짜 장계의 유무는 끝내 알 수 없는데도, 매번 본 장계를
등사하여 올려 보낸 것507)을 가지고 트집을 잡을 단서로 삼아서 풍원의
의도로 귀결시키려 하였다.

만약 본 장계를 숨겨두고 단지 등사하여 올린 것만을 가지고 죄를
논했다고 한다면 오히려 할 말이 있다. 지금 그가 쓴 「도당(都堂)에 올린
글」508)을 보면 다음과 같다. "수상[首台] 각하께서는 을미년(1595, 선조28)
옥사509)에서 또한 지사(知事)로 참여하였는데, 신(臣)자도 없고 성(姓)도

---

507) 매번……보낸 것 : 이에 대한 서인의 입장은 전혀 상반된다. 류성룡은 받은 문서를
　　모두 진달(進達)하지 않았으며 심지어 원본(原本)조차 올리지 않았다는 것이다(『宋子
　　大全·芝川黃公墓誌銘幷序』)
508) 도당(都堂)에 올린 글 : 황정욱이 임진왜란 중에 있었던 항복 문서 문제의 본말과
　　실상을 해명하여 올린 글이다.
509) 을미년(1595, 선조28) 옥사 : 귀양 가 있던 황정욱과 황혁의 추가 처벌을 둘러싸고
　　벌어진 옥사를 가리킨다.

없는 것이 격례가 아니며, 큰 글씨로 어지럽게 쓴 것이어서 장계가 아니라
는 것을 일찍이 알지 못하였습니까? 무엇 때문에 논의 중이라고 운운하면
서 또 이와 같이 한단 말입니까?"

수상[首台]은 곧 백사를 가리킨다. 본 장계는 일찍이 숨겨두지 않았다는
것이 또한 이미 명백하다. 황정욱이 도원수 김명원을 애도하는 시에서
이르기를, "당시 헌의(獻議)가 어찌 옳지 않았던가? 예로부터 사람들의
말이 서로 다르구나." 하였다.

이것으로 보건대 김공은 황정욱의 일이 옳다고 여기지 않았으니 같지
않은 바가 있었음을 알 수 있다. 김명원은 황정욱과 친밀한 벗으로 가까운
무리가 아니었던가? 백사와 경림(慶林, 김명원의 봉호)의 말이 이와 같다면
당시 공의(公議)가 오히려 없어지지 않은 것이다. 그러나 세월이 이미
오래되어 들은 말이 이미 멀어졌고, 의금부[金吾] 당상과 수의(收議)에 참여
한 대신들이 또한 모두 그 당여들이었으므로, 이들이 옳고 그름을 어지럽
혀 죄를 벗기려 하였으니 이것이 어찌 공의(公議)이겠는가?

또 의금부의 회계(回啓)에서는, "'신'자라고 하거나 '전하'라고 한 것은
모두 가짜 장계이고, 이는 곧 저 왜적이 스스로 그 주인을 지칭하는
말이다." 하였다. 또한 수서(壽序) 가운데, "왜적 가등청정에게 신이라고
칭하지 않았다."는 말이 있는데, 이것을 서로 비교해 보면, 여기서 이른바
"신"자는 또한 별도로 신하라고 칭한 문안이 있었다는 것이니, 황혁이
죄를 받은 것은 이 때문인가 보다.

옛날 충정공(忠定公) 이강(李綱)이 형적의 혐의를 피하지 않고 송제유(宋齊
愈)의 죄를 바로잡을 수 있었는데,510) 풍원은 끝까지 주장하여 죄를 바로잡

---

510) 충정공(忠定公)……있었는데 : 충정은 송나라 이강(李綱, 1083~1140)의 시호이다. 당
시 팽창하고 있던 여진족의 금나라에 대한 대표적인 주전론자(主戰論者)로서 군비확
충을 주장하였는데, 간의대부(諫議大夫) 송제유가 반대하였다. 이에 이강이 토역죄(討
逆罪)로 송제유를 얽어 넣어 죽였다. 당시 장준(張浚)이 "사사로운 감정 때문에
시종신을 죽였다.[以私意殺侍從]"고 하며 이강을 탄핵하였다.(『宋史·李綱列傳·張浚列
傳』)

지 못하였으니,511) 이충정에게 부끄러움이 없을 수 없었다. 그렇지만 충정공은 끝내 송제유의 일로 나라를 떠났고, 풍원이 견책을 당한 것도 또한 반드시 이 무리들의 참소에서 말미암지 않은 것이 없었으니, 이이첨과 정인홍의 무리가 진회(秦檜)로써 풍원을 모함한 것512)은 실로 황정욱에게서 작용(作俑)된 것이었다.

황혁이 또 말하였다. "아버지가 철원(鐵原)에 있으면서513) 격문을 쓰려고 했는데, 문사(文士)를 만나 그로 하여금 붓을 잡고 글을 짓게 할 즈음에 문구가 당국자를 침해하였으니, '묘당에서 힘써 금나라와의 화친을 주장하니 진회의 고기를 먹어야 하고, 간신이 제일 먼저 촉(蜀)으로 행행(行幸)514) 할 것을 주장하였으니 양국충(楊國忠)515)의 머리를 베어 매달아야 한다.' 한 구절이 있었다. 이 말이 점차 퍼져 나가자 진실로 이미 마음속으로 원한을 품고 있다가, 이 일을 틈타서 전쟁터에서 작성한 문자516)의 끄트머리를 얻어 없는 허물을 꾸며 만들어 진위(眞僞)를 어지럽혔다.……"

풍원이 이로 인하여 없는 허물을 꾸며 만들었는지의 여부는 일단 그냥 두고서 논하지 않겠다. 지금 일본과 통신(通信)한 것을 금나라와 화친한 것에 비견하였는데, 그것이 과연 조금이라도 서로 비슷하단 말인가? 송나라가 금나라 사람에 대해서 부형(父兄)의 원수로 여겼는데, 진회가 금나라에 붙잡히자 간첩이 되어 태후(太后)517)를 맞아 돌아오도록 하겠다

---

511) 『宣祖實錄』 28年 4月 12日.
512) 이이첨과……모함한 것 : 임진왜란 당시 풍원부원군 류성룡이 화의(和議)를 주장한 것을 진회가 송나라를 망친 것에 비유하며 처벌을 주장하였다.(『宣祖實錄』31年 12月 6日)
513) 황혁은……있으면서 : 황정욱이 아들 황혁·황보(黃珤)와 함께 강원도 철원부(鐵原府)에 머무르면서 군사를 모집, 왜적을 막아 길을 끊었다.(『宣祖實錄』25年 9月 25日)
514) 촉(蜀)으로 행행(行幸) : 당나라 현종 때 안사(安史)의 난이 일어나자 천자가 장안(長安)을 버리고 촉 지방으로 피신한 일이다.
515) 양국충(楊國忠) : ?~756. 당나라 현종(玄宗) 때의 간신이다. 양귀비(楊貴妃)의 친척으로 중용되어 인사를 농단하다가 안사의 난 때 죽임을 당했다.
516) 전쟁터에서 작성한 문자 : 포로가 되어 황혁이 작성한 장계를 가리킨다.
517) 태후(太后) : 남송(南宋) 고종(高宗)의 생모 현인황후(顯仁皇后) 위씨(韋氏)를 가리킨다. 소흥화의(紹興和議, 1141)가 이루어져서 금나라에서 이듬해 휘종(徽宗)의 시체와 현인황후를 돌려보냈다.

고 핑계 대고, 그 임금으로 하여금 무릎을 꿇고 신하로 칭하게 하였기 때문에 천고의 죄인이 되었을 뿐이었다.

임진왜란 이전 우리나라와 왜노가 또한 백세토록 반드시 갚아야 할 원한이 있었는지는 알지 못하겠지만, 어떤 사람이 왜적의 뜻을 받들어 임금을 위협하여 화친을 요구하기를 역적 진회처럼 하였단 말인가? 군부가 피난[播越]하고 국사가 망극한 것은 생각하지 않고 기뻐하며 뛰어올라 말하기를, "이 기회를 잡아야 한다." 하면서 붓끝을 놀렸다. 요컨대 그 당심(黨心)에 근거하여 풍원을 헐뜯으려고 모의하였지만 풍원의 흠이 부족하자 이 한 구절을 도리어 자기 집안 행장에 베껴 적어서 한결같이 역적 진회가 걸었던 길을 따랐으니, 그 까닭이 무엇인가? 사람의 심술(心術)은 지극히 은미하여 그 기미가 먼저 나타나서 반드시 여러 말과 문자의 형태로 드러나니, 이것이 이른바 "언참(言讖)518)"이다. 아주 비슷하지도 않은 말로 충성스럽고 양심 있는 사람을 모함하면 하늘이 이와 같이 보복하니 뒷사람은 이것을 거울삼아 경계해야 할 것이다!

임진년에 왜구가 2백여 년간 이어진 평화로운 시기에 갑자기 쳐들어오자 사람들이 전쟁의 끝을 보지 못했는데도 여러 군(郡)들이 와해되었고, 감히 맞서는 사람이 없었다. 며칠도 못되어 흉악한 칼날이 이미 경기지역에 이르렀고, 도성은 텅 비고 무너졌다. 성첩(城堞)을 계산하니 3만여 인이 필요한데, 성을 지킬 인원은 겨우 7천이며, 모두 오합지졸과 시정의 무리들이었다. 이때를 당하여 비록 백기(白起)519)를 장수로 삼고 묵자(墨子)520)로 하여금 성을 지키게 해도 결코 행운이 없을 것을 아녀자들도 모두 알고 있었다. 그런데 저 황정욱과 황신의 무리들이 어찌 모르고 반드시 하지 않아야 될 이런 말을 했단 말인가?

---

518) 언참(言讖) : 우연히 한 말이 훗날에 예언처럼 들어맞는 것이다. 미래를 꼭 맞추어 예언하는 말이다.

519) 백기(白起) : ?~B.C.257. 진(秦)나라 장수. 병법에 뛰어나 남쪽을 평정하고, 북쪽으로는 조괄(趙括)을 쳐서 그의 군사 40만을 구덩이에 묻어 죽였다.

520) 묵자(墨子) : 전국 시대 사상가. 묵가(墨家)의 창시자로, 겸애설(兼愛說)을 주장하였다. 비공론(非攻論)에서 출발한 방어술과 축성술(築城術)에 뛰어났다.

시험 삼아 지나간 일을 살펴보면, 임금의 어가가 중국과 가까운 서쪽으로 피난 가서 구원병을 요청하는 사신이 잇달았다. 마침내 명나라 군대가 도착하여, 능히 나라를 회복하는 업적을 이룰 수 있었다. 이것이 만승(萬乘)의 지존으로써 위험한 성 가운데서 성패를 시험하려는 자와 득실·안위가 어찌 서로 만길 천길 떨어져 있는 것이 아니겠는가?

저 무리들이 모두 피난 간 것과 일본과 통신한 것을 서책 가운데 찾아내서 그럴듯한 제목을 붙이고 시세를 틈타 모함하는 계책으로 삼았다. 그런데 일본에 사신을 보낸 것은 기축년(1589)과 경인년(1590)간에 결정된 것인데, 이때 정철이 대신으로 재직하였었다. 임진년 서행(西幸)할 때 대신 김귀영(金貴榮)521)과 사간(司諫) 권아무개 이외에, 누가 도성을 지킬 것을 청했는지 알 수 없다. 두 가지 일이 과연 모두 실책이었지만, 한쪽 편 사람들은 어찌하여 한 사람도 쟁론하지 않고 물러나 이와 같이 뒷말을 한단 말인가? 이는 당론에서 나온 것으로써 공론이 아님을 알 수 있다.

살펴보건대, 신숙주가 서장관(書狀官)으로서 일본을 왕래하였다. 그 뒤 신숙주의 죽음이 임박하자 성종[成廟]이 하고 싶은 말이 있느냐고 물었더니, 신숙주가 대답하기를, "원컨대 우리나라가 일본과 화친을 잃지 마십시오." 하였다. 성종이 그 말에 감명 받아 부제학 이형원(李亨元)522)과 서장관 김흔(金訢)523)에게 명하여 우호관계를 유지하였다.

일찍이 중종[中廟] 갑진년(1544, 중종39) 왜노가 사량(蛇梁)에서 난리를 일으켰다.524) 우리나라에서 그 왜적무리를 물리치고, 왜관(倭館)에 체류하고 있던 왜인들을 모두 몰아냈다. 왜인들이 죄를 자백하고 매우 지극하게

---

521) 김귀영(金貴榮) : 1520~1593. 본관은 상주, 자 현경(顯卿), 호 동원(東園)이다. 임진왜란 당시 임해군·순화군 등과 함께 포로가 되었다. 강화를 요구하는 글을 받기 위해 풀려났다가 탄핵되어 유배 중 죽었다.

522) 이형원(李亨元) : ?~1479. 본관은 광산(光山), 자 가연(可衍)이다.

523) 김흔(金訢) : 1448~1492. 본관은 연안(延安), 자 군절(君節), 호 안락당(顔樂堂)이다.

524) 왜노가……일으켰다 : 경상도 통영 사량진에서 발생한 왜인들의 약탈사건이다. 1544년(중종39) 4월에 20여 척의 왜선이 쳐들어와 조선군에 인명피해를 끼치고 물러났다.

애걸하였지만 조정에서는 거부하고 받아들이지 않았다.

퇴계선생이 전한(典翰)으로 재직하면서 상소하여 역대 오랑캐와 화친하여 얻은 이로움에 대해서 끊이지 않고 거듭 아뢰면서 수많은 말을 하였는데, 그 중에서 이르기를, "벌레 같이 작은 저 오랑캐 무리가 반드시 장차 크게 원한을 품어 뒷날 무궁한 우환을 열게 될 것입니다. 마땅히 이때에 미처 화친하자는 청을 들어주어야 할 것입니다." 하였다. 또 말하였다. "듣건대 조정에서 왜와의 우호 관계를 끊어버리자고 청하였다고 하는데, 마음속으로 괴이하게 여겨 탄식하였습니다. 이 일은 백년 사직의 우환과 무수한 생령(生靈)의 목숨에 관계되는 것인데 한마디도 안 하고 죽으면 사사로운 한이 끝이 없을 것입니다. 그래서 병을 무릅쓰고 괴로움을 참으며 이러한 어리석은 말씀을 드립니다.……"525)

당시 국가가 크게 번성하여 조정하고 조절하는 권한이 우리에게 있었으니, 보잘 것 없는 왜인은 합병하기에도 부족할 것 같은데, 선생이 이와 같이 깊이 근심한 것은 어째서인가?

정강(靖康)의 난526) 당시 충사도(种師道)527)가 금나라를 피해서 섬서(陜西)로 옮길 것을 청하였다. 조정의 신하들이 모두 늙고 겁이 많다고 비웃었는데, 그 뒤 마침내 북원(北轅)의 치욕528)을 당하고 말았다. -『명신록(名臣錄)』-

『기축록』에서 말하였다. "황정욱과 황혁 등이 왜적에게 '신'이라고 칭하고 '관백전하'라고 말하였기 때문에 삼성(三省)에서 국문하였는데, 순화군의

---

525) 『退溪集·甲辰 乞勿絶倭使疏』.

526) 정강(靖康)의 난 : 정강은 송나라 흠종(欽宗)의 연호(1126~1127)이다. 정강 연간에 금나라의 공격을 받아 북송(北宋)이 멸망하게 된 사건이다.

527) 충사도(种師道) : 송나라 흠종(欽宗) 때 장수이다. 정강의 난 당시 충사도가 도성을 버리고 피하기를 청하자, 사람들이 늙은 겁쟁이라고 비난하였다. 이에 휘종(徽宗)은 그 계책을 따르지 않았고, 결국 흠종과 함께 포로로 잡혀가서 죽고 말았다. 도성이 함락된 뒤 흠종(欽宗)이 "충사도의 말을 쓰지 않아 이 지경이 되었다." 탄식하였다고 한다.(『宋史·种世衡列傳 師道』)

528) 북원(北轅)의 치욕 : 임금이 탄 수레가 북쪽으로 끌려가는 치욕을 가리킨다. 즉 금나라 군대가 남하하여 송나라 수도를 함락하고 송나라 휘종과 흠종을 체포하여 북으로 돌아간 일이다.

처가였기 때문에 죽음을 면할 수 있었다."

"신"이라고 칭했다는 말이 과연 실상이 아니었다면 황정욱 부자는 당연히 피눈물을 흘리며 스스로를 해명했어야 했다. 그러나 「도당에 올린 글」에서 수천마디 말을 하였지만 한마디도 언급하지 않았고, 그 가장(家狀)에서도 또한 아예 볼 수 없었다. 그 자손이 올린 상소에서도 또한 원통하다는 말이 없었고, 의금부의 회계에서도 단지 간단한 말로 대충 말하였을 뿐이었다.529) 신원해주기를 청하였다면 그 절개를 잃은 것을 대략 볼 수 있었을 것이다. - 임인년(1602, 선조35) 대계(臺啓)에서 말하였다. "황정욱이 함락된 적정(賊庭)에 있을 때 군부를 배반하고 달가운 마음으로 왜적에게 무릎을 꿇었습니다. 심지어는 왜적을 위하여 땅을 떼어 주고 화친하라고 태연스럽게 본국에 글을 보냈습니다.……"530) -

병자년(1636, 인조14) 남한산성의 일은 뼈 속 깊은 아픔이라고 할 수 있다. 당시 청음과 동계(桐溪)531)가 말하였다. "당당한 천승(千乘)의 임금은 성 아래의 맹세[城下之盟]532)를 받아들이면 안 된다. 임진왜란 당시 재조(再造)의 은혜533) 또한 저버릴 수 없으니, 차라리 나라가 망할지언정 화친을 구걸하여 국가의 보존을 도모해서는 안 된다." 이는 진실로 만고의 떳떳한 논의였다. 그런데 완성(完城)534) 등 여러 사람들이 말하였다. "명나라의

---

529) '신'이라고……뿐이었다 : 이 부분은 앞에서 나온 황정욱 부자와 자손의 변명과
     일치되지 않아서 신빙성에 의문이 간다.
530) 『宣祖實錄』 35年 7月 26日.
531) 청음과 동계(桐溪) : 동계는 정온(鄭蘊, 1569~1641)의 호이다. 김상헌과 정온은 모두
     척화론자(斥和論者)였다. 병자호란 때 인조가 항복을 위해 성을 나가기로 결정하자
     김상헌은 단식을 하는 한편으로 목을 매어 죽으려 하였고, 정온은 칼로 배를 찔러
     자결하려 하였으나, 둘 다 나만갑에게 발각되어 죽지 못했다.
532) 성 아래의 맹세 : 패전국 임금이 성에 나가서 항복 조약을 체결하는 것이다. 여기서는
     병자호란 당시 인조가 남한산성에서 나와 청나라 태종에게 항복한 일을 가리킨다.
533) 재조(再造)의 은혜 : 임진왜란 당시 명나라가 두 차례 원군을 파병하여 구원해준
     은혜를 말한다. 인조반정 이래 숭명반청(崇明反淸)의 현실적 근거가 되었고, 결국
     두 차례 호란(胡亂)을 당하는 빌미를 제공하였다. 이후 재조의 개념은 숭명반청의
     의리 그 자체를 고수할 것인가 아니면 국가개혁을 전제로 체제변화를 추구할
     것인가를 두고 분기되어 정치적 갈등의 한 요인이 되었다.

은혜는 비록 저버릴 수 없으나, 외국으로서 중국[天朝]을 위해 의리를 지키고 굽히지 않다가 3백년 종사가 하루아침에 멸망되는 일은 결코 차마 할 수 없다. 군부가 오랫동안 터럭같이 외로운 산성 가운데 계시고, 밖으로 근왕(勤王)을 위한 군사가 끊어져서 위망(危亡)의 근심이 아침저녁에 닥쳐오니 차라리 하루아침의 치욕을 감수하고서라도 국가를 보존하고 군부를 지극히 하는 것도 불가하지 않다."

이 또한 임시방편[權宜]의 한 가지 주장이다. 다만 완성과 여러 사람들이 청나라의 계책이 금나라 사람들의 일에서 벗어나지 않아서 군부에게 북원(北轅)의 재앙535)이 절대로 없다는 것을 미리 알았는지 모르겠다. 완성과 여러 사람들은 한 판에서 군부를 시험한 것에 불과하였는데, 요행히 망하지 않았을 뿐이었다. 지금 사람들이 병자년 국가가 망하지 않은 것을 보고 모두 말하기를, "이는 완성이 화의를 주장한 공이다." 하는데, 이는 전연 그렇지 않다. 당시 척화(斥和)를 주장한 사람은 청음과 동계 몇 사람에 불과할 뿐이었다. 그밖에 온 성안 사람들은 화의를 원하지 않는 사람이 없었고, 팔도[八路]에서 올라 온 근왕병은 꺾이지 않음이 없었다. 성중의 양식도 또한 다 떨어졌으니, 당시 비록 완성이 없었더라도 그 형세는 부득불 성을 내려온 이후에야 그쳤을 것이다. 이것으로 말하자면 무슨 언급할 만한 공이 있다고 하겠는가?

척화를 가장 먼저 말한 사람은 당시 역량을 헤아리지도 못하면서 환란을 없애고 오랑캐를 멀리 하려 했으니, 이는 명예를 지나치게 좋아한 잘못이었다. 그러나 오랑캐 군대의 위세에 눌려 오랑캐 진영으로 묶어 보내서

534) 완성(完城) : 최명길(崔鳴吉, 1586~1647)의 봉호이다. 본관은 전주, 자 자겸(子謙) 호 지천(遲川)이다. 이항복 문하에서 이시백(李時白)·장유(張維)·조익(趙翼) 등과 교유하였다. 좌의정·영의정 등을 역임하였다. 병자호란(1636, 인조14) 당시 화의론을 주장하였지만, 이후 청의 무리한 요구에 맞서다가 김상헌과 함께 심양에 잡혀가는 고초를 당하기도 했다. 저서로는 『지천집』 등이 있다.

535) 북원(北轅)의 재앙 : 임금의 대가(大駕)가 북쪽으로 끌려가는 치욕을 가리킨다. 즉 금나라 군대가 남하하여 송나라 수도 변경(汴京)을 함락시키고 송나라 휘종과 흠종(欽宗)을 체포하여 북으로 돌아간 것처럼 인조도 청나라 군대에 끌려갈 수 있었다는 것을 의미한다.

끝내 오랑캐 땅에서 죽게 하였으니,536) 3백년간 지속된 나라의 명맥이
여기서 다한 것이었다. 인조[仁廟]는 성 아래의 항복 맹세를 깊은 치욕으로
여겼고, 또 청음과 동계가 임금이 탄 수레를 따르지 않고서 곧바로 고향으
로 돌아가 버린 것을 미워하였다. 당시 완성 최명길도 또한 청의(淸議)
때문에 곤경에 처하자, 주상의 뜻을 엿보아 헤아려 남이공(南以恭)537)을
천거하여 이조판서가 되게 하였고, 남인들을 대성(臺省)538)에 포진하게
하였다. 그리하여 마침내 청음을 위리안치 시키라는 계사가 나오고, 곧
"더러운 임금을 섬기지 않는다." 등의 말로 성심(聖心)을 격노시켜서 국면을
뒤바꾸는 계책으로 삼으려 하였다. 아울러 동계에게까지 미쳤으니, 이런
일을 차마 할 수 있단 말입니까? 개나 돼지도 그 남긴 음식을 먹지 않을
것이다.

---

536) 끝내……하였으니 : 척화를 주장하다가 심양에 끌려가 죽임을 당한 삼학사(三學士)
　　를 가리킨다. 삼학사는 홍익한(洪翼漢)·오달제(吳達濟)·윤집(尹集)이었다.
537) 남이공(南以恭) : 1565~1640. 본관은 의령(宜寧), 자 자안(子安), 호 설사(雪養)이다.
　　소북이었지만 인조반정 초부터 이귀(李貴) 등 반정 공신의 추천으로 삼사의 요직을
　　역임하다가 1637년 당시 좌의정 최명길의 추천으로 이조판서가 되었다.
538) 대성(臺省) : 사헌부와 사간원의 합칭이다. 대간(臺諫).

율곡·우계[539]

栗谷·牛溪

  율곡의 영특한 재질과 명민한 식견은 당세에 뛰어났지만 그 언론에 나타난 것을 보면 뛰어난 자질을 가지고도 견해와 문자는 지극히 용이(容易)하여 "천하의 도리는 불과 이와 같을 뿐이다." 하였다. 그 자처하는 것이 지나치게 높음을 면치 못하여 오직 자기 견해만이 성현보다 높고, 비록 공자와 주자의 가르침이라도 자신의 뜻과 맞지 않은 것이 있으면, 곧장 "미진하여 그렇지 않다." 말하였다. 회재와 퇴계가 압도적으로 우월한 것에 대해서는 아무리 말해도 부족하지 않은데 그의 주장은 장황하고 위세가 있기 때문에 그 설을 보는 자가 자신의 지키던 바를 잃어버렸다. 비유하면 진(秦)나라 초기에 이미 맹렬히 떨쳐 일어나는 기상이 있었던 것과 같았으니, 이것이 한번 전해져서 김장생이 되었고, 두 번 전해져서 송시열·송준길·이유태·이상의 무리가 되었다.

  우계는 말씨와 안색이 평온하고 조용하여 자못 유학자 같았지만 기개와 도량이 미미하여 전혀 홀로 서서 스스로 수립할 뜻이 없었다. 율곡과 취미가 크게 서로 같지 않았지만 또한 부드럽게 남의 환심을 사며 쉽게 친해졌기 때문에 율곡이 그를 좋아하였다. 비유하면 주(周)나라 말기에 이미 쇠퇴해서 점점 꺾여 들어간 것과 같았으니, 한 번 전해져서 김류와 안방준이 되었고, 두 번 전해져서 윤선거 부자가 되었다.

  율곡의 당파는 지금 노론이 되었고, 우계의 당파는 지금 소론이 되었다. 노론은 일의 옳고 그름을 논하지 않고, 자기들의 주장을 강제하고 몰아서 끌고 가면서도 전혀 거리낌이 없다. 소론은 구차하게 아첨하면서 처음부터 끝까지 두려워하며[540] 오직 노론에게 용납되기를 구하는 것으로 일을

---

539) 원문에는 편목으로 잡혀 있지 않다. 내용을 고려하여 설정하였다.

540) 처음부터……두려워하며 : 『춘추좌씨전』 문공(文公) 17년 조의 "머리가 어찌 될까 두려워하고, 꼬리가 어찌 될까 두려워한다면, 몸 전체 중에 걱정되지 않는 부분이

삼았다. 오늘날 노론과 소론의 풍습을 보면 두 당파의 학술과 언론의
유폐(流弊)를 또한 알 수 있다.

얼마나 되겠는가.[畏首畏尾, 身其餘幾.]"라는 말에서 나온 것이다.

정개청·최영경541)

鄭介淸·崔永慶

정철은 기축년 옥사를 단련(鍛鍊)542)하였으니, 다른 일은 말할 것도
없이 영남에 어사를 파견하라고 아뢴 것을 보면 알 수 있다. -『서애연보』에서
나왔고, 위의 「다른 책[他書]」 조항에서도 보인다. -

○ 임인년(1602, 선조35) 병조판서 신잡(申磼)543)이 밀계(密啓)를 올린
일을 보면, 반드시 수우 최영경을 죽이려 했음을 볼 수 있었다. 호남에
분부하여 역당 가운데 빠진 사람들을 탐문하게 하고, 그 조카 정여릉(鄭如陵)
과 문인 홍천경(洪千璟) 등으로 하여금 발고하게 하였으나, 집터를 보러
다닌 일이 허망한 데로 돌아가는 것을 보고, 이에 절의론 위에 "배(排)"자를
억지로 더하여 형벌을 줄 것을 청하였으니, 곤재 정개청에 대해 반드시
모함하고 싶은 마음을 갖고 있었다는 것을 알 수 있다. - 신공의 아뢴 말은
『승정원일기』에 나와 있다. -

어떤 사람이 말하였다. "곤재 정개청의 일에 대해서 안방준이 사사롭게
기록544)한, '심의겸의 농사(農舍)를 지켰다.'던지, '아내를 버리고 승려가
되었다.'던지, '풍수로써 여러 곳을 돌아다녔다.'던지, '안씨 문중의
계집종과 혼인해서 그 집 아래서 살았다.'던지, '송광사(松廣寺) 승려
혜희(惠熙)와 같이 일했다.' 등의 허다한 추잡한 말들이 어찌 모두 지어낸
것이겠는가?" 이에 대답하였다. "이는 분변하기 어렵지 않다. 이 가운데

---

541) 원문에는 편목으로 잡혀 있지 않다. 내용을 고려하여 설정하였다.
542) 단련(鍛鍊) : 검찰관이 법조문(法條文)을 교묘히 이용하여 없는 죄를 조작해 내는
　　것을 말한다.
543) 신잡(申磼) : 1541~1609. 본관은 평산, 자 백준(伯俊), 호 독송(獨松)이다. 호조·병조판
　　서 등을 역임하였다. 임진왜란 당시 탄금대에서 전사했던 신립(申砬)의 형이다.
　　신잡이 비밀리에 아뢴 일은 본서의 앞부분에 보인다.
544) 사사롭게 기록 : 『기축기사(己丑記事)』를 가리킨다.

한 가지 일만 있어도 안방준만 알았을 뿐만 아니라 반드시 온 도의 사람들이 모두 알았을 것이다. 미암(眉菴) 유희춘(柳希春)545)과 사암(思菴) 박순(朴淳)은 본도 사람이었고, 학봉(鶴峰) 김성일(金誠一)과 유몽정(柳夢井)546)공은 즉 본 주(州) 목사였으며, 박민헌(朴民獻)547) 공은 본도 감사로 이들 모두 명신(名臣)이자 훌륭한 신하였다. 안방준이 후생(後生)으로서 들었다는 일들은 여러 공들이 혹 살았던 시대이거나 혹 함께 같은 도에 있을 때 일인데, 유독 듣지 못하고 앞뒤로 천거하여 등용하면서 극구 칭찬한 것은 어찌 된 일인가? 과연 이러한 추잡한 행동이 있었다면 매 맞은 홍천경이나, 바른 사람을 미워하는 정암수가 무엇을 꺼려서 말하지 않았겠는가? 반드시 얽어 넣고자 했을 것이다. 위관(委官) 또한 같은 도 사람인데 어찌 한 마디 말도 이에 미치지 않다가 안방준에 이르러 처음으로 말하였겠는가? 천거한 사람은 위의 여러 공들이었고, 죽인 자는 정철이며, 죽은 뒤 원통하다고 말한 자는 서애 유성룡과 미수 허목 선생이었다. 기축년에 없었던 일을 온갖 방법으로 얽어서 날조한 자는 김장생·송준길·이단상(李端相)548)·이만성(李晚成)549)·유경서(柳景瑞)550)였다. 곤재의 옳고 그름에 대해서 후대 사람이 무엇을 취하고 무엇을 버릴 것인가? 반드시 분별할

---

545) 유희춘(柳希春) : 1513~1577. 본관은 선산(善山), 자 인중(仁仲), 호 미암(眉庵)이다. 1547년 양재역의 벽서사건에 연루되어 유배되었다. 선조대 이조참판 등을 역임하였다. 외할아버지 최부(崔溥)의 학통을 계승해 이항(李恒)·김인후 등과 함께 호남 지방의 학풍 조성에 기여하였다.

546) 유몽정(柳夢井) : 1551~1589. 본관은 문화, 자 경서(景瑞), 호 청계(淸溪)이다. 집의 등을 역임하였다. 고부군수 재직시 관곡(官穀)을 출현하여 역적의 재사(齋舍)를 짓는 것을 도왔다는 혐의를 받았다.

547) 박민헌(朴民獻) : 1516~1586. 본관은 함양(咸陽), 자 희정(希正)이다. 서경덕(徐敬德)의 문인이다.

548) 이단상(李端相) : 1628~1669. 본관은 연안, 자 유능(幼能), 호 정관재(靜觀齋)·서호(西湖)이다. 좌의정 정귀(廷龜)의 손자, 명한(明漢)의 아들, 희조(喜朝)의 부친이다. 이조정랑 등을 역임하였다.

549) 이만성(李晚成) : 1659~1722. 본관은 우봉(牛峰), 자 사추(士秋), 호 귀락당(歸樂堂)·행호거사(杏湖居士)이다. 유겸(有謙)의 손자, 숙(䎘)의 아들이다. 경종대 세제 책봉을 실현하였으나, 신임옥사에 연루되어 유배되었다가 죽었다.

550) 유경서(柳景瑞) : 광주출신 유생으로, 1680년(숙종6) 정개청을 모신 자산서원(紫山書院) 훼철을 주장하여 관철시켰다.

수 있는 자가 있을 것이다."

보성(寶城)사람 안정(安艇)은 한 읍에서 제일 부자였는데, 자식이 없어 조카 안중돈(安重敦)을 후사로 삼았다. 그런데 안중돈은 패악한 행실이 많아서 양자를 파기하고, 오촌 조카 안중묵(安重默)을 양자로 삼았다. 안중 묵은 곤재 정개청에게서 학문을 배웠는데, 학문이 깊고 높아서 곤재가 깊이 허여하는 바가 되었다. 안중돈이 안중묵을 원수처럼 여겼는데, 안정 이 죽은 뒤 관아에 거듭 송사를 제기하였지만 모두 패소하였다. 그 문안(文 案)은 안중묵 자손이 사는 곳에 있었는데, 이로부터 두 집안의 자손은 물과 불 같았다. 안중돈의 아들 안방준은 안중묵을 무고하려 해도 사람들 이 반드시 믿지 않았고, 때문에 추잡한 행위로써 그 스승을 공격하여 안중묵에 미치고자 했다. 그가 만든 이러한 계책은 교묘한 것 같지만 실은 교묘하지 않아서, 한갓 사람들로 하여금 그 속내를 볼 수 있게 하였다. 곤재가 과연 안씨 문중의 계집종과 혼인해서 그들 집 아래서 살았다면 안중묵이 어찌 고개를 숙이고 노비 남편에게 학문을 배웠겠는 가? 이는 알기 어렵지 않다.

곤재가 과연 비천하고 더러운 행동을 허다하게 저질렀는데도 나주(羅州) 교수에 천거되었다면 사암(思菴, 박순의 호) 또한 근거 없는 사람이 된다. 교수의 지위가 비록 낮지만 한 읍에서 사유(師儒)551)의 책임을 맡고 있었다. 나주는 또한 호남에서 많은 선비들이 모여드는 곳인데, 사암이 어찌 사사롭게 좋아한다는 이유로 명기(名器)를 욕되게 하고, 많은 선비들로 하여금 머리를 굽히고 가르침을 받게 하려 했겠는가?

이것으로 보건대 안방준이 바른 사람을 미워하여 한 말은 공격하지 않아도 저절로 깨어질 것이다. 사암 또한 시배 가운데 어진 재상인데도 정철을 빼내는데 급급하여 황당무계한 말을 지어냈고, 때문에 사암에게 누가 된다는 것을 돌아보지 못하였을 뿐이다.

---

551) 사유(師儒) : 남에게 스승이 될 만한 유학자, 또는 성균관의 장관 대사성을 가리킨다.

저 무리들이 이른바 무안(務安) 관속(官屬)이라느니, 나주 아전의 자손이라느니, 심연원(沈連源)552)의 배리(陪吏)553)라는 등의 말은 한 번 웃음거리도 못된다. 다른 사람의 죄를 논하면서 먼저 그 문지(門地)를 논하는 것은 내준신(來俊臣)과 주흥(周興)554)도 하지 않는 짓이다. 곤재의 문지가 한미하다고 하면 괜찮지만 송익필에게 비유하는 것은 높은 하늘과 깊은 연못처럼 차이가 날 뿐만이 아니다. 송익필이 안씨 집안의 노비 출생555)임은 온 세상 사람들이 다 알고 있었지만 우계와 율곡이 평생토록 교유하였고, 사계는 사문(師門)으로 칭하였지만 비난하는 것을 들어본 적이 없다. 그런데 유독 곤재에 대해서만 이와 같이 꾸짖고 욕하니 이것이 과연 공평한 마음에서 나온 것인가?

『기축록』에서 말하였다. "정철이 국청에서 올린 장계(狀啓)에서, '절의를 배척한 논설을 지어 온 세상의 인심을 현혹하고 혼란하게 만들었습니다. 그것이 사악한 논설이라는 것은 말할 것도 없고, 그가 이미 절의를 배척하였으므로 반드시 절의와 상반되는 일을 좋아하였습니다.……' 하였다."

저 무리들은 무고한 자취를 감추려고 선조의 하교라고 하였다. 정여릉의 발고는 비록 숙부 정철 때문이니 또한 감히 가릴 수 없었는데, 저 무리들이 그 사주한 자취를 가리고자 신팽년(辛彭年)이 고한 것이라 하였다. 집터를

---

552) 심연원(沈連源) : 1491~1558. 본관은 청송(靑松), 자는 맹용(孟容), 호는 보암(保庵)이다. 김안국(金安國)의 문인이다. 영의정 등을 역임하였다.

553) 배리(陪吏) : 고을의 수령이나 지체 높은 양반이 출입할 때 모시고 따라다니던 아전이나 종을 가리킨다.

554) 내준신(來俊臣)과 주흥(周興) : 둘 다 당나라 측천무후(則天武後) 때 형관(刑官)이다. 혹독하게 사람들을 죄에 얽어 죽인 것으로 악명을 떨쳤다.(『新唐書·來俊臣列傳』)

555) 안씨 집안의 노비 출생 : 송익필 집안 내력에 대해서는 『동소만록』에 자세히 소개되었다. 배천(白川)의 갑사(甲士) 송자근쇠[宋者斤金]의 아들 송린(宋璘)이 정승 안당(安瑭)의 비(婢) 감정(甘丁)을 처로 삼았고, 1488년(성종19)에 송사련(宋祀連, 송익필 부친)을 낳았다. 안당의 집안에서 송사련을 크게 신뢰하고 아껴서 노(奴)로 여기지 않고 그에게 모든 일을 맡겼다. 그러던 중 1521년(중종16) 송사련 등이 안당 부인의 장례 때 조문 온 문상객 명단과 발인에 참여한 역군(役軍)들의 명부를 증거로 삼아 안처겸(安處謙, 안당의 아들)이 역모를 꾀했다고 고변하였다. 이때 남곤(南袞)과 심정(沈貞)이 사건을 조작하여 옥사를 일으켜서 정승 안당 집안을 멸족시키고 몰수된 재산과 토지, 노비들은 송사련이 차지하였다고 한다.

보러 다닌 일이 이미 허망한 데로 돌아가자 또 역적들과 어울려 산으로
놀러 다녔다[556])는 말을 원근에 전해 퍼뜨렸다. 저 무리들이 자신의 뜻에
따라 꾸며대는 것이 전혀 거리낌 없음이 대개 이와 같았다.

김장생의 말에서 이르기를, "공회(公會) 석상에서 선생과 서로 만나
묻기를, '박정승을 아십니까?' 하니, 정개청이 답하기를, '그 집에 서적이
많이 있다는 말을 듣고 왕래하며 상고해 보았다.' 하였다." 하였으니,
이것이 스승을 배신한 것으로 선생의 죄안을 삼은 이유였다. 정개청
선생이 사암에 대해서 본래 스승과 제자 사이가 아니라고 말하였고,
해옹(海翁, 윤선도의 호)이 상소를 올려 이미 모두 변파(辨破)하였다. 그런데
김장생이 평일에 한 말을 보면 공회에서 주고받았다는 말 또한 어찌
맹랑한 데에서 나온 것이 아님을 알았겠는가?

김장생이 당론의 본말[源委]을 논하면서, 심의겸이 권력을 다툰 일을
가리려고 퇴계와 남명이 문호를 나누어 서로 공격한 데로 돌렸다. 또한
창기(娼妓)를 첩으로 삼았다는 말을 지어내어 퇴계의 명예를 더럽혔다.
일찍이 정승 동고(東皐) 공이 백휴암에게 말하기를, "너의 이이(李珥)는
어찌하여 말이 많은가?" 하였으니, 상공(相公)이 좋아하지 않음이 이와
같았다. 상공이 죽음이 임박해서 남긴 상소에서 이르기를, "장차 붕당의
조짐이 있을 것이다." 하자, 율곡이 이전의 섭섭했던 감정을 품고 상소를
올려 심하게 비난하였고,[557]) 그래서 김장생이 사문(師門)을 위해 보복하여
말하였다. "상공이 서인 17명의 이름을 써서 은밀히 주상의 외삼촌 정창서
(鄭昌瑞)[558])에게 주어 사화를 일으키려 한 것이 세 차례나 되었는데, 이루지

---

556) 역적들과……놀러 다녔다 : 1590년(선조23) 전라도 관찰사 홍여순이 "정개청이 정여
    립과 함께 산에서 놀았다는 말이 도내에 전파되었기에 나주(羅州) 일대에 자세히
    캐물었더니, 좌수(座首) 유발(柳潑)과 향교 당장(鄕校堂長) 신팽년 등이 모두 명확한
    사실이라고 보고하였습니다." 하였다.

557) 율곡이…… 비난하였고 : 당시 율곡은 상소를 올려 이준경의 논의가 틀렸다고 하면
    서, "옛말에 '사람이 장차 죽을 때는 그 말이 선(善)하다.'고 했는데, 지금 사람이
    죽으면서 그 말이 악(惡)합니다."고 하였다. 또한, "머리를 감추고 얼굴을 숨긴
    채 마치 귀신과 물여우 같아서 임금으로 하여금 온 세상을 의심하게 만들었습니다.
    ……"고 하였다.

못하였다." 또 말하기를, "남명과 김효원이 동인의 영수가 되어 폐모(廢母)
의 빌미를 조성하였다." 하였으니, 이것이 과연 조금이라도 그럴듯한
말이겠는가? 오로지 당론을 일삼으면서 터무니없이 말을 지어낸 것이
안방준과 다름이 없었다. 공회에서 운운하였다는 말이 다른 사람에게서
나왔다면 오히려 믿을 만하지만 김장생에게서 나왔으니 어찌 믿을 수
있겠는가?

『택당가록(澤堂家錄)』559)에서 말하기를, "정여립이 호남에서 나왔고,
정개청·이발과 함께 한 도에서 용맹을 떨쳐서 무뢰한이 모여드는 곳이
되었다." 하여, 은연중에 당적(黨賊)의 죄과로 몰아넣었다

이식이 주상의 명을 받들어 실록을 편수할 때, 안방준에게 편지를
보내 그가 저술한 야사를 보여달라고 한 것은 앞에서 운운하였는데,560)
이식에게 안방준의 참소가 먼저 들어갔기 때문에 그러한 것이었다. 또
이단상의 상소에서 이르기를, "정개청의 일은 국사[國乘]에 갖추어 실려
있습니다." 하였으니, 이단상은 택당이 기록한 안방준의 말을 보고 이렇게
말한 것이다. 시배들이 좋아하고 싫어함에 따라서 흑백을 어지럽혔으니
이러한 국사를 또한 믿을 수 있겠는가?

수우 최영경과 선생이 똑같이 정철의 손에 죽었는데, 정철의 당여들은
수우에 대해서 비록 흠집 잡는 말이 있었지만 또한 감히 드러내 놓고
죄가 있다고 말하지는 못하였다. 그런데 선생에 대해서는 그 죄를 날조한
것이 기축년(1589, 선조22)보다 정유년(1597)이 심하였고,561) 정유년보다

---

558) 정창서(鄭昌瑞) : ?~?. 본관은 하동(河東)이다. 정인지(鄭麟趾)의 후손으로 지중추부사
　　를 지냈다. 덕흥대원군(德興大院君)의 아내 하동부대부인(河東府大夫人)과 형제간으
　　로, 선조의 외삼촌이다.

559) 택당가록(澤堂家錄) : 이식(李植, 1584~1647)의 저술이다.

560) 이와 관련된 내용은 본서 「안방준」조에 보인다.

561) 정유년(1597, 선조30)이 심하였고 : 이 해 나덕명(羅德明)의 상소를 필두로, 정구(鄭逑)·
　　최희남(崔喜男) 등 정개청의 신원을 촉구하는 움직임이 본격화되었다.(『宣祖實錄』
　　30年 1月 17日·19日, 4月 11日) 아마도 이때 정개청에 대한 비방이 더욱 심했던
　　것으로 보인다.

경신년(1680, 숙종6)이 심한 것은 다름이 아니라 수우의 억울함을 씻어낸 것이 선조의 특별한 명령에서 나왔기 때문이었다. 정철이 죄를 얻은 것 역시 이 때문인데, 저들 가운데 공론 또한 수우가 원통하다고 여겼기 때문에 정철의 당여 가운데 정철을 옹호하려는 자들은 그의 아들 정홍명이 말할 때마다 매번 "정철이 수우를 구원하였으나 끝내 빼내지 못하였다." 말하여 선비를 죽였다는 오명에서 벗어나게 하려 했다.

그런데 선생에 대해서는 죄를 얽어 죽인 자취를 가려서 덮을 수 없었으므로 부득불 선생을 비방하고 난 뒤에야 정철을 천고(千古)의 간흉(奸凶)이라는 지목에서 벗어나게 할 수 있었다. 그래서 선생은 단지 기축년의 정개청일 뿐인데도 그 죄명은 갈수록 더욱 기괴해져 완전히 다른 사람으로 만들어 놓고는 이르기를, "정아무개의 일"이라고 하였다. 시에서 말하기를, "조금 벌어진 것을 가지고, 남기성(南箕星) 별자리 이루었네."562), "알록달록 뒤섞어 조가비 무늬의 비단을 이루네.563)" 한 것은 바로 이런 것을 말한 것인가? 맹자가 말하기를, "그의 글을 읽으면서도 그 사람됨을 모른다고 하면 되겠는가?"564) 하였다. 선생의 문집을 보면 그 학문과 문로(門路)가 정대하고, 학문의 조예가 높고 깊음이 이와 같은데, 어찌 조금이라도 의롭지 못한 일이 있을 수 있었겠는가? 화를 당한 초기에 선조가 그 저술을 보고 말하기를, "그는 옛사람의 글을 읽은 자이다." 하고, 고을 관아에 내려 본가로 돌려주었다. 시상(時相) 박세채가 말하기를, "그가 지은 『우득록』을 얻어 보니, 도리를 깊이 깨달아서 그 학문이 깊은 수준임을 볼 수 있었다." 하였다. 윤증의 말에서도 역시 옛사람의

---

562) 조금……이루었네 : 아첨과 참소가 난무한다는 말이다. 『시경(詩經)』 소아(小雅) 항백 (巷伯)에 "조금 벌어진 것을 가지고, 남기성 별자리 이루었구나. 참소하는 저 자들, 누구와 모의하려 저리 바쁜고.[哆兮侈兮, 成是南箕, 彼譖人者, 誰適與謀.]" 하였다.

563) 알록달록……이루네 : '알록달록'은 참언(讒言)을 비유한다. '조가비 무늬의 비단을 이루었다.'는 것은 다른 사람의 사소한 잘못을 모아 큰 죄처럼 꾸며 모함하는 것을 의미한다. 『시경』「항백(巷伯)」에 "알록달록 뒤섞어 조가비 무늬의 비단을 이루네. 저 남을 참소하는 자여! 또한 너무 심하도다.[萋兮菲兮, 成是貝錦, 彼讒人者, 亦已太甚.]" 하였다.

564) 『孟子·萬章下』.

글을 읽었다고 인정하였으니, 공론은 또한 끝내 사라지지 않는다는 것을 알 수 있다.

저 무리들은 선생이 역적에게 보낸 편지에서 칭송하는 말이 있는 것을 가지고 죄안으로 삼았고, 선생이 화를 입은 것 또한 이 때문이었다. 이 옥사를 살펴 다스리는 자는 마땅히 참여하여 역모를 들었는지 여부를 물어야 하는데, 그 친소관계를 물은 것은 부당한 것이었다. 하물며 한 번 편지를 보내서 관례에 따라 칭송한 말을 가지고 모두 죄안으로 삼는다면 당시 조정의 신하들이 어찌 죄를 면할 수 있겠는가? 시인(時人)들이 우계와 율곡에 대해서 사모하여 우러러 보는 것이 어떠한데, 그런 율곡이 경연 중에 정여립을 크게 칭찬하였으며, 심지어 박학(博學)하고 재주가 있어서 처사 가운데 등용할 만한 자라고 하였다. 아울러 우계와 함께 잇달아 천망[薦剡]하는 가운데 들어갔으니 그 권장하고 칭찬한 것이 어찌 "도를 아는 것이 고명한 사람"565)이라고 한 것에만 그쳤을 뿐이겠는가? 우계가 자신의 허물을 인책하는 장주(章奏)에서 또한 말하기를, "역신 정여립이 파주로 신을 방문한 것이 서너 차례였고, 안부와 강문(講問)하는 편지에 신이 모두 회답하였습니다." 하였으니, 정여립을 추중한 것이 정성스럽고 친밀하였는데 어찌 한 번 편지를 보내는데 그쳤을 뿐이겠는가? 그러나 모두 역절(逆節)이 드러나기 전에 있었던 일이었기 때문에 사람들이 허물로 삼지 않았는데, 유독 선생에 대해서만 지금까지도 시배들이 비난하는 구실로 삼으니 참으로 괴이한 일이다.

갑술년(1574, 선조7) 본도 감사 박민헌이 아뢰었다. "무안유학(務安幼學) 정개청을 천거하오니, 그는 사람됨이 치밀하고 분명하여 독실한 뜻으로 학문을 하고 있습니다. 집안은 지극히 청빈하였으며, 일찍이 한 걸음도 망령되이 행하지 않고, 털끝 하나도 사람들에게 요구한 적이 없었습니다.

---

565) 도를 아는……사람 : 정개청이 정여립을 지칭한 말이다. 정여립에게 보낸 편지에 "도(道)를 아는 것이 고명(高明)한 사람은 오직 존형(尊兄) 한 사람뿐이다." 하였다. 단지 서로 친밀했을 뿐만이 아니니, 서로 허여한 것이다.(『光海君日記』 1年 2月 5日)

집에서는 어버이를 지극히 효성스럽게 받들고, 문생들과 날마다 도의(道義)를 강론하여 사람들에게 미치는 영향이 매우 큽니다. 항상 『예경(禮經)』 공부에 공력을 들이고 역학(易學)에 대해서도 발명한 것이 많이 있습니다. 그는 평범한 인물이 아니고 오직 백집사(百執事)566)에 합당한 사람입니다.……"567)

○ 정축년(1577, 선조10) 미암 유희춘은 선생이 함양 공부가 깊어 마땅히 후학의 사표(師表)가 될 것이라고 하면서, 나덕준(羅德峻) 등에게 권하여 스승으로 섬기게 하였다. 율곡 이이 또한 나덕준 등에게 말하기를, "정아무개의 학문이 독실하여 다른 사람의 스승이 될 만하니, 모름지기 빨리 종유해야 할 것이다." 하면서 곧 『주자어류(朱子語類)』 한 질을 내려 주었다.

사암 박순 또한 이르기를, "정아무개는 도덕을 성취하여 정자와 주자의 적전(嫡傳)을 계승하였으니 어찌 찾아가 따르지 않는가?" 하였다. 한 때 여러 현인들이 모두 선생을 추대하여 유종(儒宗)으로 인정하였기 때문에 나덕준 등이 이와 같이 스승으로 존모하였던 것이다.

○ 을유년(1585, 선조18) 정월에 사암 박순의 시에 차운(次韻)하였다.568) 당시 사암이 "술지(述志)" 한 구절을 지어서 선생에게 주었다. "하늘과 땅은 넓고 넓으며 물은 아득하기만 한데, 병으로 불우하게 누워 오랫동안 배를 매어 두었네. 두둥실 돛 하나 달고 다른 날 찾으려 하는 뜻은, 어부를 따라 창랑의 노래에 화답하고자 함이네." 선생이 차운하여 시를 지었다. "요순의 시대가 이미 천년을 넘어 아득한데, 건너려는 돛대가 도리어 항해하는 바다에 떴네. 이 도가 흥하고 망함은 하늘도 예측하기 어려운데,

566) 백집사(百執事) : 온갖 벼슬아치라는 말이다. 『서경』 「반경 하(盤庚下)」에 "백집사의 사람은 거의 다 헤아릴지어다.[百執事之人尙皆隱哉]" 하였다. 여기서 '은(隱)'은 '탁(度)' 의 뜻이다.
567) 『宣祖實錄』 7年 7月 21日.
568) 을유년……하였다 : 『우득록(愚得錄)』 「차박사암운(次朴思菴韻) 을유정월(乙酉正月)」 에 실렸다.

머물지 않고 어찌 반드시 거센 파도 의지하려 하는가."

아! 정곤재가 모함을 당하였으니, 비록 참소의 말이 많지만 모두 죽은 지 백여 년이 지난 뒤에 나왔고, 기축년에 화를 당한 것은 단지 "절의" 위에 억지로 "배"자를 더해 죽인 것이다. 우연히 사재(思齋)569) 김선생이 책문(策問)에 답한 글을 읽었는데, 다음과 같다. "서한(西漢)570)대 선비의 풍습이 경학(經學)을 다투어 숭상하였지만 찬탈의 음모를 찬성하는 자는 모두 명유(名儒)에게서 나왔다. 동한(東漢)571)대 선비의 풍습은 명절을 세우는데 힘썼지만 격동시키는 변란의 조짐은 모두 절개 있는 선비들로부터 말미암았다. 그 해됨이 똑같았으니, 다스리는 도리에 무슨 도움이 되겠는가?"

그 논한 바를 보건대 경학을 배격하고 절의를 배격하였다는 죄안을 만들기에 충분하였는데, 저 남곤과 심정의 무리들도 계교가 여기에 미치지 못하였으니, 어찌 그 지혜가 뒷사람에 미치지 못해서 그러했겠는가? 아니면 사재가 남곤과 심정에게 미움을 받은 것이 곤재보다 심하지 않아서 그러한 것인가? 뒷날 이 책을 보는 자는 곤재의 화가 절의론에 있지 않았음을 알 수 있을 뿐이다.

송공(宋公, 송시열)은 평생 오직 주자를 존모하는 것을 자신의 임무로 여겼으나 그가 존모한 것은 천자를 끼고서 제후를 호령하는 것에 불과하였다. 또 색목(色目)의 같거나 다름을 보고 오로지 죽이고 살리는 수단으로 활용하였다. 이 때문에 효종대 정승 조익이 사서곤득(四書困得)572)을 지어서 바쳤으니, 주자의 전주(傳註)를 거둬내고 자신의 견해로 바꾸었다.

---

569) 사재(思齋) : 김정국(金正國, 1485~1541)의 호이다. 본관은 의성(義城), 자 국필(國弼), 호 은휴(恩休)이다. 안국(安國)의 동생이며, 김굉필의 문인이다. 기묘사화로 삭탈관직 되었다가 복직되어 형조참판 등을 역임하였다.
570) 서한(西漢) : 전한(前漢, B.C.202~A.D.8)을 가리킨다. 수도 장안(長安)이 후한(後漢)의 도읍 낙양(洛陽)의 서쪽에 있었기 때문에 '서한'이라고 붙였다.
571) 동한(東漢) : 후한(後漢, 25~220)을 가리킨다. 광무제(光武帝)가 왕망(王莽)의 신(新)나라를 패망시키고 낙양에 다시 세운 왕조이다.
572) 사서곤득(四書困得 : 조익은 『중용곤득(中庸困得)』과 『대학곤득(大學困得)』 및 『논어천설(論語淺說)』과 『맹자천설(孟子淺說)』 등을 지어 효종에게 바쳤다

아울러 경설(經說)을 지어 세상에 수십 권으로 간행하였는데, 『이정유서(二程遺書)』573)와 『주자유서(朱子遺書)』574)에서 제목을 붙인 사례에 의거하여 『포저유서(浦渚遺書)』라고 이름을 붙였다. 그 의도는 온 세상의 학자(學子)로 하여금 그 학설을 모두 따르게 하려는 것이었다. 회천이 그 비문을 찬술하면서 크게 칭찬하였지 조금도 비난하여 배척했다는 말은 듣지 못하였다.

백호(白湖) 윤휴(尹鑴)575)와 서계(西溪) 박세당(朴世堂)576)이 경서의 주석을 고친 것은 비록 망령되고 경솔하다고 할 수 있지만 상자 속에 넣어 개인적으로 소장한 것에 불과할 뿐이며, 일찍이 군부 앞에 바친 적도 없었고, 또한 세상에 간행하지도 않았다. 그런데 이들은 모두 경전을 훼손하고 성현을 무시했다고 하여 혹독한 화를 당했다. 저 사람은 존경하고 믿었으면서 이들에 대해서는 죽여서 끊어 버린 것은 어째서인가? 백호는 예송으로 회천과 대립하였고, 서계는 묘비명 때문에 회천의 무리들에게 죄를 얻었다.577) 단지 이 경전주석에 가탁하여 죄안을 완성하였을 뿐이었다.

곤재 정개청이 "동한절의 진송청담"설에서 말하였다. "동한의 절의는 공명(功名)을 숭상하는 것에 비교하면 그 고상한 자는 오히려 완고한

---

573) 이정유서(二程遺書) : 정호(程顥)와 정이(程頤)의 문인들이 두 정씨가 정치와 철학, 윤리학 등의 방면에 대해 발언한 것을 모은 어록이다. 주자가 종합해서 편집하여 완성하였다.

574) 주자유서(朱子遺書) : 주자의 단행본을 모은 전집이다.

575) 윤휴(尹鑴) : 1617~1680. 백호(白湖)는 윤휴의 호이다. 윤휴는 주자의 『중용장구』의 4대절 33장 체재를 따르지 않고 10장 28절 체재를 주장하였다. 이로 인해 윤휴는 사문난적(斯文亂賊)으로 몰리게 되었다.

576) 박세당(朴世堂) : 1629~1703. 서계(西溪)는 그의 호이다. 윤증을 비롯하여 박세채, 처숙부 남이성(南二星), 처남 남구만, 최석정 등과 교유하였다. 『사변록(思辨錄)』을 통해 반주자적인 학문경향을 드러냈다. 『사변록』은 『대학』·『중용』·『논어』·『맹자』·『상서』·『시경』을 주해한 저술인데, 이 중에서 문제가 된 것은 사서(四書), 그 중에서도 『대학』과 『중용』이었다. 그는 격물치지(格物致知) 등에 대한 주자의 설을 비판하는 동시에 독자적인 주석을 내놓았다. 이로 인해 노론으로부터 사문난적으로 배척당하였다.

577) 서계는……죄를 얻었다 : 박세당이 이경석(李景奭)의 신도비명(神道碑銘)을 지으면서 송시열을 비난한 구절이 문제가 되었다. 이로 인해 박세당은 유배 가는 처벌을 받고, 얼마 안 있어 죽었다.

자를 격동시키고 나약한 자를 흥기할 만하며, 진·송의 청담은 이익을 추구하는 자에 비교하면 그 기개가 또한 감정을 바로잡고 물욕을 억제하기에 충분하다. 그러나 성학(聖學)에 종사하는 것을 알지 못하였으며, 의리의 편안함을 따르지 않았고, 의기(意氣)가 장황하게 일어나서 심지어 나라를 망쳤는데도 스스로 그 잘못됨을 알지 못하였으니, 세상을 교화하는 데 보탬이 되지 않는 것이 또한 분명하였다. 절의를 숭상하는 사람들은 그 마음이 천하를 높은 곳에서 내려다보고 한 시대를 오만하게 흘겨보아서 예의 규범에서 벗어나고 성명(性命)의 근본을 좋게 여기지 않았다. 그래서 천하 사람으로 하여금 모두 자기는 옳고 남은 그르다고 여겨서 마침내 교활한 자들이 떼 지어 일어나서 왕위[神器]를 흘겨보는데 이르고 말았다. 청담에 이르러서는……. 절의는 허유(許由)578)를 존모한 것이고, 청담은 노자(老子)579)와 장자(莊子)580)에 근본을 둔 것인데, 그 지나친 폐단이 여기까지 이르렀다. 그 처음을 따져보면 모두 명덕(明德)과 신민(新民)의 학문을 알지 못하고 사람으로서 떳떳이 지켜야 할 도리 밖에서 독선(獨善)581)하여, 보고 듣고 말하고 행동하는 이치를 궁구(窮究)하지 않고 스스로를 검속하는 절제에서 벗어나게 되니, 이것은 모두 쇠퇴하는 시대에 숭상하는 것이었다. 성현의 중화(中和)의 도(道)로부터 죄를 얻은 것은 아득히 오래되었어도 반드시 한결같이 말할 것이니, 뒷날 나라를 다스릴 사람들이 그것을 거울로 삼을 수 있고, 학자들도 또한 경계할 것이다. 주자의 글을 읽다가 감동하여 붓 가는 대로 적어보았다."

---

578) 허유(許由) : 고대 전설 속에 나오는 은자(隱者)이다. 요(堯)가 제위를 물려주려 했으나 거절하고 기산(箕山)에 들어가 농사지으며 살았다.
579) 노자(老子) : 도가(道家)의 시조이다. 춘추시대 무위자연(無爲自然)을 통해 자유로운 삶을 영위하였다.
580) 장자(莊子) : 전국시대 사상가이다. 은자들의 전통을 바탕으로 하여 형성된 노자의 사상을 독창적으로 발전시켰다.
581) 독선(獨善) :『맹자(孟子)』「진심 상(盡心上)」에 "곤궁해지면 자기의 몸 하나만이라도 선하게 하고, 뜻을 펴게 되면 온 천하 사람들과 그 선을 함께 나눈다.[窮則獨善其身, 達則兼善天下]" 하였다.

『待百錄』
校勘·標點

序¹⁾

一自色目分裂之後, 世無公論久矣. 近觀所謂時輩文集及稗史·野乘, 則人之邪正, 事之是非, 皆以論議同異, 臆決而斷置之, 亦或有白地做出者. 其心以爲百世可誣, 鬼神可欺, 而此必無之理也. 玆敢考據事實, 以辨其譸說, 而多出於時輩文集, 無非公案也. 名以"待百"者, 古人云"是非不待百年而定", 以今觀之, 殆非的論也. 自今前去百年, 則或庶幾公論大定, 而此錄不能無助於秉衮鉞者之取捨焉, 故名之以"待百". 然見此錄者, 必怒者多而喜者少, 甚可畏也. 吾子孫不可輕以示人, 必待百年而出之. 須深藏而秘之千萬爲可, 不遵此戒者, 非吾子孫也.

如『白沙集·己丑錄』之改其眞本而補以僞錄事, 及奇相國·柳西厓事, 最其變幻實狀者, 故先記于卷首.

---

1) 원문에는 편목으로 잡혀 있지 않다. 내용을 고려하여 설정하였다.

白沙集 己丑錄[1]

『白沙集』初刊於江陵, 其中『己丑錄』直書鄭澈殺崔永慶事. 其子弘溟及時輩惡之, 未及廣布, 悉聚而去. 其『己丑錄』所載處改刊本集于晉州, 而僞成『己丑錄』而載之, 此說載於眉叟集. 人有問於白沙子孫則答云 : "吾輩誠愛護松江, 然其尊慕之心, 不如栗谷矣. 擧西人請改先祖所撰栗谷碑文之未盡處, 而吾輩牢拒不許, 豈有爲松江變亂其文乎? 云云." 其言似有理, 故改本之說, 實之疑信之間矣. 昨年得見江陵板舊本, 則別集第四編第六丈第六行爲始, 至第八丈第二十行刊去. 刊去處上邊卽"色能迷人"說, 下邊卽"弱冠切喜山家之說"也. 鑿空處以丈數言之則三丈也, 以行數言之則五十九行也. 而一丈卄二行, 一行十八字, 晉州則一丈二十行, 一行二十字. 以此計之, 則江本文董九百餘字, 以晉本比江本, 則所加殆千餘字耳.

以圖署見之, 則乃延安世家李景義之圖署. 而卽五峯之侄, 官至宰列者也. 今則並共鑿空處而改刻之, 槪此本乃未及改刻前印出者也. 余見此, 然後始信眉翁之說不爽. 而子孫之言, 恐彰父兄之過而祕諱之, 無足怪也. 以其行數字數考之, 則"松翁歡然曰"以下似是添補之語, 而結辭之間, 必有大害於澈者, 故如是刊去耳.

孤山疏但言"鄭慄挽載江本而晉本不載"云, 而至於『己丑錄』, 則但云上下文體懸殊之狀, 不言旣載還去之事. 無乃所居絶遠, 未及聞之耶? 不但半以下文體絶異, 半以上但稱"松江", 半以下必稱"松翁", 此亦少異爾.

奇相國 自獻嘗論澈構殺崔永慶, 而並論成渾追削官爵, 時輩必欲甘心. 及

---

1) 원문에는 편목으로 잡혀 있지 않다. 내용을 고려하여 설정하였다.

至甲子李适叛, 先有上變者, 士大夫三十七人皆連累下理械繫. 時完平以
首相進言曰：“自獻罪狀未著. 況此人當廢論, 獻議力爭, 遂至遠竄, 是可
謂十世宥之者也.” 及及書, 至夜功臣等入對, 請悉誅之, 上允之. 完平翌朝
乃得聞之愕然曰：“夜行誅殺如許之多, 而身都首相, 不得與聞, 久矣吾耄
也.” 咄咄不已. 後公白上曰：“奇自獻當宥及苗裔者, 而其身不免, 親戚皆
死, 甚可哀也.” 上始感悟, 命復其官.

其後金墫諡狀中以爲“當時誅殺時, 三公預其事”, 完平之孫典籤某, 居憂
中上疏辨之. 上卽下太常釐正之, 前後事狀之彰灼, 不可掩者如此. 而宋時
烈撰金墫碑曰：“李适叛以內應逮繫者三十餘, 諸議皆以爲宜速處斷. 領
相李公 元翼謂右相申欽曰：‘吾老病不得請對, 公可與兵判白上決之.’ 卽
許之.”

以此文勢見之, 則誅殺之議, 不出於時輩, 而出於完平也. 時輩之變亂黑白
類皆如此, 其他可推而知耳.【誅殺之議, 本出金墫, 墫卽牛溪門人也.】

『石室語錄』云：“倭使始請假途時, 海源 梧陰因朝講極說‘不卽奏聞, 後必
生事’, 豐原【西厓】謂‘不料其末終, 遽爾奏聞, 後必有難’. 於是一隊人主尹
說, 一隊人主柳說, 爭論不決, 朝講至夕時方罷. 云云.”

『西厓年譜』云：“時通信使黃允吉等回自日本, 倭答書有‘率兵超入大明’
之語. 先生謂‘當具由奏聞’, 首相李山海以爲‘皇朝若以交通倭國罪我則無
說, 不如諱之’. 先生曰：‘使价[2]往來, 有國之常事. 成化間, 日本因我求貢
中國, 卽據實奏聞, 天朝降勅回諭. 前事已然, 今諱不以聞, 於大義不可.
況賊若實有犯順之謀, 從他處奏聞, 天朝反疑我國同心隱諱, 則其罪不至
於通信也.’ 朝廷多是先生議者, 遂遣金應南等馳奏之. 時福建人許儀後·陳
申者被擄在倭中, 已密報倭情, 及琉球[3]國世子尙[4]寧連遣使報聲息. 獨我

2) 价：底本에는 뒤에 “之”가 있다. 『西厓年譜』에 의거하여 삭제하였다.

3) 球：底本에는 “璃”로 되어 있다. 실록에 근거하여 수정하였다.

使未至, 天朝疑我貳於倭. 閣老許國曾使我國, 言'朝鮮至誠事大, 必不與倭叛'. 未久, 應南等賷奏至, 朝議始釋然, 皇帝降勑嘉獎. 上傳于先生曰:'自遼東咨文來後, 過用隱憂, 不圖今者至蒙獎救, 展閱未終, 不覺喜躍. 此由於卿等運籌周旋之忠.'"

又西厓在義州上箚曰: "中原之疑我非一, 緩於報變, 一也."[5]

金沙溪與人書曰: "柳相之爲委官也, 李潑之老母·稚子, 豈不欲其生也? 無罪八十老婦, 無一言救之, 竟斃杖下. 未滿十歲兒不卽死, 而有嚴責之敎, 則折其項殺之. 金藎夫·鄭道可不此之咎, 而反歸咎於牛溪·松江, 豈公論乎? 且李潑·白惟讓之死也, 山海與松江同爲委官而不能救. 今也專歸咎於松江, 豈不偏哉?"

按『己丑錄』云: "庚寅二月, 沈守慶拜右相, 仍爲委官. 以曺大中之獄, 遭嚴旨遞委官而鄭澈還爲之." 此庚寅三月十三日也. 李潑老母·稚子之被刑在是年五月十三日.

又『西厓年譜』云: "四月, 乞暇歸勤安東, 五月二十九日, 在鄕拜右相, 六月晦, 始還朝." 澈自三月還爲委官, 至九月初十日, 崔守愚再入獄, 而其間澈更無遞易之事. 潑之母子之死, 又在西厓未拜相, 未還朝之前. 不但己丑之後, 雖在己丑之前, 西厓元無爲禁府堂上之事, 則未知沙溪何所考據而有此云云耶. 今見鄭弘溟伸冤疏, 亦曰: "李潑老母·稚子之死, 人皆稱冤, 而其時臣父遞委官已久. 柳西厓·李陽元相繼代之, 不敢發言救其死. 云云." 金沙溪集無乃見欺於弘溟耶? 且李潑·白惟讓, 己丑十一月十二日發配, 仍宜弘福之招, 十二月十二日, 還被拿命而死, 則金集所謂"柳相與松江同爲委官而不能救"云者, 亦非實狀矣.【李陽元之拜相在辛卯秋, 而獄事收殺於庚寅冬. 松江以按獄事被罪在辛卯春.】

又按『己丑錄』云: "庚寅七月, 鄭彦信拿來. 初八日, 問事郎以委官意啓曰: '今已拿來, 推鞫事體, 恐不當與凡罪人同, 何以爲之?' 傳曰: '此亦一

4) 尙: 底本에는 "當"으로 되어 있다. 『西厓年譜』에 근거하여 수정하였다.

5) 『西厓集·箚論遼東咨彙陳事宜箚壬辰六月在義州』.

罪人, 推鞫之體, 似不異他, 然議而處之.' 回啓曰 : '大臣之有罪者, 鞫於三
省, 前無可據之例. 臣等愚意以6)當與大臣同參按問. 云云.' 傳曰 : '他大臣
議啓.' 沈守慶議 : '大臣同參按問, 未知當否.' 李山海議 : '大臣承命按問,
雖不與他員同參, 恐無所妨.' 柳西厓議 : '委官旣承命按問, 復命他大臣同
參, 非徒事體未穩, 前所未有之事, 恐難創開. 云云.'"
以此收議觀之, 中古以前, 凡推鞫委官之外, 元無他大臣同參之規. 所謂"柳
相與松江同爲委官"云者, 尤爲孟浪耳. 鄭弘溟以兵燹之後, 推案無存, 轉相
誣爲言, 而今以沙溪之言見之, 推案之無存, 乃弘溟之幸也.

『西厓年譜』: "李參議 潑遠竄遷塞, 親舊無敢問者, 先生使書吏送之國門
外. 李以詩回謝有'三千里外遠遷客. 七十七歲多病親'之句. 旣已更被拿
鞫, 死於杖下, 先生送綿布以賻之." 李陽元之拜相在於辛卯秋, 獄事收殺已
久之後, 則鄭弘溟所謂李潑老母・稚子之死, 柳某・李某相繼代之云者,
尤爲孟浪.

---

6) 以 : 底本에는 "似"로 되어 있다. 『己丑錄』에 근거하여 수정하였다.

靖陵事

癸巳四月初, 宣陵·靖陵爲賊所發. 時余在東坡, 聞李提督自平壤還開城,
同金元帥 命元往候. 接伴使李德馨·留守盧稷·戶曹判書李誠中等五六
人, 會坐接待廳, 京畿監司成泳急報至. 時夜黑, 以火發其書, 乃陵寢變報
也. 卽號慟, 提督聞之, 取其報見之. 余與諸公往滿月臺前麓, 南望擧哀.
明曉與元帥還東坡, 欲募人往探二陵形止, 有軍官李弘國者出跪曰: "小
人乃大君後裔也. 向國之誠, 豈同凡人? 雖死願往." 余與元帥獎其忠, 且
曰: "汝不可獨往, 更募軍人之願往者十人與俱." 時倡義使金千鎰在江華,
所率人皆京城人. 余曾調二百名, 在東坡聽用. 令弘國就其中募之, 果得十
人, 皆各司奴子而奉常寺人居半. 余悉呼至前泣諭之, 莫不感激請盡力. 於
是具粮資以送, 臨行余曉之曰: "汝輩旣各司人, 固孰兩陵路. 但近日久在
江華, 東邊賊屯所在, 亦未諳悉. 今防禦使高彦伯率楊州軍, 住蟹蹄嶺, 汝須
至彦伯處, 更得一二人向導, 庶無蹉跌也." 卽爲密關於彦伯, 付弘國, 時四
月初九日也.
弘國旣去, 數日還白云: "蒙將令往防禦使陣, 發所詳知道路者一人, 前引
到禿音里, 日已暮. 行得小漁艇, 十二人同載, 順流以下, 夜半經三田渡,
泊靖陵下. 數人守船, 八人上陵, 見陵已掘. 時月落, 天正黑, 掘處不可測.
解從人布帶連結之, 以次縋下, 穴中沈沈無所見. 以手捫之, 有僵臥屍軀,
皆驚愕縮手. 良久神定, 以手更探之, 尸無所覆, 在灰土中, 微有濕氣, 粘襯
手指. 諸人還出穴, 穴傍裂衣裳'梵'字書紙, 黑染木片掌樣大, 持以爲信. 至
宣陵, 穴中雖掘, 而堇容一身許, 空無物. 遂還舟泝流上, 至三田渡[1], 天色

---

1) 渡: 底本에는 "島"로 되어 있다. 용례를 고려하여 수정하였다.

明, 由禿音下舟來. 其狀如此."

余會金元帥·權巡察 慄議之, 計無所出. 余曰: "據來報, 玉體暴露壙中, 情理痛不可忍. 且賊知我人往探, 更加不測則奈何? 不如冒萬死, 竊負而出, 安厝他處, 以待賊平後復陵." 衆曰"然". 元帥陣中, 有官銀百兩, 卽除出貿唐黑布數疋, 製複衾. 又得去核木花數十斤, 權巡察出油芚, 又得匠造小藍輿, 便利其制, 使輕於易運. 余顧辛從事 慶晉曰: "後日必有以此構余者. 然余惟知救君親泉壤之禍而已." 更下令軍中曰: "誰可去者?" 於是倡義中軍朴惟仁·前部將金克忠·並軍中願從者五十人. 令李弘國引路, 戒之曰: "此大事也, 吾亦不可能懸度. 汝輩可到彼觀勢, 若可掩覆則掩覆, 不然則奉安于他處." 惟仁應諾而去. 又由禿音里, 乘舟夜下, 載屍體于輿中, 還出泝流而上, 顧京城數十里外, 賊常充斥, 無可安處. 不得已至楊州 松山, 得民破屋數間奉安. 金克忠率五十人守之, 惟仁來報, 余卽狀啓言狀. 是月二十日, 賊南去, 余於是隨大軍入城. 二十二日, 馳往松山奉審, 不敢開視, 但向之號哭而還, 二十三日, 余病臥矣. 五月, 聞"領議政崔興源·禮曹判書金應南·左參贊成渾·禮曹參判李灤等五六人, 自行在, 次第承命, 將奉審二陵"云. 又聞"成渾道中見人, 頗問靖陵所得屍體眞僞如何, 其言多有可疑者"云. 旣至, 又聞"諸宰先往靖陵奉審"云. 最後諸宰始往松山, 要余同往. 余時病新起, 以其事重, 力疾往會. 時朝臣無逮事中廟者, 惟同知宋贊年八十四, 中廟時翰林, 聞避難在忠淸道, 馹召以來. 六月十八日, 諸臣俱會松山. 大臣沈守慶·崔興源及兪泓, 與余爲一列. 成渾·李灤·權徵爲一列, 宗室扶安都正壽山爲一列, 郞廳徐仁元等在外. 又有豫陽夫人自西都來. 豫陽乃中廟王子, 以夫人在宮中, 嘗知中廟龍顔故來. 而宦官數人偕至在他處. 旣而諸宰將入審, 或曰: "他人旣不能逮事中廟, 雖入審, 安知其眞贗? 當先問平日聖體大槪而審之, 然後乃可定其虛實耳." 衆曰"然". 於是問于宋同知及內人之逮見靖陵, 各記其脩短肥瘠之狀. 其一, 中廟聖體如中人而差長; 其二, 中廟豊上而殺下, 故御衣多用單裳, 使下體張大. 朝臣化之, 遂用藤[2]環撑起衣下; 其三, 龍髥甚少[3]而亦紫; 其四, 龍頤[4]向外微張; 其五, <u>中廟</u>腦後微凹, 故平日所御笠子, 多外側, 每以手整之云. 旣畢, 以室中狹窄, 不可容衆, 分運而入, 大臣請<u>宋同知</u>同入. 開衾見屍, 體如中人, 髮童童. 鼻梁頹倒, 鬢微見其迹, 而細視有紫色. 兩肩外張平闊, 胸甚高. 而脛只存骨無肉, 有筋絡相連. 胸腹有二劍迹, 蓋賊所加, 全體乾燥如枯木. 自四月出置, 其前暴露, 又不知其幾日, 而無虫蛆, 又無臭氣, 甚可怪也, 諸人反覆審視. <u>宋同知</u>又曰: "<u>中廟</u>嘗患背腫, 初使御醫<u>金應昆</u>5)針之, 甚痛楚, 又使<u>朴世擧</u>針之, 此恐有痕. 當並審之." 於是令<u>朴惟仁</u>展屍, 背後灰炭屑襯澁, 厚幾寸, 不見皮色. 以紬6)巾沾水, 洗之屢次, 而漸見皮肉, 忽左肩下, 露出痕迹二處. 相去一二分, 一大一小, 四面有黑暈, 團團如大錢, 而其中穿破. 見者大駭. 旣出, <u>金應南</u>·<u>成渾</u>·<u>權徵</u>等次當入, 爭問於<u>宋公</u>曰: "何如?" <u>宋公</u>曰: "甚可駭. 屍體如中人樣, 豊上而殺下. 頤微張, 腦後凹, 且有背後腫痕矣." <u>成渾</u>者默然不應. 旣已未久, 卽出還坐, 諸宰相顧未發. 渾循循而起, 獨詣大臣前作色曰: "卽入審, 雖曰'體似中人', 以某所見, 不見如是. 雖曰'豊上殺下', 以某所見, 不見如是." 歷擧<u>宋公</u>之言, 段段攻破, 不假他辭, 但以"不見如是"四字, 盡亂其說. 旣畢, 悠然而退, 同坐者面面相視而已.

余曰: "他事不可知, 背後腫痕, 豈非可疑耶?" <u>扶安</u>都正<u>壽山</u>卽附會<u>成渾</u>, 揚言曰: "背後腫痕, 雖云可疑, 有六處瘡痕, 安得若是多也?" 余曰: "旣7)與諸人同審, 明有二痕. 今言六處, 此大事, 不可如是參差. 遂卽更審." 遂令他宰同<u>壽山</u>, 卽爲入審之, 果有二處也. <u>壽山</u>言窮, 乃曰: "前言六處, 乃大綱說也." 然座中怵於<u>成渾</u>, 不復辨其如何. 日夕, 罷還城中. 明日又會於<u>南學洞</u>空屋, 欲狀啓. 余晚赴, 觀諸論已靡然於<u>成渾</u>矣. 余謂<u>崔領</u>相曰: "諸

---

2) 藤: 底本에는 "滕"로 되어 있다. 『雲巖雜錄』에 근거하여 수정하였다.

3) 少: 底本에는 "小"로 되어 있다. 『雲巖雜錄』에 근거하여 수정하였다.

4) 頤: 底本에는 "滷"로 되어 있다. 『雲巖雜錄』에 근거하여 수정하였다. 이하 동일사례에는 별도의 校勘記를 달지 않는다.

5) 昆: 『雲巖雜錄』에는 "崐"으로 되어 있다.

6) 紬: 底本에는 "細"로 되어 있다. 『雲巖雜錄』에 근거하여 수정하였다.

7) 旣: 底本에는 "卽"으로 되어 있다. 『雲巖雜錄』에 근거하여 수정하였다.

公所見皆然, 無容別議. 然則靖陵玉體, 何往?" 崔曰："陵前得小灰, 衆以此當之, 以爲賊所焚." 余曰："近日多見賊焚尸處, 人形雖成灰燼, 猶歷歷可辨. 今此陵所得灰痕, 長乎短乎?" 崔曰："不長, 團團如方席樣." 禮曹參判李灌應聲曰："甚長." 崔憮然曰："不可如此說. 長則不長, 又不可定以爲玉灰也. 然議則不能違衆." 余亦不敢身質其語, 但曰："背後有腫痕, 而年久之事, 不可的知, 近處古塚發掘處有無, 當並審. 不可草草以定." 以此獻議而退.

蓋人之尸體, 易腐爛, 新死之尸, 不出數月皆敗. 今此尸停外數月, 方當盛熱, 無臭氣, 無虫蛆, 除非厚葬而極久者不當. 然倭人何處得如此尸, 置諸壙中耶. 此不可不辨之明驗也. 時李堤督在城中聞此, 亦曰："此不難辨. 當以久近定之, 久則必非他人之尸也." 會後一日, 余南下慶尙道. 到慶安驛, 川邊歇馬, 辛從事 慶晉謂余曰："聞諸公之議, 以松山尸體爲非是, 而欲棄之, 天下安有是事?" 余曰："以眞爲假, 以假爲眞, 同是至重至大之事, 既不能親知虛實, 安敢身質其是非?" 既而余在南中聞："宣陵・靖陵皆以陵傍雜灰小許, 納諸梓宮虛葬, 而以松山尸體爲非眞棄之. 然上意猶致疑, 命厚葬, 都監監役姜霅言于堂上曰：'厚葬則益起人疑.' 草草埋他處." 而朴惟仁言："西小門外有老司鑰一人, 年八十餘. 曾事靖陵, 聞其事, 叩心痛曰：'此實聖人, 何爲棄之? 凡人死在春夏易爛時者, 雖厚葬, 無有不腐. 死在冬間者, 雖久不腐, 枯燥如木片. 小人曾遷祖父之葬, 死在冬月, 六十年後, 全不腐爛. 今聞陵尸亦然, 靖陵昇遐, 在十一月十五日, 當極寒. 此尤足明驗, 何爲棄之?'"

既畢陵役, 成渾將復命於海州行在所, 至載寧, 稱病不進. 時承旨具宬亦自陵所還向行在, 歷見成渾, 渾密謂曰："李弘國假得他尸, 稱玉體, 欲以邀功, 當啓上鞫問." 宬如其言. 於是獄事大起, 三省同鞫. 逮捕李弘國及先往陵所者十人鞫之. 其人先後至獄, 而所招如一, 無復疑端. 上察其誣, 卽命釋之. 蓋渾自初欲因此陷余, 構捏如此, 是可忍耶? 方改築陵時, 壙內兩岸無故忽崩, 壓殺役夫三人. 是年九月, 車駕將還都城, 將發夜大雷, 震王子所寓家人畜. 丙申三月晦, 諸陵朔祭, 獻官受香燭於闕內, 忽雷震載香燭馬三匹及驛卒於門外. 數日後, 副提學<u>李好閔</u>因對言:"<u>靖陵</u>事, 處得非宜, 天變未必不由於此." 上曰:"此大事也." 命問於大臣. 左相<u>金應南</u>怒曰:"是欲陷我而發也." 蓋<u>應南</u>於奉審時, 爲禮曹判書云故然也. 然其日月已久, 尤無憑驗之路. 故余獻議, 但曰:"伏承上敎, 臣不忍聞. 大事已定, 恐無更處之道." 事遂寢. 蓋始不能辨者, 異說亂之, 今於數年之後, 形益漸滅無餘, 雖欲追辨, 有不可得, 而徒增罔極之痛, 更無善處之道, 奈何? 可爲千古至恨, 至今思之, 無以爲心.

當戊戌秋, 余爲時輩所攻. <u>李爾瞻</u>議於<u>李山海</u>曰:"若發<u>靖陵</u>事爲罪目, 則可以陷之." <u>山海</u>曰:"此則恐涉<u>重叔</u>, 愼勿提起." 蓋<u>重叔</u>, <u>應南</u>之字, 而<u>應南</u>爲<u>山海</u>妹夫, 恐獄起而延及故云然, 可笑可笑.

甲辰春, <u>禮安</u>生員某爲<u>靖陵</u>參奉, 此人不知復陵始末者. 還鄕爲其友言:"陵中夜間, 每聞哭聲不絶, 有守護軍年老, 皆言:'前時棄玉體不葬, 而虛葬雜灰, 故自其時至今, 夜夜哭聲如此. 不但爲今日之痛, 嗟不已.'云." 余聞而不覺悲慟切骨, 詳記其時事, 以寓臣子之至冤云.

奉審後呈大臣議[8) 癸巳六月　牛溪

<u>宣</u>·<u>靖</u>兩陵三處發掘, 焚燒之狀, 大槪如一. 玉骸經[9)火未成灰者, 骨節分明可認, 玉灰色頗白, 異於草木之灰, 其重又倍於常灰者, 兩陵三處皆同矣. 灰與骸雖未知眞出於先陵遺體, 而亦不可以爲非眞, 則<u>靖陵</u>又有玉體在壙中, 何哉. 竊觀凶賊所爲, 非出於[10)士卒收寶貨之計, 乃賊將所爲, 深讐我國者也. 何獨於[11)<u>宣陵</u>肆凶, 而<u>靖陵</u>好全玉體乎?

且<u>靖陵</u>發掘之穴, 狹且深, 壙底只容梓宮, 更無餘地, 於焚燒梓宮之際, 必須

---

　8)『牛溪集·宣靖陵奉審後書呈大臣議』를 교본으로 삼았다.

　9) 經:底本에는 "逕"으로 되어 있다.『牛溪集·宣靖陵奉審後書呈大臣議』에 근거하여 수정하였다.

10) 於:底本에는 없다.『牛溪集·宣靖陵奉審後書呈大臣議』에 근거하여 보충하였다.

11) 於:底本에는 없다.『牛溪集·宣靖陵奉審後書呈大臣議』에 근거하여 보충하였다.

移出玉體於外, 以俟火熄, 然後還置壙中. 此賊窮凶之心, 何至委曲如此乎, 皆未可測也. <u>松山</u>未奉審前, 逮事先朝宗戚及女侍, 像想御容, 先爲記錄以示諸臣, 然後奉審, 則非徒年遠枯損, 無可指認肯似處, 其錄言"先王龍顔長頤骨長", 而此則似是方面之人; "先王腦後平而削, 妨於着笠", 而此則似是有骨; "先王年衰稍瘦", 而此則胸間平闊, 似是平日肥大之人. 凡此所見, 皆不與所錄同. 然頭面皮膚, 脫落幾盡, 難於辨認, 察識[12]分別, 無所深据. 旣不可以智慧求之, 又不可以事證相參, 臣子之情, 悶迫皇皇, 罔有所極.

與李參議別紙[13]　牛溪

癸巳, <u>松山</u>奉審, 朝廷大會于草次, 幾三十員. 以玉體奉安民舍甚狹, 不可齊進, 最先大臣四員入審, 次二相一員·判書三四員入審而出. 次<u>渾</u>與<u>申公點</u>·<u>李公 齊閔</u>·<u>宋公 贊</u>, 又一員某公同入. <u>渾</u>在先, 故先入跪于屍傍, 諸公以次羅列于後. <u>渾</u>手閱尸體, 摩按反覆幾一食頃. 諸公在後諦視而已, 且敬謹之地, 不敢言論, 亦無喧嘩, 默觀形狀而出而已. 其後又一隊諸公入審者凡二三次. 旣畢則大臣先起入京, <u>渾</u>亦退宿村家, 翌日還赴京師. 改葬都監則大臣令多官各俱所見書于單子, 俾來呈納, 故多官皆退私地草定, <u>渾</u>亦循例呈納而退. 凡多官所陳之說, 隨早晩自納而出, 大臣皆覽閱之, 其餘諸人皆不能通見, 實未知衆見之同異矣, 餘外實無辨論同異之端也.

今聞經筵官進啓之說則以爲: "<u>宋贊</u>輩商議可疑之際, 有一宰臣大言其不可, 其議遂寢, 豈可大言止之乎?" 此則同入諸公知之, <u>宋公 贊</u>亦知之. 況受命奉審眞僞, 則同異之間, 自當各盡所見而已. 非他人所當止, 又非受他人止之而遽廢其所見也. 且同入諸公皆默無一言而出, 何以知所見之同異, 而必言其不可也? 殊以怪歎. 然<u>渾</u>所納文字具在, 謬妄[14]之言, 無所逃罪,

---

12) 識 : 底本에는 "議"로 되어 있다. 『牛溪集·宣靖陵奉審後書呈大臣議』에 근거하여 수정하였다.

13) 『牛溪集·與李參議別紙』를 교본으로 하였다.

以此受罪, 何恨之有? 伏願一覽而棄之, 勿使人見, 至祝至祝.

謹按靖陵所得尸體之眞假, 當先論其久近次求之事理. 旣非近死之尸, 又無假得之理, 則於斯二者可以定矣. 是以李提督之言曰:"此不難辨也. 當以久近定之, 久則必非他人之尸也." 可謂語約而旨明矣. 雖牛溪亦曰"年遠枯損", 則其厚葬而久遠不朽, 可知也. 凡天下之事變雖無窮, 必無理外之事. 若曰"倭賊欲瞞我, 而得假尸納之壙中", 則必無是理也. 弘國欲邀功, 而半夜倉卒得如此尸以置之, 則亦必無是理也. 然則其所以得尸體謂之非眞者, 果理乎非理乎? 又況弘國等鞫問之擧, 出於牛溪所指使, 而具宬之所讒構, 則其所以鍛鍊成獄者, 必無所不至, 而彼十餘人先後至獄, 所供如一, 卒不得端緒, 則此尸之出於先陵, 尤豈非萬萬無疑乎? 如是論斷, 則牛溪之多少設疑之辭, 辨之可也, 不辨亦可也.

然姑就其言而觀之, 其曰:"玉體經火未成灰者, 節骨分明可認, 玉灰色頗白, 異於草木之灰, 其重又倍於常灰. 兩陵三處皆同矣. 雖未知其眞出於先陵遺體, 而亦不可以爲非眞. 云云."

此甚可怪. 靖陵果有節骨分明可認者, 則雖一指一節, 斷以爲玉體可也, 其所得尸軀, 不待多言, 而可決其非眞也. 牛溪若以此執左契以辨其非眞, 則當時孰敢有異議, 後世亦豈有起怪之端耶? 其獻議中論說, 尸體同異, 固已多事, 而又以其眞非眞等語, 置之於將信將怪之間, 抑又何也?

以此觀之, 則所謂"骨節之分明可認"者, 在於宣陵, 而決不在於靖陵爾. 靖陵只有灰, 而單言"灰白"·"灰重", 則不可爲玉體之證. 故以"灰與骸"三字, 蒙上文混淪說去也明矣. 是故崔興源·李灌皆爲附麗牛溪之論, 而但言其灰痕之長短而已, 亦不言骨節之分明可認, 則靖陵無骨節可知也.

又曰:"凶賊所爲, 非出於士卒, 收寶貨之計, 乃賊將所爲, 深讐我國者也. 何獨於宣陵肆凶, 靖陵好全玉體乎? 云云."

---

14) 妄:底本에는 "忘"으로 되어 있다.『牛溪集·與李參議別紙』에 근거하여 수정하였다.

此言極巧且密, 如是爲言, 然後可以歸尸體於假尸耳. 然自古賊虜之發掘帝王陵者何限, 而皆出於收寶玉之計, 則何獨於倭賊, 斷然以深讐我國, 而不出於收寶貨之計耶? 蓋其計全出於收寶貨, 故所以移出玉體於外, 而恣行其所欲爾.

且兩陵發掘, 未必出於一賊之手, 而彼賊將之凶暴殘忍, 亦有甚不甚之異, 則或肆凶, 或但收寶貨不及玉體者, 不可謂必無之理也. 又以俟其火熄, 還置壙中深怪. 其賊情之必不然, 此亦似然而實不然. 若謂之賊所爲如此, 則誠委曲矣. 雖在賊勢充斥之時, 我國亦豈無忠義之人乎? 蓋當初京畿監司以陵變報聞也, 其所聞安知不出於陵卒奔告? 則痛其暴露還納壙中, 亦安知非陵卒之所爲耶? 亦不可謂必無之理也.

凡人之形貌, 大小長短, 有萬不同. 今此尸體與宋公所錄, 千萬不近似, 則以生溪必欲框異之心, 豈不一言斷定? 而今反斤斤於小小同異之間, 而亦不敢顯言? 其大小長短之迥然不同, 則賊與弘國, 何處得此彷彿肖似久遠不朽之尸耶? 且有背後二腫痕, 可爲的證. 而生溪若斷無他意, 則所當悉陳其所見, 兼論腫痕事, 使至重至大之變, 反覆商確處, 得其宜可也. 今於腫痕一款, 全不擧論, 何也? 旣曰: "頭面皮膚, 脫落幾盡, 難於辨認." 察識則又何以質言方面之腦後之骨耶? 至於胸間平闊, 必不以年之盛衰, 有所變異. 而宋公言: "中廟豐上而殺下." 則胸間平闊, 獨非豐上之證乎?

至於構陷西厓, 不恤君父泉壤之禍, 其通天之罪, 可勝道哉? 但揣度當時事機, 則此國家大變故也. 一毫有異議於封陵之後, 則禍且不測, 而生溪免倡爲非眞之論, 孰肯立赤幟於其間以犯其禍機哉? 奉審諸公之所以靡然於生溪者, 其以是歟. 諸公固不足責, 西厓明知其玉體, 而不能沬血飮泣, 一直痛陳, 以明其非假, 而終致大事, 未免有議於後世君子責備之論, 蓋不能無憾焉.

生溪心迹, 盡露於其與李參議書. 槪筵臣所達有一宰相大言不可者, 何嘗以入審尸體時, 有此言云耶? 書中前後凡三言, 入審時, 無所辨論, 引諸宰以證之. 而若其出外後, 大言不可事, 終不言有無, 何也? 敬謹之地, 不敢言論固也, 出外後, 獨不得論辨其眞假耶?

西厓所記他事, 雖不可知, 如宋公之入審出來也, 諸宰之迎, 問其如何, 此情理之所不能容已也. 仍壽山言, 至有再審之舉, 決非杜撰之言也. 今但云"諸公入審者凡二三次, 旣畢則大臣先起入京", 有若大臣以下奉審後, 都無一言, 相視默而罷者然, 受命奉審之體, 豈容如此而已乎? 牛溪不但諱其自己之言, 並與他人所言而諱之, 此已可訝. 而當時實狀果如此, 則若無可諱秘者, 而必欲其勿使人見之, 至以至祝, "祝"爲辭者, 何也? 西厓所謂歷擧宋公言段段攻破者, 及筵臣所謂"大言不可"者, 於是乎益不可掩矣.

宋時烈與趙士達書[15]曰: "'老先生【沙溪】果有疑於牛溪, 而其所疑之義意', 是指陵變後事也. 其時之事, 不惟先師疑[16]之, 雖以黃秋浦之父事牛溪, 猶不免甚疑而力爭之, 豈以此爲訾毀者哉? 況先師則仍論權[17]不可輕議之說以爲: '若使栗谷當之, 則必不如是矣.' 夫有事而追思古人善處者, 此是常情也."

月沙撰『牛溪諡狀』[18]曰: "天朝顧侍郎遣胡參將移咨曰: '中國兵疲力竭, 姑聽倭和. 貴國備陳此形勢而上奏.' 西厓 柳相欲入對稟定, 請先生同入. 適於其時全羅監司李廷馣請姑許和以緩兵. 啓曰: 【牛溪之啓】 '此人非不知言發罪隨, 而至誠憂國, 敢言不諱.' 上盛怒, 柳相不敢發言而退." 『石室語錄』[19]曰: "昔聞'柳相約先生【牛溪】同入, 陳顧咨當從之意, 先生先發, 而柳相噤默, 致先生獨被疑謗云'矣. 今考書, 柳相之箚陳當從之意, 已在登對之前, 昔聞似錯矣. 救李廷馣一款, 亦實不干於顧咨是非耳."

謹按壬辰之難, 中朝石尙書 星力主東征救我. 其後兵久不解, 中國騷然, 議

---

15) 『宋子大全·與趙士達戊辰九月一日』을 교본으로 삼았다.

16) 疑 : 底本에는 "怪"로 되어 있다. 『宋子大全·與趙士達戊辰九月一日』에 근거하여 수정하였다.

17) 權 : 底本에는 "柳"로 되어 있다. 『宋子大全·與趙士達戊辰九月一日』에 근거하여 수정하였다.

18) 『牛溪年譜·牛溪先生年譜附錄』을 교본으로 삼았다.

19) 『魯西遺稿·石室語錄』을 교본으로 삼았다.

者多咎之. 石公懼禍及己, 因沈惟敬諭倭求和, 顧侍郎移咨本國令爲倭請封貢. 西厓上箚言: "'替倭請封'一節, 固不可從, 亦當詳具賊, 以聽天朝處置. 我國旣無以自振, 但依賴大國, 以圖興復, 而所言之事, 堅拒不從, 任事之人, 怫然背坐, 不肯同心, 則我國之事, 豈不益睽離乎?" 上許之. 時倭賊又因全羅監司李廷馣請和. 廷馣上聞請如倭言, 牛溪以爲"廷馣若無伏節死義之心, 必不敢爲此言". 上震怒, 牛溪不得畢其說而退.

蓋顧咨所言和事, 中朝將相主之, 我無奈何. 至於廷馣所言, 則和自我始, 而牛溪稱以伏節死義, 故所以重觸天怒者也. 條款各異, 而今其證狀, 有若以顧咨事, 牛溪得罪, 而西厓始與相約同請, 後乃背之者, 然無乃考之不詳歟? 顧咨事旣許於西厓之箚, 則豈有又怒於牛溪之理也? 淸陰先生所謂"廷馣一款, 實不干於顧咨是非"者, 亦以牛溪之主和爲不是耳.

己丑錄

【冤死者極多, 而兩鄭及崔被禍爲尤酷, 故其見於公家文字及前輩所錄者, 略記于此.】

鄭彦信

庚寅五月十六日, 湖南儒生梁泂·梁千頃等上疏曰："彦信爲委官, 欲斬告者十餘人. 云云." 委官澈回啓曰："梁泂等疏鄭彦信欲斬告者之說, 嘗播於都下, 臣亦有聞. 果如其言, 則此反獄手段, 其爲罪狀, 固難容貸. 此一款請招問參鞫諸臣然後處之如何?" 答曰："依啓."

委官鄭澈啓曰："人臣當國家無前之變, 所當痛心與骨, 惟恐誅討之不嚴, 而彦信身爲大臣, 方在推官, 反肆凶悖之言, 欲售營護之計. 未知此人有何心情, 其孤[1]恩護賊, 縱恣無忌, 至於此極. 其言發於廳中, 左右推官所共聞, 更無可問之端. 鄭彦智則護逆欺罔與其弟一般, 方其弟倡說殺告者之時, 一樣贊助, 則未有聞者. 參商二人情狀, 以定其罪, 唯在聖斷."【鄭彦智以刑曹參判論郭嗣源·宋翼弼交河堰沓之訟. 自上有囚治翼弼之敎, 見『癸甲錄』.】

二十六日, 傳曰："逆賊分送兵器於彦信之說, 使其言十分的實, 未滿一哂. 彦信聞之, 亦必不服, 長箭一部, 欲何爲哉? 況其疏說, 誣罔百出, 此不足問, 決不可刑推也. 當此人心極險之時, 恐有意外叵測之術, 決不可惹起獄事. 大抵堂堂國家, 因外方儒生荒雜之疏, 推鞫刑推, 大傷事體, 而必有後弊, 不如置之. 言于禁府." 答領相李山海啓辭曰："云云. 今仍外方儒生之疏,

---

1) 孤：底本에는 "服"으로 되어 있다. 『己丑錄』에 근거하여 수정하였다.

而有所加罪, 則事體未安, 而竊恐有後弊也. <u>彦信</u>已竄海島, 臨年將死, 不過爲一老革耳. 何必加罪也? 予意如此, 不如實而勿論, 以存大體, 以杜後弊, 何如?" <u>李山海</u>回啓云云.

二十八日, 傳曰:"<u>鄭彦信</u>事, 禁府前取稟, 勿論事言于禁府."

六月二十日, 閉門後, 委官秘密啓辭, 禁府都事自門隙入啓. 大槪:"<u>鄭彦信</u>締結逆賊, 欺罔君父, 不但負宗社蔑君父而已, <u>崔·鄭</u>爲其腹心窟穴." 云. 其夜四更, 都事<u>李培達</u>拿來事出去.【<u>崔·鄭</u>指<u>永慶·汝立</u>.】

七月初五日, 拿來, 以大祭齋戒, 不得三省.

十五日, 傳曰:"明明日闕庭推鞫."

十八日, 元情入啓, 初下[2]賜死之命. 諸大臣回啓:"大槪我國曾無殺大臣之事. 云云." 傳曰:"仍囚從容處之."

十九日, 兩司合啓庭鞫事, 不允.

二十[3]日, 依啓, 當日四更, 受刑下獄.

二十一日, 禁府啓:"罪人病重, 加刑何以爲之?" 傳曰:"除加刑, <u>甲山</u>定配."

二十二日, 爲始兩司合啓.

自二十三日, 兩司連三啓, 玉堂再啓.

二十五日, 答曰:"已爲斟酌定罪, 不可更鞫. 上下相持之際, 萬一得病, 輕斃獄中, 殊非貸死之意. 速爲停止甚當."

八月初一日, 答曰:"何如是强執乎? 可從則何必留難乎? <u>彦信</u>不過不學[4]無識, 自不覺其陷於大罪耳. 逆賊欲先殺<u>彦信</u>, 則<u>彦信</u>之心, 從可知也. 其情在所當恕, 論人不可不得其中." 不允.

初二日, 答曰:"<u>彦信</u>之罪固有之, 論人貴稱權衡而酌其中. <u>彦信</u>其在平日實無邪心, 盡心國事, 則亦不可誣. 其與[5]偏私立黨互相排擯者異矣. 以其[6]

---

2) 下:底本에는 "六"으로 되어 있다. 『己丑錄』에는 근거하여 수정하였다.

3) 二十:底本에는 뒤에 "一"이 더 있다. 『己丑錄』에 근거하여 삭제하였다.

4) 學:底本에는 "孝"로 되어 있다. 『己丑錄』에 근거하여 수정하였다.

5) 其與:底本에는 "與其"로 되어 있다. 『己丑錄』에 근거하여 수정하였다.

不學, 故臨大事陷于大罪. 古人有言 : '不通『春秋』, 則必蒙首惡之名.' 況
於彦信乎? 此其情在所當矜, 而不可深罪也. 初欲懲後人, 寘之於法, 及見
其諸大臣之意至矣, 不可不易也. 予意盡於是, 不宜煩論." 答曰 : "云云.
今若更鞫, 或捶斃, 則必有殺大臣殿庭之名. 上下相持之際, 又或病斃, 則又
有大臣下獄病死之名, 皆爲不吉. 卿等胡忍? 宜速停止. 云云." 三回啓, 不
允. 三更出獄, 開門出去, 押去都事嚴仁達.

崔永慶

湖南儒生姜涀 · 梁千頃等以吉三峯爲崔永慶,　言于濟源[7])察訪趙應麒[8]),
應麒報于監司, 監司枚擧狀啓, 拿來推鞫. 崔永慶元情云云. 更招, 略曰 :
"鄭彦信此乃矣身十歲前友也, 盧守愼是矣身七寸親. 矣身只與此人等相
知而已. 豈敢以此爲腹心窟穴乎? 云云."【"腹心窟穴"卽密啓措語.】
八月三十日, 推案入啓, 傳曰 : "崔永慶放送." 同日, 院啓 : "崔永慶以詭
怪陰慝之人, 其在平日, 締結逆賊. 云云."【正言具宬發啓】答曰 : "永慶旣已
削職施罰, 不可更鞫. 交通書札, 果爲如此, 其可人人而鞫之乎? 永慶不須
更鞫. 云云."
九月初九日, 連啓, 答曰 : "永慶越境相從之說, 出於何處何人所說, 其言
根詳悉啓之."
初十日, 諫院全數啓曰 : "永慶與賊越境相從之說, 非徒傳播已久, 以逆賊
簡札頭流之約觀之, 其平日往來親密之狀, 無怪矣. 且逆賊來見永慶於晉
州本家, 留連而歸, 判官洪廷瑞親知其事, 言於都事許昕. 臣等至有親聞於
昕者. 云云." 傳曰 : "洪廷瑞 · 許昕 · 崔永慶拿囚."

---

6) 以其 : 底本에는 "㤼於"로 되어 있다. 『己丑錄』에 근거하여 수정하였다.

7) 源 : 底本에는 "原"으로 되어 있다. 『己丑錄』에 근거하여 수정하였다. 이하 동일사례에
　는 별도의 校勘記를 달지 않는다.

8) 麒 : 底本에는 "棋"로 되어 있다. 『己丑錄』에 근거하여 수정하였다. 이하 동일사례에는
　별도의 校勘記를 달지 않는다.

崔永慶元情: "云云. 往在丙寅・丁卯年間, 李珥之出, 舉世士類咸以爲
'古人復出', 矣身獨笑其不然, 一時少年, 或以矣身爲無識, 或以爲狂, 或以
爲愚. 矣身聽而不聞, 笑而不答久矣. 厥後側聞, 珥之所爲, 大有不滿於人
意, 故一時年少挾冊好談論之輩, 皆與珥相背[9], 羞與爲友. 或以矣身有先
見之明, 或以矣身有知識. 於是珥之忿極矣, 一時儕輩門生之類, 咸[10]指矣
身爲惡. 自是厥後, 士大夫之不容於淸流者, 咸[11]指矣身爲惡, 渺渺一箇孤
身, 其何以自立乎? 興訛造訕, 萋斐成錦, 粘榜街巷, 無所不至, 終至於中外
合說, 幻出無形影底事, 以至此極. 矣身何以自明? 此則禍源之所從出也.
洪廷瑞爲晉州判官, 矣身家良中四五度來見, 矣身年衰多病, 困於應接, 厭
其爲人, 一不相見. 自是厥後, 怨忿多作, 無理悖言, 無數發說, 此則一邑及
隣邑所共知. 及其亂作, 或云矣身乘轎往會逆賊, 或云逆賊來于矣家留連
四五朔, 如此無理之言, 無所不至. 矣身請與洪廷瑞面質, 以正典刑. 至於
'逆賊相見', 則丁丑年喪子發引, 殯于楊州[12]地先人墓所. 一日黃昏, 李潑
與逆賊來, 矣身出見, 則有名不知一人, 立于其側, 李潑謂某云云. 引入盧
幕, 三人同宿, 哭泣之中, 雖不能談語從容, 大槪其人驕蹇慢上, 孙豪凌傲之
人, 矣身深惡其爲人. 厥後戒于李潑・安敏學輩, 使之勿交, 豈以矣身之言
爲從乎? 其後不相見面, 此則國人之所共知也. 前日雜亂休紙中一書, 矣身
喪子以後, 專廢食飮, 惟以飮酒度日, 精神昏憒, 不能記憶. 一度寒暄之書,
有何所關而至於欺罔乎? 逆賊弔喪之事, 喪中暮夜無人知者, 尙且直達, 則
其情可以據此推度. 人家片言隻字, 皆投烈火, 而矣身則得聞三峰之說, 已
過三四朔, 而此心淡然, 故凡雜文書, 不曾投火. 云云."

許昕招內: "非聞於洪廷瑞, 上年冬至陪箋上來下歸, 逢監司于密陽, 坐語
之間, 言及逆事. 監司金晔曰: '逆賊鄭汝立來于崔永慶家, 得聞於洪廷瑞,
汝亦聞之乎?' 以不得聞答之. 遞任上來後, 又與儕流言說, 而聽者錯認矣

身聞於洪廷瑞. 云云." 傳曰:"金晬招政院問之." 金晬曰:"臣在密陽, 與許昕言及事有之. 臣非聞於洪廷瑞, 晉州訓導康景禧聞於廷瑞, 洪廷瑞云[13]:'云云. 初聞逆賊來永慶家, 而後細聞之則尹起莘之來, 誤以爲逆賊之來, 而其實則非逆賊也.' 以此說與許昕, 而昕之所傳, 非臣之所言也." 傳曰:"康景禧等亦拿問." 洪廷瑞則以聞於品官鄭弘祚. 弘祚供曰:"崔永慶家在官門五里, 矣身在四十里外. 逆賊盜名[14]已久, 白日公然往來, 則豈有所謂名流者來會, 而五里之判官不知, 而四十里之品官, 獨知之理乎? 若謂之潛來, 則矣身亦何以知乎? 未嘗言于判官. 云云." 傳曰:"洪廷瑞刑推." 委官啓曰:"鄭弘祚反覆情狀畢露, 如廷瑞不宜加訊." 夜旣深, 他承旨出宜廷瑞意訊一次, 不得已又訊一次, 翌日俱釋. 崔永慶在獄身死, 鞫廳啓:"罷都事康宗允[15]不謹救護[16]以致自盡. 云云."【尹斗壽以大司憲啓:"永慶自知罪, 飮毒死, 請罷當直都事. 云云."】

辛卯閏三月十四日, 兩司合啓論罷領府事鄭澈, 依啓. 傳曰:"古者罷黜大臣, 榜示朝堂. 所以昭示罪狀於國人之耳目懲後人也. 今此澈罷職承傳, 依古事榜示朝堂."

七月, 梁千頃·姜涀等拿問, 則梁之上疏, 皆澈之所指使, 承服.

甲午八月, 府啓, 答曰:"鄭澈於予前, 以孝友稱永慶, 予思之不能省得. 但尹海平言其孝·石槨等事, 此則聞之矣."

慶尙監司朴慶新謁廟【德山書院】, 退與諸生語, 仍及己丑事."澈以委官在鞫廳, 見守愚拿入鞫廳, 勃然曰:'彼嘗欲殺我者.' 沈守慶曰:'見人將死, 惻然之心, 人所同然, 何忍發此言耶?' 一日, 上問崔之爲人, 澈對曰:'其行止詭僻矣.' 言未已, 沈守慶曰:'臣素昧平生, 始於鞫廳見之, 其容貌辭氣儒者矣.' 金命元亦曰:'臣今始得見, 果如守慶所對, 實非謀逆之人.' 尹根壽繼進曰:'臣嘗識其人, 誠孝出天, 無愧古人, 生事死葬之以[17]禮, 至爲石

---

13) 洪廷瑞云:底本에는 없다.『己丑錄』에 근거하여 보충하였다.

14) 盜名:底本에는 없다.『己丑錄』에 근거하여 보충하였다.

15) 宗允:底本에는 "允宗"으로 되어 있다.『己丑錄』에 근거하여 수정하였다.

16) 護:底本에는 없다.『己丑錄』에 근거하여 보충하였다.

梯以盡其心. 云云.’ 余時以問事郎詳知.”云.【出書院院長所記】

鄭介淸

庚寅五月, 全羅監司因朝廷分付與逆賊相切人, 搜問狀啓事, 知委各官. 羅
州鄕所及校生十餘人告：“鄭介淸與校生趙鳳瑞往汝立觀基之地. 云云.”
枚擧狀啓, 拿來.
鄭介淸元情：“云云. 本州牧使誤聞矣身虛名, 因本道之薦, 爲本州訓導,
校生洪千璟面辱矣身. 其後牧使又以矣身爲書院院長, 曾爲含怨者一二人,
倡率同類, 擅削院長. 其意不難知也, 終必欲殺之. 自謀變之後, 簧鼓譸張,
構陷無所不至. 丁岩壽上疏矣身所著‘東漢節義晋宋[18]淸談’一說, 指爲排
節義. 又出通文道內, 謂矣身托身尹元衡 · 沈通源家, 創出無形之言, 猶恐
以此不得致殺, 又以矣身與趙鳳瑞, 偕往汝立觀基之地. 羅州之人, 任意增
加矣身罪目, 至於三度, 其誣陷必殺之狀, 昭昭不可掩. 本道監司以逆黨脫
漏人摘發事, 移文本州, 儒生九十餘人齊會, 逆黨相切人全無如是告狀爲
白有如乎[19], 鄕所數人校生六七人同謀, 有此誣告, 極爲無據. 矣身實爲觀
基往來, 則逆黨何無一人發告者乎? 羅州鄕所 · 校生 · 堂長 · 有司一處
面質, 言根出處, 查覈. 云云.”
委官讞啓曰：“觀此書札, 鄭介淸與逆賊交厚締結, 果是不虛. 至曰：‘夙
欽德義, 有懷傾腸.’ 又曰：‘見道高明, 惟[20]尊兄. 云云.’ 極爲駭愕. 且作排
節義之論, 惑亂一世之人, 其爲邪說有不可言. 渠旣以節義爲排, 必好與節
義相背之事, 與節義相背之事, 何事耶?”
追供：“云云. 矣身前日所論節義淸談, 語雖有未瑩, 其實有意於培節義之

17) 以：底本에는 없다. 『己丑錄』에 근거하여 보충하였다.
18) 宋：底本에는 “室”로 되어 있다. 『己丑錄』에 근거하여 수정하였다. 이하 동일사례에는
　　별도의 校勘記를 달지 않는다.
19) 爲白有如乎：底本에는 “如是乎”로 되어 있다. 『己丑錄』에 근거하여 수정하였다.
20) 惟：底本에는 “有”로 되어 있다. 『己丑錄』에 근거하여 수정하였다.

根本. 而反謂排節義, 此非矣身本心. 抱冤無所發明者也." 推案入啓, 傳
曰:"議啓." 委官啓曰:"觀基之事, 一向稱冤, 至與鄭汝能[21]求一處憑閱,
似爲不實. 至有嘗作排節義一說, 眩惑後進, 其流之禍, 甚於洪水猛獸. 請刑
推得情." 答曰:"依啓." 刑一次, 請加刑, 答曰:"照律." 初配渭源, 更啓,
改定慶源 阿山堡.【此以上出『己丑錄』】

他書

庚寅六月, 全羅監司洪汝諄[22]密啓"吉三峯乃崔永慶"云, 一邊移文慶尙兵
使梁士瑩, 士瑩因許昕·金晬等之言, 先已逮崔矣. 崔乃就鞫, 鞫廳啓請問
於汝淳, 汝淳引濟原察訪趙應麒, 應麒引金克寬, 克寬引姜海·梁千頃. 於
是就招於監司, 仍上疏引洛下傳播之言以自證.
永慶初鞫時, 松江以手畫其頸曰:"彼公欲斫吾頭如此."【右二條, 出尹宣擧文
集】

永慶常以鄭澈爲"索性小人", 澈心常含之. 中樞府會議之日, 倡說"嶺南有
名士人有黨逆者", 意指永慶. 欲起大獄, 盡陷一道士人, 適有力辨之者, 其
說不行. 澈乃白遣近臣于嶺右, 使之直向晉州, 經詣永慶怨家, 欲採其言以
成構陷之謀. 其家不爲誣訴, 奉使之人亦不從澈意, 其事遂寢.【追奪傳旨】

時鄭澈以"嶺儒護逆", 欲逮遣御使按問. 一日, 諸宰會賓廳. 領相李山海謂
澈曰:"公欲按問嶺儒, 禮判是嶺人, 何不問其虛實?" 澈勵聲曰:"聞嶺儒
以逆賊爲冤, 至有欲爲伸救者, 不可置而不問." 先生曰:"嶺儒其麗不億,
今遣人將家到而戶詰之耶? 抑將摘發某某而問之耶? 公必欲成此事, 將大
失一國之望矣."

---

21) 汝能:底本에는 "如陵"로 되어 있다. 『己丑錄』에 근거하여 수정하였다.
22) 諄:底本에는 "淳"으로 되어 있다. 실록에 근거하여 수정하였다.

既罷出, 澈入路邊人家, 遣人邀先生. 先生詣之, 澈起迎曰：“此吾妹夫桂林君家也.” 仍召主人出拜曰：“此輩在乙巳車載, 將刑而幸免者也.” 先生曰：“若然則公之治獄, 尤當詳審23).” 仍曰：“嶺儒按問之擧, 實是意外.” 澈曰：“儒生乃公論所在, 而不知逆賊, 是以欲遣人曉喩耳.” 先生曰：“公若以至公治獄, 則人將不待曉喩而自服. 不然, 雖家置一喙, 何益? 公身爲大臣, 豈可驅一道之人, 置之於不測之地, 如東漢黨錮之爲耶?” 澈曰：“公言若是, 吾當置之.” 明日, 澈猶執前議, 請遣御史. 先生適於是日爲銓長, 以吳億齡爲人沈靜謹愼可遣, 遂應命, 嶺儒竟無事.【出『西厓年譜』】

“門庭浮薄之徒”·“治獄未厭人心”【申應榘疏語. 申乃牛溪門人.】等語24), 申君之言曰：“己卯, 靜庵之門, 可謂君子之徒, 而當時識者尙有浮薄之譏. 況松江之門, 無浮薄者厠於其間者耶. 方逆獄之起也, 前後栲掠死徒者, 豈盡一一無枉, 而松江受任廷平, 或不能堅執奏讞, 一夫含怨, 誰執厥咎, 人心之未厭, 豈可謂全無乎?” 小生仍以思之, 則松江之門, 如梁千頃之徒, 固不足責云云耳.【成文濬與尹海平書】25)

彼之專怨松江者, 似是與洪千璟爲仇, 而千璟與梁千頃出入松江之門故也.26) 松江之惡鄭介淸, 亦未必不因於此輩也.【尹拯文集】27)

介淸嘗師事朴思菴, 後乃背之. 及推問排節義論也, 介淸曰：“此朱子說也.” 松江厲聲曰：“汝何知朱子? 朱子亦有背師之說乎?” 松江嘗曰：“介淸未叛之汝立, 汝立已叛之介淸. 云云.”【出尹宣擧集】28)

23) 審：底本에는 “悉”로 되어 있다. 『西厓集·西厓先生年譜』에 근거하여 수정하였다.
24) 語：『滄浪集·上海平府院君書戊申』에는 이 뒤에 “小生亦嘗請改”가 더 있다.
25) 『滄浪集·上海平府院君書戊申』을 교본으로 삼았다.
26) 故也：底本에는 없다. 『滄浪集·上海平府院君書戊申』에 근거하여 보충하였다.
27) 『明齋遺稿·答權子定乙酉一月二日』을 교본으로 삼았다.
28) 『魯西遺稿·牛溪先生年譜後說 奉稟愼獨齋』를 교본으로 삼았다.

"澈以曲謹小廉, 盜竊虛譽, 自放於禮法之外, 奔走於勢利之場. 及其志滿氣得之後, 則耽淫於酒色之中, 所與29)其連黨結侶者, 皆是無行檢冒廉恥之輩. 自知見擯於醇儒莊士之論, 乃敢自托於節義淸談30)之流, 一以刑31)器法度爲芻狗, 終至於衒浮華亡本實, 貴通達賤名檢. 以其知識才謀爲氣槪, 又足以震耀而張皇之, 後生之浮誕輕佻不齒士類者, 相與煽動, 縱橫捭闔之辯32), 以持其說. 而漠然不知義理之爲何, 詼諧放曠, 以自逸於檢防之外, 皆害天理亂人心, 妨道術敗風敎, 至於此極矣. 介淸之學, 常以程·朱爲宗, 目擊奸臣誤世之狀, 恐爲後學之弊, 敷衍先儒之論, 著一說以救節義之流弊. 云云. 由是老奸惡其平生心術被人點檢, 敗露於君子之正見. 無以遁其情於一世之人, 欲爲蔽遮之術, 遂生射影之計. 乃於所著說上, 任加'排'字, 目之曰'排節義', 以厚誣聖聽. 至比於洪水猛獸之害, 榜示四方, 加之以逆黨之名, 古今天下安有如此等寃痛耶? 云云." 答曰 : "爾等之論至矣. 當議處." 【出羅德潤疏】 33)

至梁千頃·姜海等謀陷繫獄死, 其時余居閑. 得見其供辭, 當初互相捏造煽動, 分明是千頃之所爲. 余然後始信前日"髥長至腹"等轇合之說, 定是千頃等所爲. 【『白沙集』】 34)

白沙 李相國作『己丑錄』, 言獄事詳矣, 彼病之, 晉州本改刊白沙文集, 去『己丑錄』, 補僞作以沒其迹. 其心以爲鬼神可欺也, 百世可誣也. 然無此理, 人心不可欺, 況鬼神乎, 匹夫不可欺, 況百代乎? 【『眉叟集·愚得錄序』】 35)

---

29) 所與 : 底本에는 "若"으로 되어 있다. 『己丑錄』에 근거하여 수정하였다.

30) 談 : 底本에는 "淡"으로 되어 있다. 전례에 따라서 수정하였다. 이하 동일사례에는 별도의 校勘記를 달지 않는다.

31) 刑 : 底本에는 "形"으로 되어 있다. 용례를 고려하여 수정하였다.

32) 辯 : 底本에는 없다. 『己丑錄』에 근거하여 보충하였다.

33) 『己丑錄·乙未春進士羅德潤疏』를 교본으로 삼았다.

34) 이 부분은 『混定編錄』을 교본으로 삼았다.

35) 『記言·愚得錄序』를 교본으로 삼았다.

壬寅七月二十七日晝講, 兵曹判書申磼啓曰: "每欲仰達一言而不得矣.
逆獄時, 鄭澈密啓曰: '賊言「扼湖南之吭, 截海西之口, 義兵從嶺南起, 則
宗社殆矣」. 云云.' 上以小紙答曰: '聞此言者, 必預此謀.'云. 臣以問事郎
廳詣政院, 持封書折坼於澈前, 澈心以爲悶, 不知所答, 乃曰: '此言人人皆
言, 君亦聞之耶?' 臣對曰: '吾則無所聞.' 澈曰: '此言奇孝曾 · 李善慶言
之, 故聞之矣.' 臣曰: '此事重大, 不可不詣闕親啓.'云. 及書啓, 不書奇與
李, 以李恒福啓. 其時恒福曰: '澈自言, 故聞矣. 今乃書入吾名可悶. 云
云.'"【出權吉昌】『銀臺日記』申公 磼之兄云.

按鄭彦信初出於梁千頃 · 梁泂36)誣疏, 澈之次回啓, 極其慘刻. 宣廟不欲
以鄕儒疏有所加罪, 再三傳敎, 特令置而不論. 於是其計不成, 則又以密啓
恐動, 終致拿鞫. 及賜死命下之次, 迫於公議, 黽勉有伸救之啓, 此非澈一人
之意也. 鄭公爲北道都巡察使, 此尼胡作亂時也. 狀罷監司鄭澈, 以沈酒酒
色, 不恤軍務爲辭. 鄭公之禍, 其萌于此.
按崔永慶自起獄十餘朔, 無一人以永慶爲吉三峯者.【白沙『己丑錄』語】及其
全羅監司以趙應麒之言, 枚擧狀聞, 窮推其言根, 轉相告引, 至于梁千頃,
更無去處. 而千頃之爲澈客, 成文濬 · 尹拯已言之, 白沙亦言其捏造轇合
出於千頃, 則澈安得免指使之疑? 而畫頸斫頭之狀, 尹宣擧亦不得掩諱, 其
處心積慮如此, 則伸救之心, 從何處出乎?
按鄭介淸以學問37)之士, 有名當世, 一道之士, 擧皆趨附於澈, 而獨不往見.
又以所著節義論, 深中澈之心術, 澈必欲擠陷, 固已深矣. 然而諸賊之招,
無所援引, 始令本道査問逆賊相切人, 陰令千璟輩告之耳.

尹拯與人書38)曰: "其行狀【鄭介淸行狀】以爲: '朝廷分付搜問列邑與賊
相切人.' 而其傳【鄭之傳】直以爲: '松江令39)郡邑廉問黨與.'云. 古今不

36) 泂: 底本에는 "洞"으로 되어 있다. 實錄에 근거하여 수정하였다.
37) 問: 底本에는 "門"으로 되어 있다. 용례를 고려하여 수정하였다.
38) 『明齋遺稿·答權子定乙酉一月二日』을 교본으로 삼았다.

相遠, 朝廷安有此等分付耶? 直是無理之言耳."

尹公不見『己丑錄』及困齋供辭耶?『己丑錄』所記既如彼, 而供辭亦曰: "監司以逆黨脫漏人摘發事, 移文本州. 云云." 監司非朝廷分付, 而豈有移文摘發之理乎? 澈旣建遣御史於嶺右, 廉問逆黨, 則獨不建白分付於本道耶? 如此公家文字謂不可取信, 則怪鬼安邦俊書, 獨可信耶?

尹拯與人書[40], 論鄭困齋所著說曰: "朱子推獎節義, 特言末流之弊, 而此說則獨擧其末流之弊, 以斥節義之全體, 與淸談而歸之於亡人國之科, 可謂謬矣."

觀困齋之論, 未必如尹之言, 而設令儘如是言, 此不過措辭之有所未瑩耳. 其本意則在於培壅節義之根本云云, 則主是獄者, 其將取其著說之本意而恕之之耶? 抑將以措辭之未瑩而罪之耶? 況古今天下安有立言著書以"排節義"爲題者乎? 澈又以背師厲聲叱責, 未知當時所鞫者, 問其背思菴耶, 只鞫其與賊相親與否耶, 背師何干於獄事耶. 以此見之, 則澈之所以治獄, 專以論議同異, 出入人死生也. 師生之辨, 在尹善道國是疏.

澈棄官歸湖南, 多聚遊士之輕浮好言論者, 日夜飮酒, 譏嘲時事, 傳播遠近, 益成厲階.【出『雲岩錄』】以此見之, 則困齋節義之說, 蓋有所指而作, 而終爲殺身之階也.

汝立, 全州人, 登文科, 性麤鄙. 夙談道學, 與李珥·李潑·鄭澈等相從甚密. 有名於士類間, 皆欲引置要路, 吏曹佐郎李敬中素惡汝立爲人, 不肯擬顯地. 於是右汝立者, 以敬中爲嫉善. 鄭仁弘爲掌令, 與李珥等劾敬中防塞佳士罷之. 汝立始爲正言, 然多在鄉不仕, 益見推於人. 癸未, 李珥爲吏曹判書入對極薦汝立可用. 於是汝立爲修撰, 未久辭去. 及李珥與李潑等漸相

---

39) 令 : 底本에는 "與"로 되어 있다. 『明齋遺稿·答權子定乙酉一月二日』에 근거하여 수정하였다.

40) 『明齋遺稿·答權子定乙酉一月二日』을 교본으로 삼았다.

貳, 珥卒, 汝立更附潑, 攻珥甚急. 士類之非珥者, 皆與之交. 白惟讓與汝立
同直玉堂, 聞其論甚喜, 以其子妻汝立兄子.【出『雲岩錄』】

甲申, 特以李珥爲吏曹判書, 珥謝恩, 上引見. 珥曰 : "當今人才渺然, 處士
中可用者, 尤爲難得. 鄭汝立博學有才, 此實可用, 但有凌厲之病耳. 今者每
爲注擬而不落點, 無乃有讒間者耶?" 上曰 : "姑無毁譽. 然此豈可用乎? 凡
用人不可徒取其名, 試用然後可知也."【出『日月錄』】

憲府請罷吏曹佐郎李敬中, 從之. 敬中素無學識, 性又執滯, 短[41]於從善.
爲銓郎甚久, 頗有自擅之習. 掌令鄭仁弘惡其爲, 將劾之, 大司憲鄭琢固執
不從, 遂各啓所見, 避嫌而退. 諫院啓請遞琢, 而使仁弘出仕, 遂劾敬中罷
之. 於是厥儕輩皆懷疑懼, 浮議囂囂. 柳成龍亦頗不樂, 李珥曉譬之曰 :
"鄭德遠以草野孤蹤, 盡忠奉公. 所論雖似過中, 實是公論, 豈可非之?" 成
龍不敢言.【出『石潭野史』. 時栗谷爲大司諫】

按尹公與鄭澈書[42]曰 : "汝立反噬兩賢之後, 潑等推獎之不已. 汝立反逆,
潑等安得晏然? 云云." 夫逆賊以讀書講學, 欺世盜名, 當時知其無狀, 在上
惟聖主, 在下惟李敬中而已, 一世皆瞢然不知矣. 方其急於發身, 遊於生·
栗之門, 與鄭澈爲深交, 互相吹噓. 汝立虛名, 已隆於潑·洁, 未交之前矣.
然此在逆節未著之前, 則一邊之人, 未嘗以此爲生·栗諸公之罪. 今尹公
全掩匿生·栗推挽之迹, 獨以崇長逆賊罪潑·洁, 豈不偏乎?

尹公又曰[43] : "設若邢恕【指汝立】作逆, 而章·蔡【指李潑等】株連, 則豈
以章·蔡爲冤而有惜之之人乎? 若伊川承召旣進, 其果爲章·蔡上章而
伸救乎?" 又曰 : "孔文仲·林栗一斥程·朱, 則便爲萬世罪人. 潑也不斥

---

41) 短 : 底本에는 "獨"으로 되어 있다. 『石潭日記』에 근거하여 수정하였다.

42) 『魯西遺稿·答鄭晏叔』을 교본으로 삼았다.

43) 『魯西遺稿·牛溪年譜後說 奉稟愼獨齋』를 교본으로 삼았다.

兩賢之前, 猶可謂之名類, 既斥兩賢之後, 則其心術之邪僻, 無分於汝立.
奸魁之目, 渠固當然, 千古鈇鉞, 渠何得免? 特以重罹逆獄, 情實未著, 故一
種論議哀憐未已."

夫天下之惡, 莫大於叛逆. 雖以章·蔡之惡, 未與邴恕之逆謀而誤陷重辟,
則程子在朝, 其將斥其惡而伸其逆耶? 抑將幸其死, 而不言其非逆耶? 夫以
嘗所被斥於章·蔡而仇視其人, 重罹逆獄, 情實未著, 而不欲伸救, 則此何
等小人情態. 而生溪之心, 果出於是, 則無乃近於幸國家之禍, 爲一己逞憾
之地也耶? 況李潑居家有至行, 立朝有重名【栗谷語】, 特不知汝立之凶, 此
則生·栗之所不免. 不知何事近於章·蔡耶. 奸魁之目, 自有後世之公議,
子孫之爲其祖遮護之言, 何足爲定論乎? 孔文仲·林栗所斥者程·朱, 故
爲萬世罪人, 未知李潑所斥者亦程·朱耶?

成文濬書[44]曰: "湖李被逮, 松江叅鞫, 歸路歷訪先人, 流涕而言曰: '景
涵其賢矣哉! 吾見臨死不亂, 且其供辭激切, 若識君臣之大義者, 非賢能若
是乎?'"

成滄浪[45]書云: "申應榘疏中, 有鄭澈爲士類, 欲極力伸救, 爲李潑流涕稱
賢數款." 申公亦生門人, 而尙以己丑獄爲士禍, 而尹則以冤死諸人歸之於
奸黨, 有曰"奸黨之中逆獄", 欲以一汝立盡驅入於逆黨耳. 若如成公之言,
則鄭澈猶有以直報[46]怨之心, 若如尹公之言, 則生溪無惜之之心, 而有乘
時報復之意耳. 今觀鄭弘溟及成文濬書, 則生溪之勸澈按獄, 澈之勸生溪
赴召, 皆以獄事之波漫, 必爲搢紳之禍爲憂云. 而生溪之承召在朝七八朔,
終無一言及於治獄平反之道. 故於其心迹之間, 不能無疑, 不免身後追奪
之擧. 尹公病其言而無說可解, 則乃創爲一副當論議曰: "己丑, 諸人之死,
死於其罪, 其祖不可救之義." 至以崔守愚·李潑等, 與汝立並稱爲奸賊,
其心固已不正[47], 而是說可以解後世之惑耶? 文濬之言, 無非其父伸救諸

---

44) 『滄浪集·上海平府院君書戊申』을 교본으로 삼았다.

45) 浪 : 底本에는 "溟"으로 되어 있다. 문맥을 살펴 수정하였다.

46) 報 : 底本에는 "服"으로 되어 있다. 문맥을 살펴 수정하였다.

人之說, 而尹公則一反其說. 若非文濬誣其父, 則決是尹公誣其祖也, 必居一於是矣. 【見成公上尹海平書及尹公答鄭瀁書則可知耳.】

尹曰[48)] : "賊招中所謂三峯年・貌・居住各異, 則元不足取信矣. 然以常情度之, 則亂招雜出, 例多參差. 姓崔居晉州之說, 旣爲明白, 則雖無"永慶"二字, 不知崔者, 未免疑訝, 不可謂無是理也. 姓崔居晉州, 豈非司畜之不幸也?"

觀此語意, 則以爲雖無"永慶"二字, 不知崔者疑之, 以莫是崔永慶否也云耳. 然則不知崔者以怪似亂招置之, 死亦無不可云耶? 賊檜之以"莫須有"三字, 殺岳武穆, 不過如是羅織耳. 豈意千載之下, 又有此紹述之人乎? 內則敏學輩譸張亂語, 外則千頃等承望誣告. 除非昇天入地, 何所往而非揑合做成之地也? 是豈姓崔居晋之不幸而然歟? 言出於心, 其言如此, 則其心可知也已.

尹曰[49)] : "牛溪聞崔出獄, 送子文濬問之, 則崔自囊中出示栗谷書一紙曰 : '此書未及作答, 而栗谷遽亡, 至今傷之.' 蓋聞松江救己之言而發也."

此說其果近理乎? 栗谷卒於甲申正月, 未知守愚七八年間, 常佩持其書耶? 抑被逮之際, 取栗谷書置之囊中, 以爲哀乞於鄭澈之地也? 守愚於栗谷, 果有此存沒感念之意, 則何以前供辭以其禍源專由於排斥栗谷之致云耶? 聞澈救己而有此云云, 則其供辭必不如此以重觸澈怒耳. 尹說之罔, 大抵類此, 不足辨也. 【白沙『己丑錄』云 : "松江色頗拂然曰 : '君觀其供辭. 是何言耶? 君之崔公, 甚不好也.'"】

淸陰先生曰[50)] : "聞鼇城之言 : '按獄之時, 觀諸人對理之狀, 莫不遑遽失

---

47) 正 : 底本에는 "裨"로 되어 있다. 문맥을 살펴 수정하였다.
48) 『魯西遺稿·與權思誠論崔司畜事』를 교본으로 삼았다.
49) 『魯西遺稿·與權思誠論崔司畜事』를 교본으로 삼았다.

措. 唯崔永慶則處桁楊拷掠之間, 若在自家房室中, 神色自若, 言語不紊, 有似平居待賓客者然, 氣魄有大過人者.’云.”【『石室語錄』】先生又曰：“聽 諸老成之言, 崔永慶雖非醇正之士, 其辭連獄則不近耳.”【上同】

善山士人金宗儒字醇仲, 牛溪門人也. 爲守愚往見牛溪於坡山, 泣言曰： “守愚事, 先生不可不救. 不救, 後必有議.” 牛溪默然良久曰：“其爲人偏僻 底人, 三峯恐是渠別號.” 醇仲曰：“三峯怪鬼輩做出之言, 先生何忍發此 言乎?” 歸路訪諸友於京中曰：“守愚死矣. 牛溪無救之之意.” 自此遂貳於 牛溪之門.【出『掛一錄』及眉叟集. 宗儒名在於『牛溪門人錄』.】

甲午, 三司之啓, 申象村則曰：“澈身爲大臣, 不能遏絶不根之說, 脫永慶 於瘐死, 則雖有申救之言, 固難以申救論. 唯其落於一邊, 使永慶不免於 死[51], 是其罪也.” 李時發則曰：“永慶由澈而死. 趙盾不免弑君之惡, 殺永 慶之罪, 澈何說之辭? 而後日公論之奮發所在不容已也.” 朴東說則以爲： “永慶以山林之士, 冤死獄中, 孰不憤痛?”

守夢嘗斥松江爲小人, 諸老先生交諫而改之. 其所改見, 比之靈川之低見 者, 其輕重如何?【出尹集.[52] 守夢, 鄭曄之號, 靈川, 申應榘之號】

吳曰[53]：“吾輩當初甚以松江爲不好人. 嘗與一後生, 同謁成先生, 說松江 爲人之不好, 先生作色厲聲云云. 自是頓改前見, 不敢復有所云矣.” 然觀其 意思, 則似猶有未盡改處矣.【宋時烈記『石室語錄』. 石室問吳相答, 吳則楸灘】

【右皆鄭澈同色人之言也. 莫不以鄭澈爲小人, 崔守愚爲冤死, 則一世之公議, 可謂大定矣. 今尹 公而擧守愚於潑·立·仁弘, 謂之“染汚奸黨”. 苟如是則士之失身, 莫此爲甚. 在牛溪之道, 固當 絶之之不難, 而何以送子而慰問, 送來而資行, 聞其死而致歸耶? 汝立·仁弘逆節, 未著之前, 契分之親密, 無如牛溪. 構殺處士之後, 亦不知澈之惡, 則染汚奸黨之目, 不在此而在彼也.】

---

50) 『魯西遺稿·石室語錄』을 교본으로 삼았다.

51) 使……死：『宣祖修正實錄』27년 8月 1日 기사에는 “不能斥絶浮議者”로 되어 있다.

52) 『魯西遺稿·與宋明甫英甫論滄浪碣銘』.

53) 『宋子大全·石室先生語錄』을 교본으로 삼았다.

李蓮峯 基高之兄基櫻卽澈之女婿而早死, 其寡嫂在澈之家. 一日澈送人急
報曰: "有暴疾, 可來相見." 蓮峯馳往視之, 則嫂無恙, 而澈在座. 蓮峯怪問
其故, 澈曰: "吾有面議事, 欲君之速來, 托辭以邀之." 仍曰: "崔永慶之
獄, 當何以處之?" 蓮峯力言其無罪不可不救解之意. 澈曰: "吾亦如此, 而
生溪抵書於我有所云云, 故欲與君相議而爲之耳." 仍自袖中出示生溪書,
乃歷擧守愚之失, 無一顧惜之語. 蓮峯曰: "生溪之意雖如此, 他人不知,
而殺士之名, 獨不歸於公乎?" 如是酬酢而歸, 終不言於子弟54). 其後乙亥
年, 館學有從祀之論, 蓮峯始言前事於子弟曰: "汝輩決不可參其疏耳."
觀此則生溪與澈俱無好意於守愚. 生溪則密地勸成其獄, 而不料其澈之宜
泄如此. 澈則必欲甘心於守愚, 而猶畏其公議之嚴, 欲賣友自脫, 有此出視
其書札之事耶. 觀乎兩家之爭辨, 可知耳.

按沙溪所撰鄭澈行狀曰: "使澈不避形迹之嫌, 出膺治獄之命, 專出生溪
之勸. 起汝立擬金堤郡黃海都事之銓官彈劾事, 亦出於生溪, 生溪主張." 尹
公則外爲鄭澈, 陽爲伸辨之言, 而內則實暴揚其乘時逞憾之迹.【如困齋則厲
聲叱責, 如守愚則畫頸所頭之狀.】成文濬則以申應榘疏中"門庭浮薄之徒" · "治
獄未厭人心"等語爲是. 鄭弘溟則以文濬便生分貳之心, 指摘訾謷, 無所顧
忌爲言. 槪其二父之意, 本自如此, 故兩家子孫之互相推諉, 可謂莫顯於微.

尹曰55): "己丑事是爲士類中冤獄耶, 奸黨中逆獄耶? 果是奸黨中逆獄, 則
松江雖有未盡平治者, 不過爲張釋之所笑56)而已. 果是士類中冤獄, 則松
江雖或用意伸救, 而有不能人人而伸之者, 此適爲操縱輕重之証, 衮 · 苣
之斥, 烏得免乎? 畸菴之見, 不能劈此大頭顱, 至有文翼 · 晦齋之喩, 令人
痛歎."【與宋時烈書】

奸黨與士類之目, 後世自有公議, 非尹公所可硬定. 伸救之說, 不但弘溟之
說如此, 文濬亦言其父抵書於鄭澈, 俾救諸人之死者, 非止一再, 而今尹公

---

54) 子弟 : 底本에는 "弟子"로 되어 있다. 문맥을 고려하여 수정하였다.

55) 『魯西遺稿 · 答宋英甫』를 교본으로 삼았다.

56) 笑 : 底本에는 "嗔"으로 되어 있다. 『魯西遺稿 · 答宋英甫』에 근거하여 수정하였다.

必欲諱"伸救"二字何也? 蓋生溪於其時, 亦上言事疏, 而無一字及於治獄平反之道, 而伸救之說, 但出於文澄之私言, 不足以辨其祖心迹之怪. 故創出奸黨中逆獄之語, 盡歸冤死諸人於奸黨之科, 以掩其不救之迹. 自謂是計足以變易後世之公論, 可謂欲巧而反拙矣. 澈之讞獄, 生溪靡不與聞, 尹公已自言之, 教誘門徒, 騷擊異己, 沙溪亦不諱之. 而況又前後就死者, 無非公議相角之人, 則烏得免假名討逆逞憾酬怨之謗也? 在尹公之道, 當如弘溟之言. 然後後之論生溪者, 庶有一分寬恕之道, 而計不出此, 良可惜也. 鄭弘溟書[57]曰: "鄭介淸所著'東漢節義晉宋淸談同異論', 有'節義亡人國'之語, 出於其家文書中. 先王御覽震怒, 卽命詞臣作文攻破, 頒示諸道. 介淸[58]竄, 死於配所. 云云."

排節義之說, 已出於丁岩壽之誣疏, 而其父澈鞫廳之啓慘刻. 宣廟始命刑[59]推, 又令詞臣辨破, 而全沒其實狀, 有若其父元無構捏者然. 然其啓尙在, 安可掩也?

成牛溪渾

"壬辰之亂, 車駕西遷, 生溪家在坡州, 不爲迎謁, 其後臺啓論之.[60] 己丑逆變則托以赴難, 容易入城, 壬辰倭寇則非比己丑, 而聞變之初, 居在近地, 終不入覲. 云云."

生溪之外孫尹宣擧病其言而無說可解, 則創爲義理之說曰: "己丑則上心開悟, 且有召命, 故奔問. 壬辰則上心厭薄, 且無召命, 故不赴." 以不赴爲其祖素定之計, 以召命有無爲出處之大限, 至引楊·尹·胡三先生之當靖康·建炎, 必有召而赴, 未嘗無召而進, 謂其祖自處一法於古賢云云.

---

57) 『晦庵集·答大學士李汝固別紙』를 교본으로 삼았다.
58) 淸: 底本에는 뒤에 "淸"이 더 있다. 『晦庵集·答大學士李汝固別紙』에 근거하여 삭제하였다.
59) 刑: 底本에는 "形"으로 되어 있다. 문맥을 살펴 수정하였다.
60) 之: 底本에는 이 뒤에 "以後"가 더 있다. 문맥을 고려하여 삭제하였다.

夫平生則雖常仕之人, 未有無召而自進者, 豈有君父播越宗社顚隮, 而爲
臣子者, 自處以山林之士? 上心厭薄, 且有釣黨之目, 何可無召命而自赴國
難云而偃息在家者乎? 今以辛[61]卯事觀之, 三司論鄭澈之罪, 而未有及於
牛溪者, 宣廟亦未有顯示厭薄之色. 而只牛溪自處以澈黨, 澈旣敗, 自生疑
貳於君父耳.

有人於此隣里之間, 有些不決事. 而其人遭水火盜賊之患, 則凶其舊怨, 不
待號呼望救, 披髮纓冠而救之者爲君子耶? 反記平日之嫌而曰: "是人於
我有厭薄之意, 且無請救之事, 我何可自往?" 袖手傍觀, 不欲同其患難者
爲君子乎? 此不待兩言而決矣.

其所引三先生事亦有說. 中國士大夫與我國不同, 立於朝則有官職, 若退
處則與匹戶編氓不異, 故召則進, 不召則不得進, 其勢固然矣. 牛溪此時,
方有實職,【以大閱不得參, 上疏自劾, 乃在四月, 而西幸在是月三十日.】 而聞變之初,
終不奔問, 駕過其居, 而亦不出迎. 此與三先生事, 同耶否耶?

金公 千鎰謂栗谷曰: "我國士夫受國厚恩, 異於他國. 蓋士族則世傳家業,
有封建之義, 當與國同休戚. 云云." 若使金公不識君臣之義則已, 如其不
然, 則牛溪所以素定, 若無乃果於忘君乎? 況牛溪起自布衣, 受君父恩遇,
何如而記其小故, 忘其大德如此耶?

又曰[62]: "君子之於斯世, 將以行道也, 殉道殉身, 一斷以義. 古人有執師
道者, 有友道者. 雖以後世言之, 有守道而退處者, 有出身而事君者, 殆難以
一道求之. 文潞公以大臣而益恭, 伊川以布衣而自重. 云云."

觀此語意以爲: "朝臣之出身事君者, 義當從君子難, 牛溪守道退處, 義不
當從君." 彼則譬之潞公之益恭, 此則擬之伊川之自重. 而又隱然以牛溪有
師道於宣廟, 不當自輕云耳. 嗚呼! 牛溪實有師道於宣廟, 設如尹公之言,
子思之於魯 繆公寇來不去, 孟子之於齊 宣王有師命, 不敢請去. 是皆昧於

---

61) 辛 : 底本에는 "申"으로 되어 있다. 용례에 근거하여 수정하였다.

62) 『魯西遺稿·牛溪先生年譜後說奉稟愼獨齋』를 교본으로 삼았다.

自重之道乎? 然則『春秋傳』所謂"去國而未及仕者, 本國有亂, 歸死舊君"
者, 亦何義耶?

『荷潭錄』曰："云云. 其黨不以爲非, 至曰：'牛溪在賓師之位, 上當就謁,
彼無迎謁之禮.' 嗚呼! 朋黨之沒人是非, 至此而極矣."
設使渾處賓師之位, 當播遷蒼黃之際, 豈可安坐不動耶? 今之爲弟子云者,
爲賊所迫過其門, 爲其師者, 不致奔問之禮乎? 若果以賓師自處, 則安不動
可也, 又何緩赴行在乎? 其心必有所未安之故也.
君臣之義, 天地之常經, 雖三尺童子皆知後君之可罪, 而搢紳之徒衣食於
吾君者, 皆以渾無罪. 噫! 楊子雲「劇秦美新」校書莽朝, 韓文公·司馬公輩
皆擬之道統, 莫有非之者. 至吾朱子書之曰："莽大夫 楊雄死." 然後雄之
罪始著, 是非不待百年而定者, 殆非的論也. 始以荷潭所錄其黨之說, 決無
如此言者矣. 今見尹公之書, 則所謂"伊川之布衣自重"者, 卽上當就謁, 彼
不當迎謁之意也.
又曰[63]："辛卯, 松江之竄也, 就訣臨津, 乃人事之常. 初非造謗之端. 云
云." 夫就訣朋友, 果是人事之常, 則就訣君父, 豈臣子分外之事耶? 在私黨
則就訣, 在君父則不就訣. 處義之無據如此, 安得歸於造謗乎?
又曰[64]："辛卯之只示厭薄, 不比乙酉之書名天府."
書名天府, 而己丑則無難於出脚, 只示厭薄. 而壬辰則定計於不赴, 烏得免
乘時之嫌·遺君之謗乎?
金愼獨齋答尹公書[65]曰："凡君子之進退, 惟義理如何耳, 召命有無, 固不
足言也. 先生之進退, 其果只在於召與不召耶? 申廣州及哀侍, 觀先生壬丁
之不赴, 成川之赴召, 乃曰：'有召而不赴, 未嘗[66]無召命而自至.' 謂此兩
句可以盡蓋先生之進退, 是未察義理之爲本, 而徒以召命有無爲主. 豈不

---

63) 『魯西遺稿·牛溪先生年譜後說奉稟愼獨齋』를 교본으로 삼았다.
64) 『魯西遺稿·牛溪先生年譜後說奉稟愼獨齋』를 교본으로 삼았다.
65) 『愼獨齋遺稿·與尹吉甫書己丑四月初九日』을 교본으로 삼았다.
66) 嘗:『牛溪年譜附錄·神道碑銘』에는 "嘗"으로 되어 있다.

是語病之大者, 而其能解世人之怪乎? 急難之際, 臣子所宜自盡, 豈待召命
而進哉? 今論先生之進退, 端可主義理而言, 何可以召命有無爲哉? 若專以
召命有無爲言, 則有似君父有急而欲待召命者然, 其可乎哉? 立言固不可
不審矣. 似聞先生亦有此等語云, 而是則一時避嫌之言也. 其可以此通論
先生之進退乎?"【出愼獨齋集[67]】

宋時烈書曰:"壬辰一款, 吾輩亦未歸一. 云云."

尹公答書曰:"沙溪老先生在辛卯往拜坡山, 講得去就一事, 豈非十分明
白乎? 牛溪素定義理得失, 實是豫量而行之者也. 及其臨亂之際, 若有召命,
則又安得不赴? 而召命終不下, 尺步不敢自進. 古今天下, 若有無召自進之
賢, 則牛溪之迹, 猶可議也. 老先生執當初仰質之意, 嘗以爲'不無可怪'云.
非獨先生之見爲然, 牛溪門下黃・吳諸人, 亦皆疑之矣. 至於今日, 一斷以
牛溪之義, 而盡掃諸疑, 固不可得矣. 若或因老先生之疑[68], 而遂謂牛溪出
處未免差舛云, 則不但有害於儒者進退之大防, 抑將得罪於老先生之門.
云云."【出尹集】[69]

清陰先生曰:"初若赴亂, 則畢竟似無詭詭之端矣."[70] 槪尹公及其徒三次
請改碑文, 而淸陰終不許. 有此敎亦不赴難爲不是耳.【出『石室語錄』】

或問[71]:"松江讞獄之事, 先生何必與聞以速一邊之謗耶?" 尹答曰:"先
生與松江, 情分旣厚. 松江有問, 寧有不答, 先生有懷, 亦豈不言? 答問告戒,
而松江事業, 實多可觀者."

牛溪勿論他事, 卽此一事, 安有如此[72]人乎? 臺啓所謂"渾之門設一刑獄"
者, 定非虛矣. 如因牛溪之告戒, 而得免於毒手, 則必有其人, 未知何人得生

---

67) 『愼獨齋遺稿・與尹吉甫書己丑四月初九日』.
68) 疑: 底本에는 "搔"로 되어 있다. 『魯西遺稿・答宋英甫』에 근거하여 수정하였다.
69) 『魯西遺稿・答宋英甫』를 교본으로 삼았다.
70) 『魯西遺稿・石室語錄』을 교본으로 삼았다.
71) 『魯西遺稿・牛溪先生年譜後說奉稟愼獨齋』를 교본으로 삼았다.
72) 此: 底本에는 뒤에 "山"이 더 있다. 문맥을 고려하여 삭제하였다.

溪之伸解而生活. 澈之事業之可觀者, 何事耶? 牛溪以澈爲心腹, 凡其讞獄無不與聞[73], 而其騈首就死者, 無非平日論議相角之人. 而敎其門徒, 駁擊異論之人, 便成權奸貌樣, 安得免黨奸之目也. 宣廟之敎曰: "澈之所以恣行至此, 而無所顧忌者, 以其成渾爲之主也." 誠千古斷案也.

李栗谷珥

西人以栗谷爲大賢, 比之伯程子, 而東人以栗谷爲小人, 比之王安石. 世必有大眼目大心胸, 然後可定其是非, 而竊有不能無怪者, 玆記于下.

栗谷理氣說書下, 自註分明, 以朱子"或生或原"之說爲互發之論. 而乃反謂"退溪之病, 專在'互發'二字", 此甚可怪.
又曰: "人心道心立名, 聖人豈得已也?" 或曰: "立言曉人, 不得已如此."
或曰: "聖賢之言, 意或有在, 不求其意, 徒泥於言, 豈不反害乎?" 或曰: "朱子'或生或原'之說, 當求其意, 不當泥於言."
夫大舜之分言人心道心, 朱子之以"或生於形氣, 或原性命", 分釋人心道心之所由發. 此爲萬世學者, 指示其用功之方, 有何不得已之事也? 設若後學不能得聖賢之本意, 則何不明言其有在之意, 開示其當求之道, 使學者無泥言誤見之害耶? 此甚可怪.
又其自許, 則或曰: "發先賢所未發." 或曰: "聖人復起, 不易斯言." 或曰: "建天地而不悖, 俟[74]後聖而不惑." 此等言議, 無乃近於偘然自高底意思, 而不待復起之聖人? 趙聖基·林[75]象德輩有指摘之學術者, 此似少含畜底氣像, 此甚可怪.
又曰: "聖賢說亦有未盡處, 但言'太極是生兩儀', 不言'陰陽之本有, 非有

---

73) 聞: 底本에는 "門"으로 되어 있다. 文脈을 고려하여 수정하였다.
74) 俟: 底本에는 "竢"으로 되어 있다. 文脈을 고려하여 수정하였다.
75) 林: 底本에는 "朴"으로 되어 있다. "林象德"의 誤記로 보아 수정하였다.

始生之時也.'" 誠如是說, 則夫子·周子何以見不到於栗谷所見處耶? 此甚可怪.

又曰 : "理氣元不相離, 不可言合." 此理氣一物之說, 而特變文立說耳. 一物二物之論, 乃儒釋之所由分, 此甚可怪.

又於心性靜圖中, 森然已具之仁義禮智之性, 闕而不書, 有似乎虛空底性, 此甚可怪.

又栗谷代撰白休菴疏, 論東西黨論之禍, 而有曰 : "殿下必欲調和鎭定, 則必得士類之見明心公, 人所信服者, 引以爲腹心, 打破東西. 云云." 未久栗谷爲大諫, 上疏斥義謙之失, 稱孝元之長, 以求至公之名. 不言中隱然有自薦, 以心公見明之人, 此甚可怪. 栗谷非不爲打破朋黨之論, 而觀乎與牛溪書, 則以是西非東之心爲調劑和平之論, 此甚可怪疑.

『日月錄』云 : "三諫臣竄逐之後, 栗谷以吏判入侍, 白上曰 : '比如十人作賊, 三人獲重罪, 七人晏然着紗帽行公, 於王典偏頗. 云云.'" 是果欲爲三竄請寬其罪耶? 旣曰 : "三人獨被重罪, 王典偏頗." 則是欲盡斥一邊人, 而作賊之喩, 絶不類士夫口氣, 此甚可疑.

栗谷疏箚及『東湖問答』頗有要君自衒底意思, 無乃自信其才智, 急於一試而然歟? 此甚可怪.

『石潭日記』曰 : "滉自度才智不堪當大事." 以此小退溪, 而其所自許則以經濟爲己任. 是不唯不知退溪, 亦不量時世與自己才德矣.

退溪與奇高峯書略曰 : "學未至[76]而自處太高, 不度時而勇於經世, 此取敗之道." 又曰 : "所學未爲實得, 而人之處我已可駭, 不以聖人[77]地位推之, 則以聖賢事業責之. 若不知懼, 又受而自處, 則其名實未副之處, 未免有文飾蓋覆, 而自欺而欺人, 此勢所必至. 其末之顚躓, 何足異哉?"

至哉言乎! 此非爲高峯設也. 於其栗谷事, 若燭照龜卜. 未知栗谷身親經歷之後, 能知退翁之不可小? 而亦能自悔其勇於經世也否乎? 設使栗谷之才

之德, 眞能陶鑄三代之治, 而三臣之論斥, 直不免讒憸小人之歸, 其不知時
之難易, 都要硬做, 一敗塗地, 使世道橫潰, 莫可收拾[78]者, 是誰之過?
又況其所謀猷擧措, 未足以厭服人心, 則又豈可專歸之三臣之媢嫉耶? 善
乎! 李澤堂之言曰: "退溪深懲往轍, 一味退謙, 世議無所加, 而儒風不變,
國家有賴." 是眞知退溪也.

栗谷以退溪之學爲因文悟道, 卽比之韓文公耳. 不但此也, 乃作所見三層
之說, 譏嘲玩侮, 無所不至. 蓋其意每欲抑退溪而自上之, 此甚可怪可笑.

東皐 李相國卽我朝之韓魏公也. 臨沒上遺疏言"朝臣將有朋黨之漸". 宣廟
驚, 問于下, 栗谷上疏極詆之曰: "浚慶藏頭匿形, 鬼談蜮說." 又曰: "浚
慶之言, 媢嫉之嚆矢, 陰賊之赤幟." 又曰: "古人將死, 其言也善, 今人將
死, 其言也惡." 其所聲罪, 殆無以加焉. 然而東皐沒未數年, 朝論崩析, 其禍
滔天, 至于今而極矣, 則其先見之明, 非一時諸公所可及耳.
東皐嘗謂白休菴曰: "爾之李珥, 何言輕也?" 【『石潭日記』】 又一日早朝, 東
皐與諸公詣凉廳, 栗谷盛言舊章之不可不變更. 東皐不應, 徐曰: "然則後
朝鮮也." 栗谷不悅云. 【『記言』】 以此見之, 則栗谷之不爲東皐所喜, 可知.
然豈爲不見知之故, 而有此極力詆斥耶? 是甚可怪.
栗谷 沙溪以爲: "東皐使其再從弟元慶, 通于鄭昌瑞, 欲禍士林再發而不
成." 云. 鄭昌瑞卽宣廟之內舅也. 果如是言, 東皐所爲何以異於袞·貞·
芑·元衡也?然而後世稱爲賢相而無二辭, 何也? 自古亦有歷擧言根出處,
以取信於他人之君子乎? 此甚可怪. 【歷擧言根, 沙溪事.】

宣廟朝耆舊諸臣, 深創於己卯之事, 排抑紛更之言, 必欲謹守舊章, 栗谷並
皆目之以流俗. 昔王安石斥韓魏公曰: "陛下一與流俗合, 則天下之勢, 歸
於流俗." 此眞離間舊臣之好題目, 而有似乎同出一手, 此甚可怪.
退溪論晦齋學問曰: "精詣之見, 獨得之妙, 求之東方, 鮮有其倫." 而栗谷

---

78) 拾: 底本에는 "捨"로 되어 있다. 문맥을 살펴 수정하였다.

工呵巧摘, 至謂之不可以道學推之, 其與不可輕論先輩之訓異矣. 此甚可怪.

觀乎『石潭日記』, 則筆下無完人, 雖以晦·退之大賢, 猶不免雌黃貶薄. 而獨其所深許與者, 卽汝立·仁弘·李山海·鄭澈等若而人, 而如金鶴峯則斥之以怪鬼, 專以異己者惡之, 同己者悅之. 其於明誠正心之學, 有所未至歟? 此甚可怪.

觀林公 泳與朴公 世采書, 則所謂"栗谷別集"中與人問答書, 害理悖義處, 無不刪改添補, 而成出文字, 盡變其本意, 今難一一盡記. 其中如"太極無流行"·"理氣爲一物", 乃栗谷學術頭腦所在處也, 已言于本集論四七書中, 今乃改作別人書, 謂之"栗谷別集", 以爲眩耀之地, 此甚可怪.

林集論栗谷入山事曰[79] : "謂之處變得宜, 謂之能權則不可. 惟其誠心惻怛, 庶幾感悟之意, 可質百世, 亦可謂'知仁之過'. 學禪事, 亦出於仁愛切至之致也." 蓋其父子之間, 有至難處之事, 不得已入山, 以冀其感悟云耳. 古之孝子於其父母, 不見其不是, 過則號泣而隨之者有之, 未聞絶其慈愛入山爲僧. 或謂之"出於誠心惻怛", 或謂之"仁愛切至", 勿論入山是非, 其果與本事毫髮近似乎? 此甚可怪.

按尹公以生溪之不爲奔問爲素定之義, 今尹公以栗谷之入山爲僧爲"知仁之過". 古之聖人以未有仁而遺其親, 未有義而後其君, 垂訓於後世. 今之君子以遺親後君爲訓於後世, 彼之所謂義理, 大抵類此.

『雲岩雜錄』云 : "李叔獻少喪母, 父元[80]秀遇之不善, 珥發憤逃去, 入山爲僧, 名義庵[81], 遍[82]遊楓岳·五臺諸山. 性穎敏能詩, 有'前身定是金時習, 今世還爲賈浪仙'之句. 二十後, 長髮還家, 有名於士類中. 甲子生員壯元,

---

79) 『滄溪集·栗谷別集疑義上朴玄江』을 교본으로 삼았다.

80) 元 : 底本에는 "蘭"으로 되어 있다. 『雲巖雜錄』에 근거하여 수정하였다.

81) 義庵 : 底本에는 "倚岩"으로 되어 있다. 『雲巖雜錄』에 근거하여 수정하였다.

82) 遍 : 底本에는 "偏"으로 되어 있다. 『雲巖雜錄』에 근거하여 수정하였다.

欲謁聖, 館中諸生以曾爲僧, 拒而不納. 與同榜坐碧松亭, 日晩不得入, 談笑自若無作色. 館博士權[83]文海强諸生力解, 遂得行禮而出."【西厓同年】

按金時習之句載於許筠『國朝詩刪』, 栗谷之徒以爲"筠僞作", 毁其板. 近世朴泰淳重刊於廣州, 臺啓峻發, 至請削職, 又毁其板. 朴乃時輩也, 仍此坎坷云. 今載於『雲岩錄』, 則其非筠僞作, 可知也.

宋大諫 應溉之啓曰:"珥一緇髡也, 斷棄君親, 得罪人倫. 化身還俗, 豢養權門, 一世清流, 不容假貸. 初選上舍謁聖之時, 館中多士羞與爲列, 不許通謁. 沈通源遣其子鏵, 奔走先後, 乃得行之. 及其出身之後, 爲沈義謙所薦拔, 得通清顯,結爲心腹. 云云."
白沙撰栗谷碑云:"十八, 有求道之志, 放跡山寺, 偶閱釋氏書, 感生死之說. 又聞其所謂頓悟法, 乃曰:'周道如砥, 何如捷之速也?' 十九, 出家入金剛山, 堅固戒定. 云云."

按白沙必據門徒之所撰行狀而書之如此. 今其徒以爲初無落髮之事, 若無落髮之事, 而謂之出家, 則是門徒誣其師耳.
沙溪問栗谷曰:"先生在楓岳時, 未嘗變形乎?" 栗谷笑曰:"旣已入山, 雖不變形, 何益於其心之陷溺乎? 此事不須問也." 尹拯書曰:"栗谷眞有入山之失."
宋時烈題「林石川詠[84]'秋天'詩後」曰[85]:"云云. 栗谷入山, 正在甲寅歲, 石川之拜東伯, 亦在是歲. 而其詠'秋天'詩曰'與李生云云', 夫栗谷春初入金剛山, 而其秋與石川共賦'秋天', 則其間時月, 恰成半歲, 而正符詩中'半歲留'之句矣, 未知何暇長髮而出山乎? 只以此證之其不變【此辨尹拯書】

---

83) 權 : 底本에는 "朴"으로 되어 있다.『雲巖雜錄』에 근거하여 수정하였다.

84) 詠 : 底本에는 "泳"으로 되어 있다.『宋子大全·書林石川詠秋天詩後』에 근거하여 수정하였다.

85)『宋子大全·書林石川詠秋天詩後』를 교본으로 삼았다.

形, 萬萬[86]無怪. 而今之言者, 必欲證成其削髮之事, 抑獨何心? 良可痛惋."
『寒暄雜錄』云: "沈義謙嘗遊山, 逢着栗谷於山寺, 與之話. 惜其文才, 勸
令還家冠顚, 則曰: '我無面見父母. 我母家是江陵, 令欲向江陵.'云. 義謙
乃爲之裝送江陵, 冠而帶之, 卯而育之."

按柳西厓·宋大諫及館中諸儒, 皆以同時之人, 乃其耳目所及之事, 故其
言如彼, 豈盡有惡於栗谷而然哉? 若不變形, 留半年而歸, 則是遊山客, 讀
書生耳, 館儒何至不許謁聖, 白沙何忍以出家書其碑耶? 若不變形而謂之
出家, 則是白沙誣栗谷耳. 自宋大諫論啓, 及乙亥從祀疏, 以後攻斥者, 必擧
此事爲栗谷大疵累, 而其徒無敢顯言其不變形矣. 近世時烈之輩, 始以入
山事爲仁者之過, 亦無變形事云. 姑勿論變形與否, 當其入山時, 告於其父
而行耶, 抑不告而去耶? 揆以常情, 似無許之之理, 然則烏得免"逃"之一字
乎?

栗谷詩曰: "我似當年杜牧之, 看花偏愛未開枝. 丁寧芳約君須記, 莫使尋
春恨較遲." 題以"戲贈松溪". 有側室少女, 頗有姿色, 故戲作.【庚申年】

栗谷理氣說云: "雖千百雄辨之口, 不能變珥之見." 夫義理無窮, 故雖以
孔子之大聖, 亦曰: "三人行, 必有我師." 未知栗谷所造, 已到何等地位,
而其所信己而拒人, 若是之固耶? 若使久執國柄, 則其能無强度自用之病
耶? 是甚可怪.

晦隱 南鶴鳴記其先相公藥泉之語[87]曰: "吾點檢立朝事, 有可悔者三. 一
則甲戌後卽復生·栗兩賢從祀時, 不得請小遲遲, 以示愼重之意. 蓋一番
人入卽黜之,[88] 一番人入則復之, 事體不敬故也. 云云."

---

86) 萬: 底本에는 누락되었다. 『宋子大全·書林石川詠秋天詩後』에 근거하여 보충하였다.
87) 『晦隱集·先考遺事』를 교본으로 삼았다.
88) 一……之: 底本에는 없다. 『晦隱集·先考遺事』에 근거하여 보충하였다.

所謂遲遲者, 欲待何時耶? 欲待論議之歸一, 則黜之者之論, 必無與復之者, 相合之理. 此則雖至愚者, 亦所知之, 豈以藥泉而不知耶? 其微意所存可知. 而藥泉與晦隱書曰[89]: "吾於庚寅, 曾一參從祀疏, 至今恨之."云, 其意所在, 尤蓋分明耳.

栗谷有盛名於士類, 其所自處, 不在高峯之下, 而退溪先生之薦士也, 薦高峯而不及栗谷, 何也? 蓋觀先生之敎戒, 則曰: "持心貴在勿欺, 立朝當戒喜事." 栗谷一生, 不出此十二字, 其肯捨彼而薦此哉? 且知其爲異端之學, 故又以"新嗜靡甘, 熟處難忘"之語, 警惕之. 栗谷之隨事詆先生, 未必不由於此也.

栗谷奉敕製進人心道心說, 有曰: "今之學者, 不知善惡由於氣之淸濁, 求其說而不得. 故乃以理發者爲善, 氣發者爲惡, 使理氣有相離之失, 此未瑩之論也. 云云." 昔朱子之尊, 尙無如程夫子, 而言或有差, 則必指陳而縷析之, 雖斯門之說亦然. 後學未嘗以此小程子·延平, 而以非毀先賢怪朱子. 栗谷如以退溪說害於理, 則當曰"李某說未免差失"云爾, 則夫誰曰不可? 今乃不然, 匿其姓名, 或謂之"求其說而不得", 或謂之"未瑩之論", 有若讒間者然, 此何意也?

栗谷嘗以聖學圖質問於先生, 先生答曰[90]: "有不善, 從而改之, 雖多不厭." 栗谷果有怪於理發氣發之說, 若於此時有所仰扣, 則先生必不吝於捨己從人矣. 不此之爲, 退有後言, 何也? 噫! 先生歿, 未及葬, 已與生溪論四七說, 而謂之邪正所由分, 隱然以先生之學, 歸之於邪學異端. 今又製進是說, 蓋必先行其排擯之說於君父之前, 故有此製進之命矣. 是豈無心而爲之者哉?

栗谷嘗以爲晦齋不可推之以道學. 曾在甲辰, 館學有五賢從祀之疏, 宣廟於晦齋大加貶斥以爲"不當厠儒先之列", 數其失而絶之, 累數百言. 有曰: "是非之心, 人皆有之, 自當得之於良知之天, 不必惑於李滉之說也."

89) 『藥泉集·寄兒戊子四月二十日』을 교본으로 삼았다.
90) 『退溪集·答李叔獻』을 교본으로 삼았다.

宣廟之不滿於兩賢, 乃栗谷讒說之行也. 是誠何心哉?

栗谷所進人心道心說中, 有"精盛思室"之語, 結之以皆理也. 論人心何患無其說而必以如此醜褻之言發於口, 而進於君父之前乎? 若曰"食色亦自有其理", 則可也, 直謂之理, 則無乃認人慾作天理乎? 且其所論無非借聖賢說, 以傳己說. 而如子思說, 則援"中節"二字, 而云"已發謂之和". 是似以勿論精之中節·不中節, 皆謂之和也. 如程子說, 則去其幹轉語, 但云"善惡皆天理". 如朱子說, 則截頭斷尾, 孤行一句云"因天理而有人慾", 合而言之曰"皆此意也". 有若二先生眞以善惡人慾論天理者然, 可謂倡狂自恣甚矣. 善惡由氣之清濁之說, 趙聖期之辨詳矣.

『滄溪集』曰91): "栗谷謂'牛溪旣知理氣一瞬不相離, 而猶變92)着互發之說'. 愚未知所謂'理氣不相離'者, 指何理而言耶. 但如此則所謂'理'者, 若非空虛無主宰之物, 卽是夾93)雜汨董之物矣, 此非聖賢相傳相授純粹至善之理. 此豈論理氣體用周遍而精審者?"

又曰: "人不能循理, 甚94)至於'一切悖理'者, 又何自而然乎? 此時固不可遷理離於氣, 只由於氣之作用而非干理事也. 亦豈可以'一切悖理'者, 同於'一切循理'者, 渾稱曰'氣發理乘'乎? 云云."

又論栗谷說曰: "以太極陰陽, 明心性之非二物, 則理氣眞一物矣."

又曰95): "太極謂之'動而無動, 靜而無靜'則可也, 直謂之'不動不靜'則不可也. 太極之體謂之'含動靜'則可也, 今言'不動不靜', 而又謂之'含動靜', 則是太極終無流行之時, 未可也. 且循環不已, 專謂之氣, 亦恐未洽."

李敬叔曰96): "竊詳栗谷所謂'理'者, 自是無用之物, 其主乎用者, 只是一箇氣而已. 要其歸而觀之, 彼存此發, 彼靜此動, 其首尾本末分明是一般物事. 然則所謂理者, 不過爲氣之不動底根柢而已矣. 此其所以爲認氣爲理

---

91) 『滄溪集·日錄甲寅』을 교본으로 삼았다.

92) 變 : 底本에는 "戀"으로 되어 있다. 『滄溪集·日錄甲寅』에 근거하여 수정하였다.

93) 夾 : 底本에는 "灰"로 되어 있다. 『滄溪集·日錄甲寅』에 근거하여 수정하였다.

94) 甚 : 底本에는 "正"으로 되어 있다. 『滄溪集·日錄甲寅』에 근거하여 수정하였다.

95) 『滄溪集·栗谷別集疑義 上朴玄江』을 교본으로 삼았다.

96) 『愚潭集·答李敬叔別紙庚辰』을 교본으로 삼았다.

之病而流於異學者也."

栗谷曰[97]："氣之聽命與否, 皆氣之爲也, 理則無爲也." 又曰："聖賢千言萬語, 只檢束其氣." 夫如是則所謂"聽命"者, 聽命於何處? 所謂"檢束"者, 檢束以何物耶? 此以目視目以口吃口之術, 吾儒家無此心法耳.

又曰："道心爲[98]本然之氣." 趙聖期曰[99]："以心善惡, 只屬乎氣之淸濁, 則是理無所與於善惡, 而所謂'理'者, 直是一箇儱侗物事, 有亦可無亦可. 云云." 又曰[100]："性者理氣之合也." 此等語句, 烏得諱禪乎? 朱子曰："儒一而釋二." 蓋儒者之言性, 性只是理. 釋氏之言合理氣者謂之性. 上蔡曰："釋氏之言性, 如儒者之言心."

謹按栗谷之學, 一傳而爲金長生, 再傳而爲宋時烈. 至于今日其禍滔天, 學術之害, 一至此哉? 又按栗谷分明禪學之改頭換面者也. 其徒之祖述其學者, 浸浸然入於老·佛, 此必然之理也. 不出數十年, 佛道之大行如麗氏之世, 可坐而策, 豈不寒心哉?

金長生

『沙溪集』只數卷而無非黨論. 以繼輝爲父, 栗谷爲師, 安得不然? 無怪乎鑄出時烈輩耳. 在退溪專事索疵, 至以"理氣互發"爲"太極陰陽之不可謂互動", 雖粗解文理者, 亦所不道, 而謂退溪之言如此, 然則朱子"理之發, 氣之發", 亦如此看耶? 以栗谷理氣說爲通透洒落無不曉然, 其意欲抑退溪而尊栗谷之計也. 此栗谷之本意, 故沙溪卽師承之耳.

栗谷所謂"氣之聽命與否, 皆氣之爲也, 理則無爲也". 然則理不過儱侗無

用之物也. 所謂"陰靜陽動, 機自爾也, 非有使之者也". 然則所謂太極者,
有亦可無亦可之物事也. 所謂"人心皆從變理變氣中出來也". 然則聖人之
飢欲食渴欲飲, 亦從變理變氣中出耶?

如此處不可盡記, 不知何說通透洒落耶. 此自是栗谷之學, 以吾儒之見見
之, 則未見其通透洒落也. 宜乎長生之未透於退溪之說也. 然長生若知理
氣, 孰不知理氣也?

退溪論禮文字, 未滿七八十條, 而可疑處付籤者, 至於七十條云. 是盡以退
溪說爲非也, 豈其然乎? 所謂『喪禮備要』即申義慶之所纂輯者也. 長生之
子集與其徒修潤, 以長生之名爲之序, 行于世, 可笑. 此與栗谷別集事相同
耳.

沙溪以人之同於生·栗者爲賢, 貳於生·栗爲邪. 撰鄭澈行狀, 極意淸脫,
安有如許言諭耶? 栗谷之所期許無如仁弘·汝立, 仁弘·汝立之尊慕栗
谷, 世無其比. 若使兩賊終不背生·栗, 則雖有後來之凶賊, 亦將伸脫而置
之無毀之地耶?

沙溪與人論黨論源委, 而以退翁·南冥兩先生爲禍首, 噫噫! 痛矣. 兩先生
本不相許之說, 尤無據. 南冥學術, 不能無少差, 退溪與門人, 雖有點檢之
語, 豈可以此不許南冥? 而南冥則以王佐之學許退溪, 是果兩不相許耶?
李龜岩以河家淫婦事, 橫遭逆境, 以書問處變之道, 退溪答以自修無辨之
意. 龜岩不必傳說於南冥, 南冥若見退溪書, 則南冥何獨於奇高峯忿罵大
怒, 而終無一言及於退溪耶?

以此見之, 兩先生本無爭競之端, 又豈有分門各立之事耶? 又以爲: "金孝
元以排斥奇高峯爲南冥所喜而得銓郎. 東皐爲南冥是非而愈激, 欲罪士
類."云. 然則所謂士類者, 是西人耶, 東人耶? 若以東皐·省庵左袒於南冥,
而省庵末流, 至於廢大妃而極云爾, 則是將以南冥門人爲東人也, 然則退
陶門人盡爲西人耶? 自有色目以來, 嶺以南未有西人之名, 何以云嶺南東
西之論, 由此激發耶? 若如是言, 則退門諸人盡黨於南冥, 而反攻其師門,

沮遏從祀之擧耶? 此不過點染兩先生. 並及於東皇, 而全脫沈義謙之用事植黨, 又歸金孝元於小人之科耳. 仁弘自以戾氣所種爲廢母之首惡, 則何與於嶺南, 而擧一道而盡歸之於惡逆之地耶? 其言專出於捏造, 故或曰:"輾轉層加, 至於廢母而極矣." 或曰:"浚慶以南冥是非而欲罪年少士類." 其言專無分曉, 可謂遁辭, 知其所窮也. 若曰"欲罪年少士類", 則栗谷每以西人爲前輩士類, 以東人爲年少士類, 然則東皇欲罪者東人也, 非西人也. 白地杜撰, 故言言而自相矛盾如此耳.

趙翼

翼, 當丁卯之難, 方爲開城留守, 敵兵屯平山. 平山距開城, 未滿百里, 翼來舟避難. 若使虜騎長驅向京城, 則本府以直路拒鎭, 無人撝呵, 豈不寒心? 而難定後, 始乃入朝, 朝廷不之問. 又於丙子之難, 以禮曹判書將隨駕入城, 稱以尋見老父, 中路逃去, 入海島中避難. 朝廷論罪付處, 俄收敍, 至據鼎軸101), 其徒稱以浦渚先生, 立書院, 俎豆之.【宋時烈所撰神道碑, 亦不能全然掩諱.】

一自生溪不爲奔問, 以臨危棄君, 便作自中之義理. 丁卯之難, 人有問於朴知誡以去就, 答曰:"吾學生溪之不赴." 金自點以都元帥避難于彌原, 沈之源以吏曹參議逃活草間, 皆入台閣. 名節之凌夷, 刑102)章之紊亂, 莫此爲甚.

尹鑴之改『中庸』註, 誠妄矣. 然此則不過爲篋笥中私記而已. 至於趙翼則投進四書困得, 而其書盡出朱子集註, 自以己意註釋, 間取朱子說以付之云. 此則朱說近是, 是其意, 將欲以其說易一世, 豈不寒心哉? 然而鑴則見忤於時烈, 被刑死, 趙則不唯無敢非之者, 其徒之尊崇無比, 亦可以觀世變

---

101) 軸:底本에는 "輾"으로 되어 있다. 용례를 고려하여 수정하였다.
102) 刑:底本에는 "形"으로 되어 있다. 문맥을 살펴 수정하였다.

也.

趙公上疏論栗谷學問曰：“理通氣局之論, 發先賢所未發, 出人意表, 無不
斂衽屈膝.” 未知趙公能知栗谷旨意而有此云云耶. 抑以其不見於經書及
先儀說, 故喜其新奇, 有此贊歎耶? 栗谷以人物之性, 譬之大小甁之皆空,
以爲“人撫仁義禮智之性, 物亦同然, 謂之理通. 云云”. 氣局之說, 宋時烈釋
之曰：“陰不得爲陽, 陽不得爲陰, 故氣局.”云. 栗谷之意, 若出於此, 則尤
可笑. 朱子曰：“陰陽五行, 不失其端緒者理也.” 陳北溪曰：“自古及今,
無一毫之妄, 萬古常常如此者, 皆眞實道理主宰也.”
以此言之, 則理宰乎氣, 故陰不得爲陽, 陽不得爲陰耳. 若無是理, 則天地廢
而日月墜, 陰陽錯行, 而晝夜失序久矣. 且以學者言之, 若能窮理修身, 變化
氣質, 則偏者可變而至全, 濁者可變至淸. 是果氣一局定而無所變耶? 若諉
之於氣局, 而無所自治, 則天下之人, 必將相率而自暴自棄矣.
又曰：“若擧七情之惡者, 與四端爲對則可. 李某四七相對之論, 未免少
差.” 趙公徒知七情之有善有惡, 而不知七情之中, 自有未善未惡, 但發於形
氣者, 故其言如此. 然則朱子何以云“雖聖人不能無人心, 如飢欲食渴欲飮,
是也. 雖下愚不能無道心, 如惻隱羞惡, 是也”. 豈非以四端對七情爲言, 而
欲食欲飮, 是果惡底情耶? 是故退溪亦曰：“七情公然平立底物事也. 七情
旣不能如四端之直發於理, 而純善無惡, 則但喜但怒但哀懼之類, 出於知
覺者, 非氣而何?” 自謂精[103]思而恐不能精思耳.

又曰：“四端只拈出情之善者言之, 七情之外, 更無他情也.” 此栗谷之說
也. 苟如是說, 則孟子何不曰：“喜是仁之端, 怒是義之端.” 而必擧惻隱羞
惡, 而謂之仁義之端耶? 四端亦情也, 然若與七情無異措, 則四端何以自聖
人至下愚而純善無惡, 七情何以有善有惡, 或未善未惡者耶?
孟子發前聖之所未發, 而朱子歎美其有大切於後學. 今爲栗谷之說所掩翳,

---

103) 精：底本에는 “情”으로 되어 있다. 문맥을 살펴 수정하였다.

將爲無用之空言, 可勝痛哉! 若只是拈出七情之善者而謂之四端, 則子思所謂"喜怒哀樂發而中節者謂之和", 一句語足矣, 何必爲贅剩之說耶?

丙子之難, 趙公避難于大阜島, 適値丁丑上元日, 趙設藥飯, 請同在島中者數人, 要與共之. 盤進, 有一士人, 終不擧箸. 趙曰: "此飯雖不好, 亂離中亦自不易, 何不喫之?" 士人曰: "公聞這砲聲耶? 君父在圍城中, 亦進此飯未可知, 雖欲食, 食不下咽, 故不能喫." 因泣下泫然, 座中皆却食云. 其時同在島中之家, 詳知此事, 而傳之如此.

尹宣擧 尹拯

尹公在丙子之前, 以布衣上兩疏, 氣節凜凜, 若可以嚇走虜差, 儡死我使. 及其臨患難, 盡喪其所樹立, 此無他也, 內無實得而外爲大言. 以沽名欺世者, 未有不取敗, 後之好談論賭聲利者, 可以此爲戒耳.

尹公在江都, 與權·金兩友約死, 則一死固其所也. 設或不死, 旣非有官守者, 則亦不可以不死爲大累. 然在尹公自處之道, 置死生於度外, 偶然不死, 則人誰非之? 而今乃不然. 求爲珍原君奴子, 毁其冠服, 甘爲賤隷, 而脫出圍城, 專以偸生苟活爲心. 不復知世間有名節羞恥事, 當此時請斬虜使之義何在? 若使羅德憲輩見之, 豈不竊笑之乎? "求見老親, 死于南漢"云者, 不過爲自文之辭耳. 南漢獨無珍原君乎?【必欲求見老父而死, 則何以縱先與友約死耶?】

當禮論之始也, 尹拯抵其父書以三年爲是. 及其時烈大加咆喝以爲: "吉甫於希仲, 不問是非, 必從希仲說." 尹之父子卽變其說曰: "朞年爲是." 投合時烈. 故希仲祭吉甫文曰: "我謂君不能自樹立者." 此也. 然吉甫文集中, 亦未有力主朞年之處. 蓋其意雖出於不得已, 變其初見, 亦知其是非所在而然歟?

尹公曰[104]: "善道乃毅中之孫也, 毅中卽潑之舅也. 以潑之一家人, 敢伸

介淸之事, 特是罪家子弟, 自文之辭. 云云." 如此法律, 乃商鞅之所造耶,
俊臣之所製耶? 李潑固與孤山爲異姓親也, 未知介淸與孤山爲親戚耶姻婭
耶? 抑介淸連累於李潑而死耶? 何以孤山不可訟介淸之冤耶? 其文致傅會,
類多如此耳. 尹公欲伸其外祖, 則當如文潚·弘溟之言曰 : "其父往復於
鄭澈, 伸救諸人, 而不免力有不逮, 玉石俱焚之歎."

壬辰之事, 當如月沙諸公之言曰 : "聞變之初, 病重不得奔問, 而駕過之時,
所居僻在, 未及迎謁云爾." 則後之人於兩事, 雖有所怪, 而亦不無容恕者.
今乃不然, 以己丑冤死之人, 盡歸之黨逆, 以壬辰不赴之事, 謂出於素定之
義. 其言固已不吉, 而義理亦自不成, 可謂不肖之甚也. 尹公引丙子不死之
罪, 終不出脚, 故人怪其猶有可取. 然觀其所著文字, 則專事黨論, 其慘刻處
類申·韓, 終無一分忠厚公平底意思. 若使出而當世, 則其貽禍世道, 恐不
止於時烈耳.

時輩凡事之難於發明者, 盡歸之於不可窮詰之地, 以宣廟之罪. 鄭澈事謂
之而建儲獲罪而殺士爲名. 設令宣廟之罪澈, 實如渠輩之言, 是豈臣子筆
之於書者乎? 其無嚴甚矣.【沙溪及宣擧之言, 皆如此.】又以千頃等之承款, 直
歸之於金鶴峯之敎誘, 此何異於斥伯夷以貪淫人? 誰信之? 此與宣廟罪澈
事一般, 孰見而孰傳之耶? 若以千頃之就服爲不可信, 則諸賊之誣引諸人,
獨可取信耶?

『掛一錄』云 : "李潑兄弟竄配之後, 澈使醫員趙永善陰敎弘福曰 : '汝若
引李潑兄弟, 則汝身無事, 且得好官.' 弘福信其言, 一如所誘, 潑之兄弟再
囚致死. 弘福亦未免出刑於市, 弘福曰 : '吾罪當死. 信聽人言, 以陷無辜.'
自此鄭澈以國士待永善, 永善驕妄日甚. 設酌大會, 使永善行酬酢之禮. 沈
忠謙曰 : '吾雖駑, 其忍飮永善盃乎?' 艴然而起. 云云." 弘溟[105]以此爲許
鏜之所做出, 而許鏜豈造言之人乎?
澈以强偏之性爲潑兄弟所逐, 十年廢棄, 則必欲一報, 其勢固然. 況又擧永

---

104)『魯西遺稿·答宋明甫』를 교본으로 삼았다.
105) 溟 : 底本에는 "冥"으로 되어 있다. 전례에 근거하여 수정하였다.

善·忠謙名以證之, 則似非孟浪. 然事係暗昧人, 無目覩者, 則只可歸之不可信之地. 況鶴峯於千頃之承不承, 有何利害而作此宵小之事乎? 此與誣宣廟事, 同一伎倆耳. 右段當在"己丑獄"末端.

權炭翁諰上疏救尹公善道, 有曰 : "大王大妣, 今日之喪, 當爲三年之制, 必然無疑. 今雖義起, 可質百世." 又曰 : "時烈所謂'先王不害爲庶子'之言, 謬之甚矣."

炭翁卽拯之婦翁也, 拯之父子生㤜, 或恐連累於己. 拯抵書於兪棨·李惟泰之徒, 有若爲炭翁暴其本心之不然, 求全其舊交者. 然而其實則自明其不主三年之說, 示所以自貳於炭翁. 故其於炭翁無所顧籍, 或謂之"陷於奸譖之坑塹", 或謂之"賊賢之嚆矢", 極力醜詆, 用意周遮之狀, 昭不可掩. 又代述湖儒論禮疏, 一襲時烈之論, 可謂"用盡機關"矣. 然而直斥之炭翁, 能保其交道於時烈, 而尹公父子卒不免大狼狽[106], 何哉? 時烈豈不蓄怒於炭翁? 而亦信其心事之恒然無他計較. 至於尹公父子, 非不喜其曲意阿順, 而於其心迹之間, 固已怪其反覆, 故亦不信其絶鑛之言, 終至于降虜宣卜之詈辱.

拯之弄得心術誤其父, 而謀爲時烈之忠臣, 畢竟其所成就, 果何如哉?『詩』云 "潛雖伏矣, 亦孔之昭"者, 其是之謂乎? 拯抵書於炭翁欲變三年之說, 故炭翁與時烈書曰 : "吉甫父子千言萬語, 只導我一'諛'字, 且要我曲意免謗. 不知從何處得此學術." 以此見之, 則彼之一生, 槪可知矣.

炭翁與拯書曰[107] : "人之行身處事, 壽夭不貳, 修身以俟, 是吾輩相傳心法. 決不似君, 低仰盈縮, 以冀苟免小人, 庶爲君子之徒也. 每恐君守靜之義不足, 或未免大方之譏, 君惟恐不得爲今世之君子也."

又曰[108] : "君前書所謂'求所以自異'云者, 與愚所聞大謬. 苟同苟異, 壞了

---

106) 狽 : 底本에는 "貝"로 되어 있다. 文脈을 고려하여 수정하였다.
107) 『炭翁集·答尹仁卿四』를 교본으로 삼았다.
108) 『炭翁集·答尹仁卿丙午』를 교본으로 삼았다.

心術, 終不可救.” 又曰[109]) : “君之所以敎我, 不似君子反身之誠. 專以動於
利害, 隨謗而變, 有似怵迫者, 亦似臆詐, 亦似疑忌者, 甚則酷似羅織者,
收司連坐之律, 亦豈至此? 聞君名震一世, 有軋[110)尊府[111]諸人, 竊未知其
故也. 今見來論, 始知所以然也.”

金愼獨與大尹書曰 : “逼妻子先死, 而身則苟活, 爲世所詬病久矣.”云. 時
烈之辱拯兩親, 專以此爲資斧. 拯記其母遺事曰 : “使兩婢子引經而絶.”
蓋其意欲以是掩其父逼殺之迹, 而不自覺其愈益彰著矣. 其母亦欲潔身殉
節, 則豈無自處之道而必使二婢子引經而絶耶? 爲其婢者, 平日苟無欲害
其主之心, 則必不自其手犯之橫尸目前. 果爾則一室之內, 出一逆婢, 已是
大變, 況兩逆婢乎? 此必無之理. 於是乎宣擧威喝一兩婢而逼殺之也明矣.
且拯爲人子, 忍泚筆寫其母殞絶之事, 可謂有是父有是子也.

拯之受碣銘於時烈也, 其弟推以爲“其人不可托也”云, 兄弟之間, 必言其
不可托之故, 而不聽其言, 而以其父不朽之文, 必托於其人, 何也? 當其時
惟知自己之利害, 寧論其人之如何耶? 其處心如此, 則其末之顚沛, 何足怪
也?
凡墓道文字, 專在於揔論, 近觀白沙所撰栗谷碑, 有曰 : “吾友金長生能持
其師說, 其言曰云云.” 此與朴和叔云, 何以異也? 其不犯手一也. 而栗谷門
徒, 未聞怒白沙, 而尹之憾時烈, 何哉?

禮訟

時輩凡於國家事, 恣肆臆決, 脅勒而行之, 而未有如己亥禮論之甚者. 彼二
宋初豈遽有貶薄孝廟之心哉? 只坐於講禮不明, 見理未到而已. 及其攻斥

109) 『炭翁集·答尹仁卿』을 교본으로 삼았다.
110) 軋 : 底本에는 “軏”으로 되어 있다. 『炭翁集·答尹仁卿』에 근거하여 수정하였다.
111) 府 : 底本에는 없다. 『炭翁集·答尹仁卿』에 근거하여 보충하였다.

之論起, 反以失禮爲愧, 不肯遽爲摧伏. 乃反綴拾『禮經』文字, 附會己意,
以爲“文過遂非”之計, 故種種悖謬之言, 無所不至. 所謂兪棨及其黨, 亦知
時烈之誤禮, 而乃反溷恩之人, 或言及於誤禮則輒罪之, 以禮論爲穽於國
中. 及其尹善道之疏上, 三司群起, 請焚其疏, 又請按律, 人心仍此愈激而愈
憤. 至於已巳, 時烈終致罪死, 人謂“南人殺之”, 而其實則兪棨輩殺之也.
尹拯代撰湖儒疏, 尤甚不韙, 玆辨于下.

“經曰:‘爲長子三年’ 疏:‘嫡妻所生, 皆名嫡子. 第一子死, 第二長者, 亦
名長子.’ 傳曰:‘何以三年也? 正體於上, 又乃將所傳重也.’ 註:‘重其當
先祖之正體, 又將代己爲宗廟主也.[112]’ 疏:‘雖傳重, 不得三年, 有四種.
一則正體不得傳重, 謂嫡子有廢疾他故, 若死而無子, 不受重者;二則傳
重非正體, 立庶孫爲後是也;三則體而不正, 立庶子爲後是也;四則正而
不體, 立嫡孫爲後是也.’ 傳又曰:‘庶子不得爲長子三年, 不繼祖也.’ 小記
曰:‘不繼祖與禰也.’ 註:‘庶子者, 爲父後者之弟也. 言庶者, 遠別之也.’
疏:‘庶子, 妾子之號. 嫡妻所生第二者, 是衆子, 今同名庶子, 遠別於長子.’
故與妾子同號, 彼此所爭, 皆源委於此.”

二宋則以四種“體而不正”, 不得三年之庶子, 卽嫡妻所生第二以下, 衆子
之號也, 非妾子之稱也. 議者則以爲:“疏註‘嫡妻所生, 皆稱嫡子. 第一子
死也, 立第二長者, 亦名長子’, 而其服旣在於斬衰三年條, 不當復以‘體而
不正’置之. 雖承重不得三年之列也, 所謂立庶子爲後之, 庶子非嫡妻所生
明矣.” 彼此所爭論議, 雖極煩絮, 其肯綮只在於此.
謹按孝宗大王以仁祖次嫡, 主宗廟, 君一國十年. 此正疏註所謂“第一子死
也, 立嫡妻所生第二者, 亦名長子”之長子也. 其服旣在斬衰三年條, 則更有
何可疑而引而置之於“體而不正”, 不得三年之列也.
彼二宋者, 初則不過誤認“不貳斬”三字. 先着肚裡以爲“昭顯之喪, 旣行三
年, 則不可又服極服”, 經以朞年, 率爾定行. 及其有攻斥之論, 則以四種“體

---

112) 又……也:底本에는 “又乃將所傳重也, 疏爲宗廟主也”로 되어 있다.『明齋遺稿·代湖西儒
　　生論禮疏』에 근거하여 수정하였다.

而不正”之說, 以證其不當爲三年之說. 議者又攻以“體而不正”, 是妾子之謂也. 彼又引疏註“庶子爲父後者之弟也”之說, 以證“體而不正”之非妾子也. 生出無限葛藤, 而終不掩其破綻矣.

庶子疏, 不曰“庶子爲父後者弟也. 言庶者, 遠別之也”耶? 又不曰“庶子, 妾子之號. 嫡妻所生第二子是衆子, 今同名庶子, 遠別於長子, 故與妾子同號”乎?

以此見之, 則庶子之爲妾子之稱, 已自較然, 而嫡子之無他遠別之嫌者, 謂之“庶子”, 亦謂之“體而不正”, 不得三年之庶子乎? 雖使稍解文理者見之, 彼所所謂“體而不正”之庶子, 與“遠別於長子”之庶子, 同乎否乎? 時烈之引彼證此, 已甚不韙, 而拯也豈不知兩庶子之條款迥異? 而乃曰“四種之庶子, 獨指妾子, 無證”. 先後文義, 一串來歷, 未知其獨指妾子也, 其眞不知耶, 抑知而故爲之辭耶?

夫嫡子與庶子, 不但未嘗同號, 雖以四種說見之, 嫡子嫡孫, 必加“正”字, 庶子庶孫, 必加“不正”·“非正”等字, 其所分別於嫡庶. 若是其嚴截, 而猶謂之無證, 必有正體·傳重二事, 然後爲之極服, 『禮經』所揭如彼之分明, 而猶謂“其意不專在於傳重, 不可二三其極服”. 爲時烈恣意變亂其『禮經』, 是可忍耶?

○ 所謂“不貳斬”者, 如適人之女爲舅斬, 不爲父斬, 爲人後者, 爲所後父斬, 不爲本生父斬之謂也. 假令女子在室, 爲其父斬, 則適人之後, 不爲舅斬耶? 父亡而爲人後者, 既爲本生父斬, 則爲所後父不斬耶? 又如承重之孫, 爲其父斬, 則爲其祖不斬耶? 彼之所引禮說, 類皆如此.

尹於『經禮』中, 拈出“養他子爲後, 不爲三年”之說, 必欲傍照於“次適不當爲三年”之證, 是知之而言則不仁也, 不知而言則不智也. 假如兄弟之子, 其服本朞, 而取以爲子, 又且將所傳重, 而其服亦止於朞, 則是與不爲後者無別焉. 然則承重不爲三年者, 當爲五種, 奚止於四也?

所謂“養子”之稱, 即世俗之言也. 禮疏則皆稱“所後子”, 而未有“養子”之文. 尹所引養他子爲後, 即指異姓子, 或傳養孫之謂. 今若異親於已出, 而不

爲三年, 則是何異於夷狄禽獸之自私其子也? 是說便爲時輩通行之禮, 凡
於所後子, 不爲極服云.

當初玉堂之箚曰[113]: "設使明言'服不三年, 其統乃絶'云爾, 彼言誠是也.
疏家列出四種不斬之說, 而主祀傳重之義, 實行於其間, 則曷嘗以服之隆
殺, 而有二宗絶統之嫌哉?" 拯引此而爲之說曰: "此一段卽掊破此說之最
明者也."

或問於尹孤山曰: "玉堂箚言[114]: '皇明之成祖·漢之文帝, 或以次[115]
嫡, 或以支庶, 纘承大統, 傳祚永久. 設使成祖·漢文之沒, 在於高皇, 漢
祖之前, 而高皇·漢祖服之止朞, 則漢·明之統遂絶. 而不得爲漢·明
耶[116]?'" 孤山答曰[117]: "噫! 漢之文帝, 固不合比於我先王也, 明之成祖,
尤何可比我先王也? 成祖自篡立而奪嫡有國, 先王承父詔而體祖傳重, 其
敢擬而班之乎? 姑就此說而論之, 則成祖·漢文之沒, 雖在高皇·漢祖之
前, 高皇·漢祖之服, 自以爲不能從古, 而止於朞則可也, 如或謂之'非嫡非
長'而服之止朞, 則是廢之也. 然則親疏未定也, 嫌疑未決也, 同異未別也,
是非未明也, 天下之群志未定也, 覬覦之徒·欲富貴之輩, 必接迹而起. 成
祖·漢文之子孫, 安得保有神器, 安享大位也? 然則漢·明之統, 則雖或
歸於他長房而不絶, 文帝·成祖之統則絶矣."云. 未知此說之掊破, 何如玉
堂箚耶?

尹又曰: "旣爲伯邑考服三年, 而後立武王, 則安得又爲武王服三年也?"
此其時烈所謂"嫡統不嚴"之說也, 然則文王之嫡統在於伯邑考而不在武
王耶? 尹又曰: "旣已移嫡, 則非欲復呼嫡爲庶, 而必歸嫡於已見移之故嫡
也. 只是不是本嫡, 故謂之以庶爲嫡云耳." 此說極爲時烈分疏, 而終未見其

---

113) 『市南集·玉堂論尹善道權諰疏箚』를 교본으로 삼았다.
114) 『市南集·玉堂論尹善道權諰疏箚』를 교본으로 삼았다.
115) 次: 底本에는 없다. 『孤山遺稿·禮說下』에 근거하여 보충하였다.
116) 耶: 『孤山遺稿·禮說下』에는 뒤에 "此說如何"가 더 있다.
117) 『孤山遺稿·禮說下』를 교본으로 삼았다.

成說. 時烈何嘗不呼嫡爲庶也? 何嘗不歸嫡於已見移之故嫡耶? 若然則何以謂嫡統不嚴也? 何以謂孝宗不害爲仁祖之庶子也? 何以謂檀弓免子游衰不足恤云耶? 大王大妣爲孝廟三年, 則嫡統不嚴, 爲朞年則嫡統嚴, 烏在其不呼嫡爲庶也, 烏在其不歸嫡於故嫡耶?

設言之孝廟, 在仁祖之世, 昭顯位東宮, 孝廟在鳳邸, 則猶可遠別, 而或謂之庶子. 旣已承父詔主宗廟, 而不以長子之服服之, 猶以庶子待之. 其悖天理斁倫紀, 莫此爲甚拯也. 自處以儒賢而代撰儒疏, 助成非僻之言, 是可忍耶?

拯與炭翁書曰[118]: "特一小無關緊之服制一事." 噫! 是豈可以禮法責之耶? 苟如是, 則自古聖賢何以眷眷於此, 惟恐毫髮之僭差耶? 時烈之黨以孤山疏中"定民志, 絶不逞之覬覦"等語, 或謂之讒賊, 或謂之變書. 至于乙卯, 江都有投書之變, 戊申, 維賢輩擁立之計, 皆在於時烈, 所謂嫡統之家. 於是乎孤山之言鑿鑿, 如燭照龜卜, 可知. 此時拯也亦謂小無關緊之服制耶?

拯與羅良佐書, 論李喜朝『香洞問答』曰: "其書無非迎合而爲之文飾之, 其間極有用意巧密處, 眞箇邪[119]佞人也." 又曰: "欲以此說解不參疏之責, 用意尤不佳矣." 可謂責人則明, 而自而自知則暗矣. 拯之爲此疏也, 其不爲迎合, 而不爲文飾之耶? 彼則作『香洞問答』以解不參疏之責, 此則作湖儒疏, 以解三年爲是之罪. 其用意之不佳, 吾未見其有異也.

拯之處義, 最所無據. 因碣文事, 旣貼辱父母, 則在拯之道, 固當引義告絶之不暇, 而猶且羈縻以師生之義. 至于「辛酉擬書」之後, 則彼之忿激, 轉加一層, 而猶以三書乞憐, 以冀其改撰碑文, 更保舊義. 設令時烈曲從其意, 改爲贊揚之語, 此何異嗟來之食呼蹴而與之? 而然猶拯也稱以師弟子出入其門下, 靦然後對其辱父母之人如前日哉? 又況以此傳示於後世, 人皆知其不出於眞心贊揚, 莫不唾罵之, 以此刻之於墓, 其父母有知, 必將怵惕而忸怩

---

118) 『明齋遺稿·上炭翁四月』을 교본으로 삼았다.

119) 邪: 底本에는 "耶"로 되어 있다. 『明齋遺稿·與朴泰輔士元 八月二日』에 근거하여 수정하였다.

之. 未知拯也得此文, 將安用之. 其心只顧其自己之利害而已, 遑恤其他
哉?

拯輩之出入時烈門下也, 一味諛悅, 成就其彌天罪惡之後, 欲從而規正其
得失, 其可得乎? 如禮論之變其初見, 更附時烈之論, 亦其阿從之一事也.
先儒言"一念之差, 事事皆非者", 其是之謂乎.

「辛酉擬書」其徒以爲如"齊人妻妾相對泣於庭中"之義. 以妾婦之道喩拯,
則誠是本色. 而如以古人"犯而不較"之訓言之, 則果何如耶? 拯之意若出
於悶其師之誤入, 欲規諫則何不直抵其書於師, 而私與其友論其師之心術
隱微之病, 何出於何義耶? 況其書專出忿懟, 未見其誠心惻怛之處, 如是而
謂之規諫可乎?

拯之大段狼狽, 專由於朴世采之慫恩. 外爲中立和解之言, 而內實用其兩
病, 而一刺洞貫之術. 拯也暗劣, 終不悟其墮於數數中, 可哀也. 已擬書之見
漏於烈孫, 亦出於"慢藏誨盜"之計, 其心可謂至險[120]而至危也.

炭翁與宋時烈書曰: "吉甫父子只導我以一'諛'字,   不知何處得此學術
也." 蓋觀拯之文集, 則爲時烈之前, 第見人之稍貳於時烈, 則必先登力攻.
希仲之於其父, 世所稱"兩尹一身"者, 而與時烈角立, 則目之以奸魁. 炭翁
乃其婦翁, 而疏論時烈議禮之非, 則斥之以陷於奸讒坑中. 無非納媚效忠
之計, 而畢竟所得於時烈者, 只是謬辱其父母爲千古笑端, 可哀也.

宋時烈

時烈之禍, 甚於夷狄之猾夏. 槪夷狄之俶擾[121], 中國歷代所未免, 而若駈除
掃蕩, 則中國君臣父子之倫, 固自如. 而至於時烈, 則其貽禍世道, 斁敗倫
紀, 今將百年, 如水益深, 如火益熱, 必將亡人家國後已. 昔者五胡之亂華,

---

120) 險 : 底本에는 "儉"으로 되어 있다. 문맥을 고려하여 수정하였다.
121) 擾 : 底本에는 "優"로 되어 있다. 용례에 근거하여 수정하였다.

必不若是之甚矣. 昔晉 范寧論王弼・何晏之罪, 深於桀・紂曰 : "一世之
患輕, 而歷代之禍重." 斯言誠確論也.

金集

潛谷 金相 塡言于筵中曰 : "集無才不第, 非有才德者. 臣嘗與比邑爲宰,
絕不見其有異常, 以庸衆人視之." 遂與山人結怨, 二宋乃其門人也. 及當
國, 嗾臺閣劾金佐明葬其父塡僭用隧[122)道, 請掘塡塚. 佐明之弟佑明卽顯
廟國舅也. 時烈等蓋爲金集報復, 而專無忌器之嫌, 時烈等無將之心, 於是
乎萌矣.

安邦俊

邦俊, 樂安人也, 時輩所謂"牛山先生"者也. 專以黨論媚悅於當路, 白徒拔
身爲工曹參議. 邦俊以圃隱學問, 不及於權陽村, 以吉冶隱比之莽大夫楊
雄. 五賢學問, 不及於趙憲, 趙憲, 東方數千載間一人. 其論議之頗僻皆如
此, 東人前輩無不被其誣毀.
李澤堂奉命修史也, 選其所著[123)書, 以求編入史策, 而澤堂答以收入十之
八九云, 其是非之貿亂, 可知也. 蓋善於粧撰, 以白爲黑, 以無爲有, 以中時
人之所歎, 至於立祠俎豆之.
邦俊卽重敦之子也. 重敦卽艇之姪子, 而艇無子, 取而爲子. 多有悖行, 故艇
罷其養, 以堂姪重默爲子. 邦俊愧其父罷養, 移怒於重默, 嫉之如仇讎, 兩家
子孫, 仍成怨隙. 而邦俊不容於鄉黨親戚, 故投入於時輩云. 重默學於鄭困

---

122) 隧 : 底本에는 "㙨"로 되어 있다. 용례를 고려하여 수정하였다.
123) 著 : 底本에는 "箸"로 되어 있다. 용례에 근거하여 수정하였다.

齋, 爲其所推重. 故邦俊作私記, 加醜於困齋, 無所不至. 槪直攻重默, 則人必不信, 故以實困齋己丑事, 以及重默, 可謂讒人之尤者也.

昭顯嬪姜氏卽碩期之女, 而碩期, 山黨也. 時烈等以仁祖之廢元孫立孝廟爲不是, 故以伸姜冤爲第一義. 又與顯廟國舅金佑明爲血讐, 故必欲用成宗故事, 傳之昭顯之子. 故當己亥禮論, 以孝宗爲庶子, 昭顯爲嫡統. 又引檀弓免子游衰以譏之, 皆捨嫡立庶之語也.

肅廟卽位, 絶痛其所爲, 竄時烈于長鬐. 至己未江都有投書之變, 而其凶書所指者, 卽時烈所謂嫡統者也. 於是購捕其賊, 則乃時烈之黨維楨.[124] 而其奴之招言: "維楨往留長鬐四十餘日還." 故人疑投書之擧出於時烈之旨意云.

寧陵復土之時, 退壙有水患, 衆目所見. 而敦事諸臣, 掩匿不以聞, 未過一年, 屏風石擧皆傾陷, 年年修改, 虧隙百出. 而奉審之臣, 只以石灰塗其隙而彌縫之. 有宗室靈[125]林君者上疏, 言前後掩蔽狀. 上震怒將置敦事諸臣於重辟, 時烈與時相書曰: "溫泉逐年行幸, 山陵一不奉審, 但欲歸罪於群下, 何不燕閑之際, 以子家駒以對昭公之言告之?" 槪謂君不能自盡其誠孝, 何以責臣下之盡忠也. 自古忠諫之士, 雖面擧君違, 或比於亂亡之主者有之, 寧有與其私黨譏議君父, 若數罪者然哉? 無君父之心益著矣.

時烈旣以孝廟爲庶子不當立之君. 論者以爲"貳宗絶統, 貶薄君父", 則時烈欲掩其迹, 以孝廟有尊周之義, 汲汲定以世室. 單擧孝廟, 其迹益著, 故節次推排, 以太祖有威化回軍之擧, 加上諡號. 數字加諡, 不足以增光盛德大業, 而三百年安靈神道已安, 而肆其胸臆, 改書神位. 在朝諸臣, 皆知其心腸, 而畏其威, 無敢言者. 帝王之喪, 自有典章, 列聖遵用, 無或變更. 當孝廟大行, 時烈以爲"不可緊結斂布". 時當盛署, 玉體高大, 長生殿梓宮不得用, 用付板. 雖閭巷斂手足之喪, 豈有用付板者乎? 可謂不成喪矣.

124) 維楨 : 『肅宗實錄』 5年 4月 26日 기사에는 '有滇'으로 되어 있다.

125) 靈 : 底本에는 누락되었다. 실록에 근거하여 보충하였다.

時烈權勢振一世, 當之者糜, 觸之者碎. 故上自公卿下至韋布, 莫不趨附, 無敢違忤. 其中或有官位相軋, 論議稍貳, 則必做出世累身累, 設爲機穽, 以爲操縱脅持之地. 故人皆畏其口, 雖以至不忍之言, 加之父兄, 爲其子弟者, 寧負其父兄, 不敢負時烈. 服事其門, 舐痔愈甚, 故家大族, 風習大壞. 世道陷溺, 人心之悖亂, 月異而歲不同, 其不爲夷狄禽獸者幾希矣.

時烈惡尹拯而醜詆其父母, 其逆理悖常極矣. 自是西人分爲老少論. 一國之中, 分爲東西二黨, 已是必亡之道. 而今則片片分裂, 老少相攻, 甚於東西, 殺戮相尋, 仇怨日深. 至於兄弟叔侄, 各爲異論, 互相疑貳, 便同路人. 世道如此, 而國不亡者, 未之有也. 天之生此時烈, 實關時運, 謂之奈何? 時烈荷孝廟之不世之遇, 如管仲之於齊桓公, 孔明之於昭烈. 而其所以報之者, 則梓宮不得用於大行之日, 喪制不以嫡統而貶爲庶子之服. 山陵之有水泉, 年年崩頹, 國人之所共知, 而歸之於吉祥. 自古得賢之效, 果皆如此, 則誰以得賢爲貴也? 我國之不能當方張之虜, 孃孺之所知. 而時烈初出脚也, 敢以北伐刷恥爲聲, 公肆欺誣, 識者已窺其心術之無狀矣.

癸亥以後, 西人以勳戚之臣, 雖當國柄用, 仁祖大王明聖, 自在潛邸時, 深察黨論之禍, 且知南人之多士類, 反正之初, 收召並用. 故初年政化淸明, 而淸議多出於南人矣. 及至乙亥年, 國有慶科, 兩家士子聚泮中做圓點. 時輩之浮薄者, 欲驅逐南人士子, 專取科第, 猝發生·栗從祀之論, 中外士子之異議者, 並皆施罰, 俾不得接跡於泮中. 故其時太學士李植抵書齋任曰"館學豈西人獨占之地乎?"云. 於是東西大激, 更無保合之望矣.

沙溪門徒宋時烈·李惟126)泰·李翔之徒, 假托學者, 紛然進用, 口談性命, 行若駔儈. 南人自處以局外, 絶痛其所爲. 一反其道, 或爲浮誕之行, 或爲詖險之論, 以玩侮學者爲高致, 以激訐時輩爲氣岸. 子弟之有留意學問127)者, 則群起而嘲笑之, 一時風習大變. 此如東漢節義一轉, 而爲晉·宋淸談矣.

---

126) 惟 : 底本에는 "維"로 되어 있다. 용례에 근거하여 수정하였다.
127) 問 : 底本에는 "門"으로 되어 있다. 용례에 근거하여 수정하였다.

謹按孟子曰:"五伯, 三王之罪人, 今之諸侯, 五伯之罪人也." 斯言可以喩西南之風習矣. 在東西分黨之初, <u>栗谷</u>亦曰:"東人多學問之士." 自<u>仁</u>·<u>孝</u>兩朝以來, 西人久執朝權, 其所薦拔, 皆絢名餙外之人, 而乃以"學問"二字爲媒進之捷逕. 於是南人自處以眞士大夫, 攻斥其假理學, 駸駸然流入於蕩然, 無所依據. 以此論之, 西人是儒門之罪人也, 南人又西人之罪人也. 譬如<u>漢</u>·<u>唐</u>·<u>宋</u>, 雜以伯道, 而猶知假借儒術而爲治, 故維持小[128]康, <u>晉</u>·<u>宋</u>·<u>六朝</u>蔑棄典禮, 專事淸談, 故亂亡相隨. 此又與西南事, 絶相類爾. 又有一種以機警自任者, 專以是取人, 故重厚者擯之, 傾巧者用之. 機警卽伶俐之變稱也, 伶俐豈士大夫事乎? 此又南人風習之大變者, 究厥所由來, 則<u>許積</u>實倡之於前, 而<u>柳命賢</u>·<u>閔宗道</u>繼之於後. 三人或身不得免焉, 禍及其子孫, 後之人當爲鑑戒也. 己亥以後論禮疏, <u>眉叟</u>但論禮得失而已, 其餘皆未免有意於傾奪耳. 旣已釐正邦禮, 罪人斯黜, 則斯可已矣. 而甲寅六年, 以禮論相終始, 未免支離, 而亦似乎以此爲脅持西人之欛柄耳. 甲寅後, 唯<u>眉叟</u>斥<u>許積</u>一疏, 差强人意.

試題之"美疹不如惡石", 未必出於有意. 設令有意, 以臆逆論罪試官, 非聖世事. <u>眉叟</u>於此, 未免見欺於年少峻論輩耳.

<u>楨</u>·<u>柟</u>[129]之驕橫莫甚, 不待謀逆, 其罪可誅. 而無一人言之者, 此南人之慙德耳. <u>時烈</u>以北伐爲自己媒進之計, <u>尹鑴</u>以北伐其可爲, 其人之輕脫可知. <u>鑴</u>之還納告身之時, 始若蹈東海而死, 及乎甲寅以後, 貪變不退, 盡喪其所守, 如是而安得不敗? 然見忤<u>時烈</u>, 死非其罪, 故人或稱冤耳.

己巳, 南人得之, 甚不正, 半日庭請, 亦未免塞責. 其中如<u>宗道</u>, 惡得無幸禍之心? 己巳六年之內, 朝庭無一公議, 專事蔽上護黨. 持此術, 雖一日不可居, 六年當國, 亦已久矣.

---

128) 小 : 底本에는 "少"로 되어 있다. 용례에 근거하여 수정하였다.
129) 柟 : 底本에는 "楠"으로 되어 있다. 실록에 근거하여 수정하였다.

丁時翰·金時讓[130]

丁愚潭 時翰庚午一疏, 可謂"鳳鳴朝陽". 而其妻弟柳命天言于筵中"時翰失性久矣", 上罷丁公職, 而無一人伸救者. 朝庭上言論如此, 南人安得不亡, 命天安得安敗也? 丁公學問之純正, 殆退溪後一人. 時輩書卒云:"丁某知處, 不如行處." 觀乎與李敬叔往復書, 則其上達處, 殆無欠闕, 史臣之言, 其不知丁公者也.

當朴泰輔諫廢妣受刑也, 上自公卿, 下至三司, 無一人救之, 可謂河北無義氣男子也.

金荷潭 時讓亦世間人物也. 性機警, 善料事, 言多奇中. 然專爲功利之學, 其抵李澤堂書"爲商君費辭雪冤, 千載之下, 甘爲商君之忠臣". 其說之害, 甚於洪水猛獸, 謂之智謀之士則可也, 其得罪儒門則甚矣.

許積生長同鄉, 慕效其爲人. 其後閔宗道·柳命賢之徒, 又慕效許積, 用其術於幽暗之境. 故一時風習多以權謀術數自衒者, 南人之禍, 專基於此耳. 昔陳平用秘計於敵國, 而猶有鬼神所忌, 必有陰禍之語, 則用之於本朝者, 烏得免子孫誅絶之禍哉?

南九萬·尹趾完[131]

南公 九萬疏箚, 精覈是非, 曲盡情理. 又論議挺挺不撓, 終始如一, 未嘗隨時變遷. 若生於宣廟朝, 則其相業之卓卓, 似不在於諸公之下耳. 甲戌之初,

130) 원문에는 편목으로 잡혀 있지 않다. 내용을 고려하여 설정하였다.
131) 원문에는 편목으로 잡혀 있지 않다. 내용을 고려하여 설정하였다.

若無南相之當局, 則南人其無噍類, 而國家安得安靖乎? 古之大臣以社稷容悅者, 南公之謂也.

東岡 尹相 趾[132]完文章經術, 似小遜於南藥泉, 而德量之宏厚·樹立之堅確又過之, 眞東國之偉人, 而惜乎以病早退, 不究其事業也.

南·尹兩相亦色目中人也, 不事黨論, 似白沙相公. 然白沙生于黨論未甚之時, 二公當三分五裂之際, 所處尤難於白沙矣. 然未嘗觀望時勢, 有所左右焉.
柳相 尙運其蓬生麻中乎.

閔相 鎭長居家有至孝, 立朝不事黨論, 其他奉先友族等事, 多有人所不及處. 自南相告國, 朝庭無公論, 殆將五十年矣.

西人學問, 宗主栗谷, 故皆帶得葱嶺氣味. 惟林公 泳[133]叔侄門路稍平正.

吳臨川所論太極說, 分明是陸學, 權以鎭之攻斥是矣. 尹公 拯答書, 不以吳說爲非, 其學之所從來, 可知矣.
李澤堂論老·佛·陸·王異端之學, 無敢遁其情, 豈可栗谷獨不知其差舛哉? 槪諱之也. 然以其自是爲道學者, 間雜禪學之語見之, 似亦有所指耳.

李潑與鄭澈會于一處, 醉後潑捽澈之鬚. 澈怡然笑, 吟曰: "白髮數莖君拔去, 老夫風采更蕭然."
昔魚朝恩赴太學, 講"鼎折足覆公餗", 以譏宰相. 宰相王縉怒之, 元載怡然.
朝恩曰: "怒者常情, 笑者其心不可測." 其後果爲元載所殺. 鄭澈事實類

---

132) 趾: 底本에는 "志"로 되어 있다. 實錄에 근거하여 수정하였다.
133) 泳: 底本에는 "詠"으로 되어 있다. 전후 문맥을 고려하여 수정하였다.

於此, 李公焉得免己丑之禍哉?

當初東西之分黨也, 非有賢邪分明界限, 如洛·蜀之黨, 各黨之中, 皆有賢邪. 今欲是東而非西, 非也, 是西而非東, 亦非也. 近觀時人文集, 全以同色者爲君子, 以異論者爲小人, 此豈可以爲後世之公論乎? 其中尹宣擧父子之論, 尤爲偏係, 名爲學者而言論如是不公, 蓋其學心法有所從來而然也.

黃廷彧[134]

壬辰之難, 黃廷彧及其子赫奉王子順和君入北道, 爲賊將淸正所得. 癸巳, 入都城, 有狀啓請和之事.【詳在『懲毖錄』第五卷狀啓中.】
按黃公所以自明者, 其一, 狀啓中"關伯殿下", 則諉之於但依伊賊所言而爲辭. 其二, 狀啓中不書"臣"字, 諉之於毋令倭賊得知我國式例. 又引書契中稱"關伯殿下"之例, 以爲自脫之計. 又言"無臣不姓之非格例, 大書亂書之非狀啓", 皆出於假狀非眞之計, 別有諺書之眞狀云. 此數說皆不免窘遁. 夫我國書契稱"關伯殿下"者, 雖出於記聞之誤, 而此在申叔舟『海外記聞』中, 列祖旣以隣國之君待之, 故不得不稱之以"殿下", 其勢然也. 至於我國臣子, 狀啓於吾君, 而亦稱"關伯殿下"者, 果出於何義耶? 若曰:"賊將見處, 不得已如此書之." 則猶可說也, 必以書契援例, 則尤無據矣.
其啓曰:"日本將軍淸正言'大明許和, 而貴國獨不許和. 若不與我相和, 則關伯殿下將領兵渡海, 兩國干戈之禍魚肉矣'." 其所以恫疑虛喝, 慢侮我國如此, 而彼三臣聯官卿着署馳啓. 而外面書以行在所[135], 無一"臣"字, 大書亂書. 此賊將之檄書, 而三臣者替以行之也. 非狀啓式例云者誠然矣. 君臣之分如天地, 他事尙不可行僞, 而況不書"臣"字而謂之詭計可乎? 當時聖主覽而痛之, 朝臣見而駭之. 雖有眞狀百數, 脅君要和之罪, 固無可解.

---

134) 원문에는 편목으로 잡혀 있지 않다. 내용을 고려하여 설정하였다.
135) 所: 底本에는 "關驚內外"가 더 있다. 문맥을 고려하여 삭제하였다.

又況尹公壽序云：“倭賊之稱臣, 只於所謂天皇者而已.” 一國之人, 旣無稱“臣”於秀吉者, 況於淸賊乎? 以明黃公父子不稱“臣”於淸賊, 苟如是說, 則狀啓書“臣”, 尤無可諱者. 諉之於不欲令彼賊知我國式例者, 其果成說乎?

倭奴尚能稱“臣”於僞皇, 而我國之人, 不背稱“臣”於吾君, 是眞所謂“夷狄之有君, 不如諸夏之無也”. 黃於此時年六十二也, 位至一品, 而爲賊所驅, 使奔走乞和於兩陣[136]間.【見倡義使報狀】而凡此所爲, 盡皆歸之於圖脫王子, 自比於程嬰之存孤, 可謂不知人間有羞恥事也.

又按黃公子孫伸冤疏云[137]：“去其眞狀, 只出假狀, 謄書請罪, 眩亂眞僞.” 禁府回啓曰：“上達本狀及王子書, 自有別件, 皆寢不達.” 今以豊原書狀考之則：“初狀云倡義使金某上送, 三擄臣聯名書, 王子書一封上送, 而諺書則未來, 故移文推問. 云云.”

又同日封書狀, 有曰：“昨日申時, 舟師將金千鎰又送王子書二道, 別錄一紙, 監封上送. 別錄則似是黃赫所書. 云云.” 又自劾狀云：“賊中出來王子書, ‘擄臣’·‘賊酋’文字, 臣亦見之, 固多有駭痛切骨之事. 臣與都元帥金命元反覆詳議, 不得不達. 云云.” 則未知此外又更有所謂“眞狀”者耶.

當時知其眞狀有無, 無如金倡義·金元帥, 若果有之而不奏, 則必援二公以證之. 而赫於其父行狀曰[138]：“其授倡義使幕下也, 使之投僞書而傳眞狀, 丁寧戒囑, 會天雨夜黑, 倉卒失傳.” 又曰：“倡義使金公傳之體察使, 體察使乃盡去王子諸狀不奏, 只以所謂僞書謄[139]書, 稟傳請罪. 旣而[140]金公得覺, 而轉報軍門無幾矣.” 旣曰“倉卒失傳”, 則又所謂“金公傳之, 不奏”者, 何書也? “得覺”者何事? “無幾”者何說耶?

金倡義之轉報文字, 旣如彼金元帥之終始同參又如此, 故於此不敢明言,

---

136) 陣：底本에는 “陳”으로 되어 있다. 實錄에 근거하여 수정하였다.

137) 『仁祖實錄』2年 7月 12日 기사를 교본으로 삼았다.

138) 『芝川集附錄上·行狀』을 교본으로 삼았다.

139) 謄：底本에는 “騰”으로 되어 있다. 『芝川集附錄上·行狀』에 근거하여 수정하였다. 이하 동일사례에는 별도의 校勘記를 달지 않는다.

140) 而：底本에는 “已”로 되어 있다. 『芝川集附錄上·行狀』에 근거하여 수정하였다.

含糊呑吐. 似說不說, 良可哀也. 而眞狀有無, 終不可知也, 每以本狀之謄書上送爲執言之端, 歸之於豊原之用意.

若使匿其本狀, 而但於謄書上論罪, 則猶有可言. 今以「上都堂書」見之, 則有曰[141]: "首台閣下, 乙未之獄, 亦以知事臨[142]之, 曾不見無臣無姓之非格例, 大書亂書之非狀啓乎? 何以議中云云, 又如此耶?" 所謂首台卽<u>白沙</u>也. 本狀之未嘗廋匿, 亦已明矣. <u>黃</u>之挽<u>金</u>元帥, 詩曰: "當時獻議寧非是? 從古人言有異同."

以此見之, <u>金公</u>不以<u>黃</u>事爲是, 而有所異同, 可知也. <u>金</u>非<u>黃</u>之密友親黨耶? <u>白沙</u>·<u>慶林</u>之言如此, 則當時公議, 猶有不泯者. 而及其歲月旣久, 聽聞已遠, 金吾堂上及收議大臣又皆其黨, 則變亂是非乃敢伸脫, 是豈公議耶?

且金吾回啓中"其所云'臣'字, 其所云'殿下'者, 皆是假狀, 而乃彼賊自稱其主之辭"云. 又以壽序中"不稱臣<u>淸賊</u>"之語, 參互見之, 則此所云"臣"字, 又別有稱臣之案, 而<u>黃赫</u>之被罪, 其以此歟.

昔者<u>李忠定</u>不避形跡之嫌, 能正<u>齊愈</u>之罪, <u>豊原</u>不能終始論執正罪, 不能無愧於<u>忠定</u>也. 然<u>忠定</u>終<u>齊愈</u>事去國, <u>豊原</u>之被譴, 亦未必不由於此輩之讒, 而<u>爾瞻</u>·<u>仁弘</u>之徒, 以<u>秦檜</u>誣辱<u>豊原</u>者, 實作俑於<u>廷彧</u>耳.

<u>赫</u>又言[143]: "其父在<u>鐵原</u>, 方圖草檄, 遇文士, 令秉筆遣辭之際, 語侵當路, 有'廟堂力主和<u>金</u>, <u>秦檜</u>之肉足食, 奸臣首倡幸<u>蜀</u>, <u>國忠</u>之頭可懸'之句. 轉輾播聞, 固已心嗛之, 乘此事會, 得以修郤於兵間文字之末, 眩亂眞僞. 云云."

<u>豊原</u>仍此修郤與否, 姑置勿論. 今以<u>日本</u>通信, 比之和<u>金</u>, 其果一分相似耶? <u>宋</u>之於<u>金</u>人, 有父兄之讐, 而<u>秦檜</u>爲<u>金</u>虜間諜, 托以迎還太后, 使其主掘膝稱臣, 故爲千古罪人耳.

---

141) 『芝川集·上都堂書』를 교본으로 삼았다.

142) 臨 : 底本에는 "論"이다. 『芝川集·上都堂書』에 근거하여 수정하였다.

143) 『芝川集附錄上·行狀』을 교본으로 삼았다.

未知壬辰前, 我國與<u>倭</u>奴, 亦有百世必報之怨, 而何人受賊意旨, 脅君要和, 如<u>檜賊</u>之爲耶? 不念君父之播越, 國事之罔極, 雀躍而起謂"此機可秉", 弄其筆端. 要據其黨心, 謀所以病<u>豊原</u>者, 不足爲<u>豊原</u>之病, 而卽此一句, 乃反模寫其自家行狀, 一循<u>賊檜</u>之塗轍, 其故何哉? 凡人之心術, 至隱至微, 而其幾先兆, 必形[144]諸言語·文字, 此所謂"言讖"也. 以千萬不近似之言, 誣陷忠良, 則天之報施如此, 後之人可鑑戒於此哉!

壬辰<u>倭</u>寇猝至於二百年昇平, 人不見兵革之餘, 列郡瓦解, 無敢支吾. 不數日凶鋒已及<u>畿甸</u>, 而都城空闊傾圮. 計堞三萬餘, 守城人口近七千, 皆烏合市井之徒. 當此時雖使<u>白起</u>爲將, <u>墨子</u>守城, 決無幸焉, 婦孺之所共知. 而彼<u>廷彧</u>·<u>黃愼</u>輩, 豈不知而爲此必不可爲之言哉?

試以已事觀之, 奉駕西遷, 得近天朝, 請兵之使, 項背相望. 卒致天兵, 能成中恢之業. 其與欲以萬乘之尊, 試之危城之中者, 得失安危, 豈不相去萬千乎? 彼輩皆以去邪與通信<u>日本</u>, 書冊間尋出好題目, 爲乘時傾陷之計. 而<u>日本</u>送使, 決於庚寅·己丑年間, 此時<u>鄭澈</u>方在大臣. 壬辰西幸時, 大臣<u>金貴榮</u>及司諫<u>權某</u>之外, 未知何人請守都城耶. 兩事果皆失策, 則一邊人何無一人爭論, 而退有後言如此耶? 以此可知其出於黨論, 非公論爾.

按<u>申叔舟</u>以書狀往來<u>日本</u>. 其後<u>叔舟</u>臨沒, <u>成廟</u>問所欲言, <u>叔舟</u>對曰: "願國家無與<u>日本</u>失和." <u>成廟</u>感其言, 命副提學<u>李亨元</u>·書狀官<u>金訢</u>修睦. 曾在<u>中</u>[145]廟甲辰, <u>倭</u>奴作變於<u>蛇梁</u>. 我國擊殺其賊[146]徒, 盡掃其留館之<u>倭</u>. <u>倭</u>人服罪乞哀甚至, 朝廷拒而不納.

<u>退溪</u>先生以典翰上疏, 歷陳前代和戎之利, 縷縷千言, 有曰[147]: "蠢玆小醜, 必將大爲怨恨, 啓後日無窮之患. 宜及此時, 聽其和." 又曰: "聞朝廷絕<u>倭</u>之請, 心竊怪歎. 此事關社稷百年之憂, 係億萬生靈之命, 不一言而死,

---

144) 形: 底本에는 "刑"으로 되어 있다. 문맥을 살펴 수정하였다.
145) 中: 底本에는 "明"으로 되어 있다. 문맥을 살펴 수정하였다.
146) 賊: 底本에는 "賤"으로 되어 있다. 문맥을 살펴 수정하였다.
147) 『退溪集·甲辰 乞勿絕倭使疏』를 교본으로 삼았다.

則抱私恨於無窮. 故力疾忍辛, 獻此瞽說. 云云." 當時國家全盛, 操縱伸縮
之權在我, 疑若小醜之不足兼, 而先生之若是深憂, 何哉?

靖康之難, 种師道請移避陝西. 朝臣皆笑其老悖, 其後竟遭北轅之辱.【『名
臣錄』】

『己丑錄』云："廷彧・赫等稱'臣'於倭, 又言'關伯殿下', 故有三省之鞫,
而以順和君妻家得不死."云. 稱"臣"之說, 果非實狀, 則廷彧父子當泣[148]
血自明. 而「上都堂書」, 累數千言, 而無一言及之, 其家狀亦不槪見. 其子孫
陳疏, 而亦無稱冤之說, 而金吾回啓, 只以單辭略綽說去. 有所請伸, 則其所
失節, 槪可見矣.【壬寅, 臺啓云[149]："黃陷在賊庭[150]之日, 背棄君父, 甘心屈膝. 至爲讐賊,
割地要和, 偃然通書於本國. 云云."】

丙子, 南漢之事, 言之痛骨. 當時淸陰・桐溪則以爲："堂堂千乘之君, 不
可爲城下之盟. 壬辰再造之恩, 亦不可負, 寧以國亡, 不可乞和圖存也." 此
固萬古經常之論. 而完城諸人則以爲："大明之恩, 雖不可負, 外國之爲天
朝守義不屈, 使三百年宗社, 一朝淪亡, 決不忍爲. 君父久在一髮孤城之中,
外絶勤王之師, 危亡之患, 迫在朝夕, 寧忍一朝之辱, 而存國家極君父, 未爲
不可."
此亦權宜之一說也. 然第未知完城諸人, 能逆知彼國之計, 不出於金人之
事, 而君父萬無北轅之禍耶. 完城諸人不過試君父於一擲, 而僥倖其不亡
耳. 今人見國家不亡於丙子, 皆曰"此完城主和之功也", 此殆不然. 其時斥
和者, 不過淸陰・桐溪數人而已. 此外滿城之人, 無不願和, 而八路勤王之
師, 無不摧敗. 城中見粮, 亦且罄竭, 當此之時, 雖無完城, 其勢不得不下城
後已. 以此言之, 則安有可言之功耶?
斥和首發之人, 不度時量力, 排患遠狄, 此好名之過也. 然怵於兵威, 縛送虜

陣, 終死異域, 三百年國脈盡於此矣. <u>仁廟</u>深以城下之盟爲恥, 又以<u>淸陰</u> ·
<u>桐溪</u>之不隨駕而徑還鄕里爲嫌. 其時<u>崔完城</u>又爲淸[151]議所困, 窺測上意,
薦<u>南以恭</u>[152]爲吏判, 布列南人於臺省. 遂發<u>淸陰</u>圍置之啓, 乃以"不事汚
君"等語激怒聖心, 以爲圖換局面之計. 而竝及於<u>桐溪</u>, 是可忍也? 狗彘不
食其餘耳.

栗谷 · 牛溪[153]

<u>栗谷</u>英材敏識, 卓絶當世, 然以其發於言論者見之, 以超詣之資, 見解文字,
極其容易, 以爲"天下道理, 不過如斯". 其所自處, 未免過高, 唯以自己所
見, 高於聖賢, 雖<u>孔</u> · <u>朱</u>之敎, 有所不合於己意, 則直云"未盡不然". 若其
<u>晦</u> · <u>退</u>之無不壓倒, 已不足道, 而其爲說張皇震耀, 故見之者失其所守. 譬
如秦之始, 已有奮厲猛起底氣象, 一傳而爲<u>金長生</u>, 再傳而爲<u>宋時烈</u> · <u>宋
浚</u>[154]吉 · <u>李惟泰</u> · <u>李翔</u>之徒.
<u>牛溪</u>辭氣雍容, 頗似儒者, 但其氣宇厭厭, 全無特立自樹立之意. 與<u>栗谷</u>趣
味, 大相不同, 而亦以其善柔易狃, 故爲其所喜. 譬如周之末, 已有委靡折入
之漸, 一傳而爲<u>金瑬</u> · <u>安邦俊</u>, 再傳而爲<u>尹宣擧</u>父子.
<u>栗谷</u>之派, 今爲老論, <u>牛溪</u>之派, 今爲少論. 而老論勿論事之是非, 抑勒驅
率, 全無忌憚. 少論阿諛苟且, 畏首畏尾, 唯以取容於老論爲事. 觀今日老少
論風習, 則兩家學術言論之流弊, 亦可知也.

---

151) 淸 : 底本에는 "請"으로 되어 있다. 문맥을 살펴 수정하였다.

152) 南以恭 : 底本에는 "南瑾"으로 되어 있다. 實錄에 근거하여 수정하였다.

153) 원문에는 편목으로 잡혀 있지 않다. 내용을 고려하여 설정하였다.

154) 浚 : 底本에는 "俊"으로 되어 있다. 實錄에 근거하여 수정하였다. 이하 동일사례에는
별도의 校勘記를 달지 않는다.

鄭介淸・崔永慶[155)]

鄭澈鍛鍊己丑獄, 無論他事, 白遣御史於嶺南.【出『西厓年譜』, 見上「他書」條.】

○ 壬寅, 兵判申礛所達密啓事見之, 可見其必欲殺崔守愚也. 分付湖南搜問逆黨脫漏人, 使其侄鄭如陵及其門人洪千璟等發告, 而觀基事歸虛, 則節義論上勒加"排"字而請刑, 則可知其必欲甘心於鄭困齋矣.【申公所達, 出『政院日記』.】

或曰: "鄭困齋事, 安邦俊私記曰'守沈義謙農舍', 曰'棄妻爲僧', 曰'以風水周遊諸處', 曰'交嫁安門婢, 居戶下', 曰'與松廣僧惠熙同事'等, 許多醜說, 豈盡出構誣乎?" 曰: "此不難辨也. 有一於此, 則不獨邦俊知之, 必一道之人皆知之. 柳眉菴・朴思菴卽本道之人也, 金鶴峰・柳公夢鼎卽本州牧使也, 朴公民獻則本道監司也, 此皆名臣碩輔也. 以邦俊後生而聞之之事, 諸公或生並一世, 或同在一道, 獨不聞之, 而前後薦進, 極口稱詡, 何也? 果有此等醜行, 則受撻之洪千璟・醜正之丁岩壽, 何所憚而不言之? 必欲羅織之. 委官亦以同道之人, 何無一言及此, 至于邦俊而始發耶? 薦之者右諸公也, 殺之者澈也, 死後稱冤者, 柳西厓[156)]・許眉叟先生也. 以己丑所無者百計構捏者, 金長生・宋浚吉・李端[157)]相・李晩成・柳景瑞也. 困齋是非, 後之人何取何捨? 必有能辨之者矣."

寶城人安艇, 富冠一邑而無子, 取其侄重敦爲後. 重敦多有悖行, 罷其養, 而以堂侄重默爲子. 重默學於鄭困齋, 學問深高, 爲困齋所深許. 重敦仇視重默, 艇死後, 屢訟于官而皆見屈. 其文案在重默子孫處, 自是兩家子孫如水火. 重敦之子邦俊欲誣重默, 則人必不信, 故攻其師以醜行, 以及乎重默. 其爲計似巧, 實不巧, 徒令人見其肝腑. 困齋果爲安家婢夫居戶下, 則重默豈有俛首受學於婢夫乎? 此不難知也.

---

155) 원문에는 편목으로 잡혀 있지 않다. 내용을 고려하여 설정하였다.
156) 厓: 底本에는 "涯"로 되어 있다. 용례에 근거하여 수정하였다.
157) 端: 底本에는 "瑞"로 되어 있다. 용례에 근거하여 수정하였다.

困齋果有許多賤污之行, 而薦爲羅州敎授, 則思菴亦無據人也. 敎授秩雖卑, 而任一邑師儒之責. 羅州又是湖南多士之淵藪也, 思菴豈以私好之故, 污辱名器, 而欲使多士屈首受業耶? 以此觀之, 則邦俊醜正之說, 不攻自破矣. 思菴亦時輩中賢相, 而急於脫澈, 架鑿爲說, 故不顧有累於思菴耳. 彼輩所謂務安官屬·羅州吏孫·沈連源陪吏等說, 不滿一笑. 論人之罪, 而先論其門地, 來俊臣·周興亦所不爲也. 困齋門地謂之寒微則可也, 比之宋翼弼, 不啻天淵. 翼弼之爲安家奴産, 擧世所知, 而生·栗許以平交, 沙溪稱以師門, 而未聞有非之者. 獨於困齋如是訿病, 是果出於公心乎? 『己丑錄』云: "澈鞫廳之啓曰: '作排節義之論, 惑[158]亂一世之人心. 其爲邪說, 有不可言, 渠旣以節義爲排, 則必好與節義相背之事. 云云.'" 而彼輩欲掩構誣之迹, 則以爲此宣廟敎. 鄭如陵之發告, 雖以其叔澈, 亦不敢掩覆, 而彼輩欲掩其指嗾之迹, 則以爲辛彭年之所告. 觀基事, 旣歸於虛罔, 則又以爲與賊遊山之說, 傳播遠近. 彼輩之隨意粧選, 全無顧忌, 類皆如此. 金長生之言曰: "公會間與先生相語曰: '知朴相否?' 介淸答曰: '聞其家多儲書籍, 往來看考.'云." 此則以背師爲先生之罪案也. 先生之於思菴, 本非師生之說, 海翁疏已盡辨破. 而以長生平日所論觀之, 則公會酬酢之說, 亦安知不出於孟浪乎?

長生論黨論源委, 則欲掩沈義謙爭權事, 歸之於退溪·南冥[159]分門相攻. 又做出蓄娟之說, 污衊退溪. 東皐相公嘗言於白休菴曰: "爾之李珥, 何多言也?" 爲相公所不悅如此. 而相公臨沒遺疏言"將有朋黨之漸", 栗谷挾前憾, 上疏極詆之, 故長生爲師門報復以爲: "相公書西人十七人之名, 密付上之內舅鄭昌瑞, 欲起士禍者, 三次不逞." 又曰: "南冥及金孝元爲東人之領袖, 因成廢母之厲階." 此果一豪近似乎? 專事黨論, 白地造言, 與邦俊無異. 公會云云之說, 出於他人, 則猶可信也, 出於長生, 何可信也?

---

158) 惑: 底本에는 "或"으로 되어 있다. 『己丑錄續』에 근거하여 수정하였다.

159) 冥: 底本에는 "溟"으로 되어 있다. 용례에 따라 수정하였다. 동일사례에는 별도의 校勘記를 달지 않는다.

『澤堂家錄』云[160]): "鄭汝立出於湖南, 與鄭介清 · 李潑, 雄豪一道, 爲無
賴淵藪." 隱然歸之於黨賊之科. 及其奉命脩史之時, 抵書於安邦俊, 求見所
著之野史, 前所云云, 蓋先入邦俊之讒而然矣. 李端相之疏又曰 "介清之事,
備載於國乘"云, 端相見澤堂所錄邦俊之言, 而有此說矣. 時輩隨其好惡, 貿
亂黑白, 如此國史, 亦可信乎?

崔守愚及先生同死於澈之手, 而澈黨在守愚, 則雖有疵摘之言, 亦不敢顯
言其有罪. 至於先生, 則其所構捏, 丁酉甚於己丑, 庚申甚於丁酉者, 無他
也, 守愚之伸雪, 出於宣廟之特敎. 澈之得罪, 亦以此, 而彼輩中公論, 亦以
守愚爲冤, 故澈黨之營護者及其子弘溟之言, 每稱 "澈伸救守愚, 而終不及
脫出", 以爲求免其殺士之名. 至於先生, 則其構殺之迹, 無可掩覆, 不得不
加醜於先生, 然後乃可以脫澈於千古奸凶之目. 而先生只是己丑之鄭介清,
而其罪名則愈出愈奇, 做成別般人, 而謂之 "鄭某之事". 詩曰: "哆兮
侈[161]兮, 成彼南箕.", "萋兮菲兮, 織彼貝錦." 其是之謂乎? 孟子曰: "讀其
書不知其人可乎?" 觀先生文集, 則其學問門路之正大, 造詣之高深如此,
而寧有一毫非義之事乎? 受禍之初, 宣廟覽其所著書曰: "此讀古人之書
者也." 下縣邸給其家. 時相朴世采以爲: "得見其所著『愚得錄』, 則深識
道理, 可見其學問之深造." 尹拯之言, 亦許以讀古人書, 可見公論, 亦不能
終泯也.
彼輩以先生與賊書稱道之語爲罪案, 而先生之被禍, 亦以此也. 按此獄者,
當問其與聞逆謀與否, 不當問其親疏. 況一番通書, 循例稱道, 皆可爲罪案,
則其時朝臣寧有得免者乎? 時人之於生 · 栗, 其所景仰何如, 而栗谷盛稱
汝立於筵中, 至以爲博學有才, 處士中可用者. 並與牛溪而聯入於薦剡中,
其所獎詡, 奚止於 "見道高明" 而已也? 牛溪引咎之章, 亦曰: "賊臣汝立訪
臣于坡州幾三四, 寒喧講問書尺, 臣皆酬酢."云, 則其所推重款密, 奚止於
一番通書而已? 而皆在於逆節未著之前, 故人不爲咎, 獨於先生, 至今爲時

---

160) 『澤堂別集 · 示兒代筆』을 교본으로 삼았다.

161) 侈: 底本에는 "哆"로 되어 있다. 『詩經』에 근거하여 수정하였다.

輩藉口之資, 良可異也.

甲戌, 本道監司<u>朴民獻</u>啓[162]: "薦<u>務安</u>幼學<u>鄭介淸</u>, 爲人詳明, 篤志爲學.
家至淸貧, 未嘗一步妄行, 一毫干[163]人. 居家奉親至孝, 與門徒日講道義,
及人者甚多. 常做工於『禮經』, 多有所發明於易學. 非尋常, 只合於百執事
者. 云云."

○ 丁丑, <u>柳眉菴 希春</u>以先生涵養功深, 宜爲後學師表, 勸<u>羅德峻</u>等師事之.
<u>李栗谷 珥</u>亦謂<u>德峻</u>等曰: "<u>鄭</u>某學行篤實, 可爲人師, 須亟從遊." 仍與受
賜『朱子語類』一帙. <u>朴思菴 淳</u>亦謂: "<u>鄭</u>某道成德立, 繼<u>程</u>·<u>朱</u>嫡傳, 盍
往從之?" 一時諸賢, 皆推轂先生, 許以儒宗, 故<u>德峻</u>等有此尊師之擧.

○ 乙酉正月, 次<u>朴思菴</u>韻. 時<u>思菴</u>作"述志"一絶, 贈<u>先生</u>曰: "乾坤納納水
茫茫, 臥疾蹉跎久繫航. 一棹飄然他日意, 欲隨漁父和滄浪." 先生次之
曰: "都兪千載已蒼茫, 濟楫還爲浮海航. 興喪斯文天未測, 不居何必倚鯨
浪."
嗚呼! <u>鄭困齋</u>之被誣, 雖有許多讒構之言, 皆出於身沒百餘年之後, 而己丑
受禍, 則只在於"節義"上, 勒加"排"字而殺之矣. 偶讀<u>思齋 金先生</u>策士之
文, 則有曰: "<u>西漢</u>士習, 爭尙經學, 而贊成簒[164]謀者, 皆出於名儒. <u>東漢</u>士
習, 務立名節, 而激成亂堦者, 皆由於節士. 其爲害一也, 何補於治道?"
觀此所論, 則足以成排經學排節義之案, 而彼<u>袞</u>·<u>貞</u>輩計不出此, 豈其智
有所不逮於後人歟? 抑<u>思齋</u>之見忤於<u>袞</u>·<u>貞</u>, 不甚於<u>困齋</u>而然歟? 後之覽
是書者, 有以知<u>困齋</u>之禍, 不在於節義論耳.
<u>宋公</u>一生, 唯以尊<u>朱子</u>爲己任, 其所以尊之者, 不過挾天子以令諸侯. 又視
色目同異, 專用殺活手段. 是故<u>趙相 翼 孝廟</u>朝, 投進四書困得, 蓋撤去<u>朱</u>

---

162) 『宣祖實錄』7年 7月 21日 기사를 교본으로 삼았다.

163) 干: 底本에는 "于"로 되어 있다. 교본에 근거하여 수정하였다.

164) 簒: 底本에는 "簒"으로 되어 있다. 문맥을 고려하여 수정하였다.

子傳註, 易以己意. 並與其所著經說, 十數卷刊行於世, 依『二程遺書』·
『朱子遺書』標名之例, 名之曰『浦渚遺書』. 其意欲使一世學子, 盡從其說
矣. 懷川撰其碑文, 盛有稱道, 未聞有一毫非斥之語.

至於尹白湖·朴西溪所改經書註, 雖云妄率, 不過篋笥中私藏, 未嘗投進
於君父, 又未有刊行於世. 而皆以毁經侮聖, 受禍最酷. 於彼則尊信之, 於此
則誅絶之, 何也? 白湖以禮訟角立於懷川, 西溪則以碑銘得罪於懷黨. 特假
此以成其罪案耳.

鄭困齋"東漢節義晋宋淸談"說曰: "東漢節義, 較以功名, 則其高尙猶可
激頑起懦, 晋·宋淸談, 視之謀利, 則其氣岸亦足以矯情鎭物. 其未知從事
於聖學, 而不循義理之安, 張皇意氣之發, 以至於亡人之國, 而不自知其爲
非也, 則亦無補於世敎也較然矣. 蓋節義底人, 其心高視天下, 而傲睨一世,
出乎禮義之規, 不屑性命之本. 使天下之人, 皆有以自是而非人, 終至於羣
狡165)並起, 睥睨神器. 至於淸談云云. 蓋其節義慕許由, 淸談祖老·莊, 而
築底爲獘, 至於如此. 源其所始166), 皆不知有明德新民, 而獨善於彝倫之
外, 不究其視聽言動之理, 而自逸於檢防167)之節, 皆衰世之所尙.168) 其得
罪於聖賢中和之道, 則通萬古必一談, 後之爲國者其可監, 而爲學者亦可
戒也. 讀朱子書, 因感隨筆焉."

165) 狡: 底本에는 "較"로 되어 있다.『己丑錄』에 근거하여 수정하였다.
166) 始: 底本에는 "視"로 되어 있다.『己丑錄』에 근거하여 수정하였다.
167) 防: 底本에는 "場"으로 되어 있다.『己丑錄』에 근거하여 수정하였다.
168) 尙: 底本에는 "當"으로 되어 있다.『己丑錄』에 근거하여 수정하였다.

찾아보기

편자ㅣ

홍중인 洪重寅, 1677~1752

본관은 풍산(豊山), 자는 양경(亮卿), 호는 화은(花隱)이다. 1713년(숙종39) 성균관 진사가 되었고, 선릉참봉(宣陵參奉)으로 출사하여 진안(鎭安)·원성(原城)현감 등을 거쳐 원주목사(原州牧使)에 이르렀다. 1741년 한산군수(韓山郡守)를 지낸 뒤 사직하였다가 정언 등을 역임한 아들 홍정보(洪正輔)의 공으로 첨지중추부사와 돈녕부도정을 지냈다.

역주ㅣ

김용흠

서울대학교 국사학과 학사, 연세대학교 대학원 문학석사·박사. 현 연세대학교 국학연구원 연구교수
주요논저ㅣ『조선후기 정치사 연구Ⅰ-인조대 정치론의 분화와 변통론』(2006), 『목민고·목민대방』(역서, 2012), 『조선의 정치에서 무엇을 볼 것인가-탕평론·탕평책·탕평정치』(2016), 『형감』(역서, 2019), 「조선후기 노론 당론서와 당론의 특징-『형감(衡鑑)』을 중심으로」(2016), 「『경세유표』를 통해서 본 복지국가의 전통」(2017)

원재린

성균관대학교 사학과 학사. 연세대학교 대학원 문학석사·박사. 현 연세대학교 국학연구원 연구교수
주요논저ㅣ『조선후기 성호학파의 학통연구』(2002), 『임관정요』(역서, 2012), 『동소만록』(역서, 2017), 『형감』(역서, 2019), 「조선후기 남인당론서 편찬의 제 특징」(2016), 「성호사설과 당쟁사 이해」(2018)

김정신

덕성여자대학교 사학과 학사. 연세대학교 대학원 문학석사·박사. 현 연세대학교 국학연구원 연구교수
주요논저ㅣ『형감』(역서, 2019), 「주희의 묘수론과 종묘제 개혁론」(2015), 「주희의 소목론과 종묘제 개혁론」(2015), 「기축옥사와 조선후기 서인 당론의 구성·전개·분열」(2016), 「16~7세기 조선 학계의 중국 사상사 이해와 중국 문헌」(2018)

대백록 待百錄

홍중인 편ㅣ김용흠·원재린·김정신 역주

초판 1쇄 발행 2019년 12월 31일

펴낸이 오일주
펴낸곳 도서출판 혜안

등록번호 제22-471호
등록일자 1993년 7월 30일

주소 04052 서울시 마포구 와우산로 35길 3(서교동) 102호
전화 02-3141-3711~2 / **팩스** 02-3141-3710
이메일 hyeanpub@hanmail.net

ISBN 978-89-8494-639-2 93910

값 28,000 원